聖賢之道

湯一介

戊子年夏

国学基本教材

唐宋文选

介江岭◎编注

浙江古籍出版社

“国学基本教材”编辑委员会

统　　筹：

　　孙劲松　向　珂　蒋蔚芳　周金芝

主　　编：李耐儒

编　　委：

　　李南晖　陆有富　刘乃溪　徐　骆　须　强

　　可延涛　李　凯　刘　舫　毛文琦　房春草

　　李宏哲　张　华　黄晓芳　赵立学　介江岭

　　张志强　姜李勤　白　坤　晏子然　施仲贞

　　张　琰　汪佳敏　姚之均　余雅汝　干璐娜

本册编注：介江岭

总 序

秋霞圃书院创办有年，在民间推动国学普及工作，志在以独立之精神、自由之思想为宗旨，促进古今中外文化思想与学术的交流，为中华民族文化的复兴而尽心尽力。其志可嘉，其行可感！

近年，秋霞圃书院耐儒兄主持编撰“国学基本教材”。本套国学教材集复旦大学、武汉大学、南开大学、中山大学、华东师范大学、上海师范大学等名牌院校的二十多名青年学人，采各种版本的国学读本之长，广泛吸取中小学一线语文教师的教学经验，精心编撰，是中小学生比较理想的国学读本，也是便于教师们使用的、较为系统的国学教材。

读本的篇目有：《弟子规》、《三字经》、《千字文》、《千家诗选读》、《幼学琼林》、《诗词格律》、《唐诗选读》、《宋词选读》、《论语》（上、下）、《史记选读》（上、下）、《大学　中庸》、《诗经选读》、《孟子》（上、下）、《左传选读》、《颜氏家训》、《诸子文选》（上、下）、《汉魏六朝文选》、《唐宋文选》、《礼记选读》、《楚辞选读》。每册有指导性概述，有经典原文，有对原文的注释与新译（赏析），并配上文史链接（延伸阅读）、思考讨论等，图文并茂，准确生动，具有可读性与系统性。

梁启超先生说过，《论语》、《孟子》等经典“是两千年国人思想的总源泉，支配着中国人的内外生活，其中有益身心的圣哲格言，一部分久已在我们全社会形成共同意识，我们既做这社会的一分子，总要彻底了解它，才不致和共同意识生隔阂”。这就是说，“四

书”等经典表达了以“仁爱”为中心的“仁义礼智信”等中华民族的核心价值观念，这是中国古代老百姓的日用常行之道，人们就是按此信念而生活的。

中国文化的大传统与小传统是打通了的。国学具有平民化与草根性的特点。中国民间流传着的谚语是：“勿以善小而不为，勿以恶小而为之”；“老吾老以及人之老，幼吾幼以及人之幼”；“积善之家必有余庆，积不善之家必有余殃”。这些来自中国经典的精神，透过《弟子规》、《三字经》、《百家姓》、《千字文》、《千家诗》等蒙学读物及家训、族规、乡约、谱牒、善书，通过大众口耳相传的韵语故事、俚曲戏文、常言俗话，成为“百姓日用而不知”的言行规范。

南宋以后在我国与东亚的民间社会流传甚广、深入人心的朱熹《家训》说：“事师长贵乎礼也，交朋友贵乎信也。见老者，敬之；见幼者，爱之。有德者，年虽下于我，我必尊之；不肖者，年虽高于我，我必远之。”“人有小过，含容而忍之；人有大过，以理而谕之。勿以善小而不为，勿以恶小而为之。”又说，“勿损人而利己，勿妒贤而嫉能。勿称忿而报横逆，勿非礼而害物命。见不义之财勿取，遇合理之事则从……子孙不可不教，童仆不可不恤。斯文不可不敬，患难不可不扶。”朱子说此乃日用常行之道，人不可一日无也。应当说，这些内容来源于诗书礼乐之教、孔孟之道，又十分贴近大众。它内蕴着个人与社会的道德，长期以来成为老百姓的生活哲学。

王应麟的《三字经》开宗明义：“人之初，性本善。性相近，习相远。苟不教，性乃迁。教之道，贵以专。”这就把孔子、孟子、荀子关于人性的看法以简化的方式表达了出来。儒家强调性善，又强调人性的养育与训练。

清代李毓秀《弟子规》的总序说："弟子规，圣人训。首孝弟，次谨信。泛爱众，而亲仁，有余力，则学文。"以下分成"入则孝"、"出则悌"、"谨而信"、"泛爱众而亲仁"等几部分。这些纲目都来自《论语》。《弟子规》中对孩童举止方面的一些要求，如站立时昂首挺胸、双腿站直，见到长辈主动行礼问好，开门关门轻手轻脚，不用力甩门等，这些规范都是文明人起码应有的，是尊重他人而又自尊的体现。又如："晨必盥，兼漱口，便溺回，辄净手。冠必正，纽必结，袜与履，俱紧切。""斗闹场，绝勿近，邪僻事，绝勿问。将入门，问孰存，将上堂，声必扬。""用人物，须明求，倘不问，即为偷。借人物，及时还，后有急，借不难。"这都是有助于文明社会的建构的，是文明人的生活习惯，也是今天社会公德的基础。

朱柏庐在《朱子治家格言》起首的一段说："黎明即起，洒扫庭除，要内外整洁;既昏便息，关锁门户，必亲自检点。一粥一饭，当思来处不易；半丝半缕，恒念物力维艰。"这些都是平实不过的道理，体现到一个人身上就是他的家教。旧时骂人，说某某没有家教，那是很重的话，让其全家蒙羞。我们不是要让青少年一定要做多少家务，而是要他们从小学就动手打理好自己与家庭的事情，不要过分依赖父母，依赖他人，能够自己挺立起来，培养责任意识。同时，知道一粥一饭、半丝半缕都是辛劳所得，我们能够懂得去尊重家长与别人的劳动。如果我们真的有敬畏之心，就知道珍惜，不应该浪费。

南开中学的前身天津私立中学堂成立于1904年10月，老校长严范孙亲笔写下"容止格言"："面必净，发必理，衣必整，纽必结。头容正，肩容平，胸容宽，背容直。气象：勿傲，勿暴，勿怠。颜色：宜和，宜静，宜庄。"这四十字箴言来自蒙学，又是该校对学生容貌、行止的基本要求。校内设整容镜，师生进校时都要照镜正容色。

后来张伯苓先生治校，坚持了这些做法。

蔡元培先生在留德期间撰写了《中学修身教科书》，该书被商务印书馆于1912年至1921年间共印行了十六版，他还为赴法华工写了《华工学校讲义》，两书在民国间影响甚大，今人将其合为《国民修养二种》一书。蔡先生在民国初年为中学生与赴法劳工写教科书，重视社会基层的公民教育。蔡先生的用心颇值得我们重视，他从孝敬父母谈起，创造性地转化本土的文化资源，特别是以儒家道德资源来为近代转型的中国社会的公德建设与公民教育服务。

现今南京夫子庙小学的校训是“亲仁、尚礼、志学、善艺”。我认为这是非常好的。对孩童、少年的教育，首先是培养健康的心性才情，从日常生活习惯，从待人接物开始，学会自重与尊重别人。

我们今天强调成人教育，因为仅有成才教育是不够的，成才教育忽略了我们作为完整的人、健康的人所必需的一些素养，它在人格养成方面几乎是空白。这不是大学教育才有的问题，而是幼儿园、中小学教育就该关注的。养育青少年的性情，需要家庭、学校、社会的配合。

国学当中有很多修身成德、培养君子人格的内容。中国古典的教育，其实就是博雅教育。传统的教育并不是道德说教，也不是填鸭式满堂灌的教育，而是春风化雨似的，让学生在点滴中有所收获并自己体验，如诗教、礼教、乐教等。

我觉得应该让孩子们处在良好的文化氛围中。家长、老师们要以身作则、言传身教，这对孩子们影响很大。家长、老师有义务端正自己的言行，尤其在孩子们面前。要培养孩子分辨是非的能力，多在性情教育上下工夫，关注孩子的心理健康，多与孩子交流，洞察他们的情感，并做正确的引导。现在一些家长做不到以身作则，他们撒谎骗人，打骂斗狠，不尊重老人，这些都会给孩子的成长烙下负面的印记。

我们也希望同学们能趁着年轻记性好，多读些经典，最好能背诵一些，其中的意思以后可以慢慢领悟。南宋思想家陈亮说过：“童子以记诵为能，少壮以学识为本，老成以德业为重……故君子之道不以其所已能者为足，而尝以其未能者为歉，一日课一日之功，月异而岁不同，孜孜矻矻，死而后已。”

本丛书所收经典与蒙学读物中有很多圣哲格言，都足以让我们受用终身。我们一直希望能有多一些的国学经典进入中小学课堂，至少让“四书”进入教材。我们希望能多一些国文课，让中小学生能接受到系统的传统语言与文化教育。中华民族有很多优根性，更需大大弘扬。

是为序。

郭齐勇

癸巳春于珞珈山

目　录

概　述 …………………………………………………………… 1

第一章　风流余韵——初唐 ……………………………… 4

谏太宗十思疏（魏徵）………………………………… 4

代李敬业传檄天下文（骆宾王）…………………… 8

秋日登洪府滕王阁饯别序（王勃）………………… 14

与东方左史虬修竹篇序（陈子昂）…………………23

第二章　生机律动——盛唐 ………………………………28

山中与裴秀才迪书（王维）……………………………28

秋夜于安府送孟赞府兄还都序（李白）……………31

吊古战场文（李华）……………………………………35

菊圃记（元结）………………………………………… 42

吴季子札论（独孤及）………………………………… 45

第三章　古风振起——中唐 ………………………………52

送李愿归盘谷序（韩愈）………………………………52

圬者王承福传（韩愈）…………………………………57

子产不毁乡校颂（韩愈）………………………………65

原　道（韩愈）…………………………………………68

送穷文（韩愈）…………………………………………80

天　论（上篇）（刘禹锡）…………………………… 86

养竹记（白居易）………………………………………94

醉吟先生传（白居易）……………………………… 100

寄从弟正辞书（李翱）…… 108
蝜蝂传（柳宗元）…… 113
愚溪诗序（柳宗元）…… 116
送僧浩初序（柳宗元）…… 121
始得西山宴游记（柳宗元）…… 126
第四章 光彩夕照——晚唐 …… 131
阿房宫赋（杜牧）…… 131
李贺小传（李商隐）…… 137
三间大夫意（罗隐）…… 144
郢州孟亭记（皮日休）…… 147
野庙碑（陆龟蒙）…… 152
第五章 古道新声——北宋 …… 159
录海人书（王禹偁）…… 159
岳阳楼记（范仲淹）…… 164
秋声赋（欧阳修）…… 170
苏氏文集序（欧阳修）…… 176
六一居士传（欧阳修）…… 182
明　论（苏洵）…… 187
学舍记（曾巩）…… 193
洪渥传（曾巩）…… 198
训俭示康（司马光）…… 203
西　铭（张载）…… 213
君子斋记（王安石）…… 217
后杞菊赋（苏轼）…… 223
文与可画筼筜谷偃竹记（苏轼）…… 227
与谢民师推官书（苏轼）…… 233

墨竹赋（苏辙）…… 239
武昌九曲亭记（苏辙） …… 245
濂溪诗序（黄庭坚） …… 250
新城游北山记（晁补之）…… 255
第六章　偏安悲响——南宋 …… 260
金石录后序（李清照）…… 260
居室记（陆游）…… 277
姚平仲小传（陆游） …… 282
大学章句序（朱熹） …… 287
白鹿洞书院论语讲义（陆九渊）…… 295
议练民兵守淮疏（辛弃疾）…… 301
中兴遗传序（陈亮） …… 306
告先太师墓文（文天祥）…… 317
登西台恸哭记（谢翱） …… 321
后　记 …… 329

概 述

在我国文学史长河中，唐宋文章流光溢彩，浪潮迭起。初唐文士多因袭六朝绮靡文风，流行用骈体作文，讲究句式工整，声律和谐，着重藻饰和用典。后来文士越来越刻意地追求文章的形式美，使得内容芜杂重沓，艰涩空洞。于是，革新文体文风的呼声渐起。魏徵在《隋书·文学传序》中批评骈文的浮艳，主张文质结合。陈子昂在《与东方左史虬修竹篇序》中提倡作文应有“汉魏风骨”。与这种革新的呼声相应和，盛唐时期李华、元结、独孤及等追慕汉魏古风，力图突破当时的骈文写作藩篱。李白、王维等盛唐诗人也多运用骈散结合的方式成就了各自文章的独特魅力。但骈文写作依然是文坛的主流，为社会所推崇。

及至中唐，与政治上的革新相呼应，韩愈、柳宗元发起古文运动，提出“文以明道”、“文道合一”，力主发扬先秦两汉散文明朗质朴的传统，主张“师其意不师其辞”，强调文章与道德修养、现实生活的联系。刘禹锡、白居易、李翱等也积极宣传和从事古文写作，古文创作逐渐走向高潮。古文与骈文相对，不拘泥于声律对偶，多用散行单句。它与骈文相比，更便于抒情、叙事和议论。

到了晚唐，古文创作走向低谷，名家皮日休、陆龟蒙等致力于小品文的创作，鲁迅先生称赞该时期的小品文“正是一塌糊涂的泥塘里的光彩和锋芒”。与之相比，以李商隐、杜牧等为代表的骈文创作重新活跃起来，《阿房宫赋》即为这一时期的杰作。

总之，唐文随着唐代社会历史的发展变化而呈现出从骈散文

共生到此消彼长的景况。其中古文运动力图扭转浮华的文风，对后世产生了不可估量的影响。

继唐文的繁盛之后，宋文成为我国文化发展史上的另一篇华章。在众所周知的唐宋八大家中，就有欧阳修、苏洵、苏轼、苏辙、曾巩、王安石等六位宋人，可见宋文的惊人成就。宋初，受晚唐五代浮艳文风的影响，大多数文人举子极力追求文句的声律骈俪，文章也渐渐流于浅薄空洞。柳开、范杲、王禹偁等有识之士提倡重振韩愈、柳宗元的古文创作主张，但并未获得世人的响应。一直到仁宗年间(1023—1063),欧阳修成为文坛领袖。在他的影响下，形成一股强有力的古文创作力量，如苏洵、苏轼、苏辙、王安石、曾巩，以及苏门的黄庭坚、秦观、张耒、晁补之等。他们各逞精神，使古文创作呈现出百花齐放的盛景。随后，文人士大夫争相学习、发扬“文以明道”、“文以载道”的思想,进而影响到社会的方方面面。

从文艺欣赏的角度看，南宋的文章成就比不上北宋，如前所举，唐宋八大家中的六位宋人皆为北宋文豪，但南宋亦有不少杰出的文学家，如陆游、辛弃疾等。宋室南渡之后，国难致使文士们多忧心于政事,笔力也多着重于此。同时,理学在南宋达到高峰,虽然理学家多认同“作文害道”，并不十分注重文饰，但仍有不少著名的理学家，如朱熹、陆九渊等，颇有文采。更重要的是他们所谈所论平实自然、切己近身、发人深省，对当时及后世都有很大影响。另外值得注意的是宋末，虽然朝廷势如危卵，仍然涌现出一批忧心国是的文章大家，如文天祥、谢翱等。

总而言之，宋文继唐文而兴，唐宋文一脉相承。同时，宋文也呈现出与唐文不同的风采。大体而言,宋文平易自然、婉转舒缓;唐文波澜起伏、纵横开阖。

唐宋的文章大家和名作灿若群星，对后世有深远的影响，如明代以归有光为代表的唐宋派，清代以方苞、姚鼐为代表的桐城派，都是文宗唐宋，主张“文道合一”、“言有物”、“言有序”。另外，历来有多种唐宋文的选本，如明朝朱右的《八先生文集》、唐顺之的《文编》、茅坤的《唐宋八大家文钞》、清高宗皇帝的《御选唐宋文醇》、姚鼐的《古文辞类纂》唐宋部分、近人高步瀛的《唐宋文举要》等等，唐宋文对后世的影响于此可见一斑。

毋庸置疑，唐宋文是我们文化传统中的宝贵财富，唐宋时期的名家名作对于我们体味传统文化的精义，反省我们当下的生活有极大的帮助。但阅读唐宋文有不少困难：其一，唐宋文的数量极多，仅《全唐文》就收录一万八千余篇，《全宋文》更是有文十七万余篇，即便是前面所提到的唐宋文的各种选本也都有极多的篇目；其二，唐宋离我们的时代已远，社会历史情境已发生极大的变化，许多具体的制度和风俗需要另加解释。另外，需要特别说明的是，古代的学科没有明显的文史哲的分类，文或古文有今天“杂文学”的特征。文人士大夫兼通文史哲，多能够“悠游容与于其间”。

有鉴于此，本书试图从唐宋文章中拣择英华。以初唐、盛唐、中唐、晚唐、北宋和南宋为时间段，以各时期的名家为代表，尽量挑选能呈现他们思想精神的文章加以译注，并辅以相关的文史知识，以便读者初步了解唐宋文的意味，尝鼎一脔。如有兴趣，读者可进一步深入阅读唐宋文的别集、总集，与唐宋诸位大家在思想情趣上共舞。本书共选唐文 27 篇，计 19 家，宋文 27 篇，计 20 家。所选文章参鉴诸位名家的今本别集，同时也参考了现今的相关注释和译文。

第一章　风流余韵——初唐

谏太宗十思疏

魏　徵[1]

臣闻求木之长者，必固其根本；欲流之远者，必浚其泉源；思国之安者，必积其德义。源不深而望流之远，根不固而求木之长，德不厚而思国之安，臣虽下愚，知其不可，而况于明哲乎[2]！人君当神器之重[3]，居域中之大[4]，不念居安思危，戒奢以俭，斯亦伐根以求木茂，塞源而欲流长也。

注释

[1] 魏徵：字玄成，巨鹿（今河北）人。初唐政治家，以敢于直谏著名。参与编修《隋书》、《周书》等史书。　[2] 明哲：深明事理的人。这里指唐太宗。　[3] 神器：帝位，国家。
[4] 域中：宇内，国内。语出《老子》："域中有四大，而王居其一焉。"

译文

臣听闻，想要树木长得高，必须稳固树根；想要河水流得远，必须深挖疏通源头；想要国家安定，必须厚积道德仁义。源头不深而想要河水流得远，根不稳固而想要树木长得高，道德不深厚而想要国家安定，即使是臣这样愚笨的人也知道这是不可能的，更何况是深明事理的您呢！国君担当国家的重要权位，据有天下最高的地位，不惦念着居安思危，戒除奢侈，力行节俭，这就好像砍掉树根而想要树木茂盛，堵塞源头而想要水流得远。

凡昔元首，承天景命[1]，善始者实繁，克终者盖寡[2]。岂取之易、守之难乎？盖在殷忧必竭诚以待下，既得志，则纵情以傲物。竭诚则吴越为一体，傲物则骨肉为行路。虽董之以严刑[3]，震之以威怒[4]，终苟免而不怀仁，貌恭而不心服。怨不在大，可畏惟人。载舟覆舟，所宜深慎。

注释

[1]景：大。 [2]克：能够。 [3]董：监督。 [4]震：恐吓。

译文

历代君王，禀承民意开头做得好的确实很多，能保持到最后的却很少，难道取得天下容易，守住天下困难吗？一般在忧患深重的时候，一定是尽心诚意对待臣民；得到天下之后，就放纵自己，傲慢地对待人和事。尽心诚意可使吴越结成一体；傲慢地对待人事，骨肉亲人也会成为陌路人。即便用严刑来督察他们，用威势来恐吓他们，结果大家只图免受刑罚而不会感念仁德，外表恭顺而不会内心悦服。怨恨不在于大小，可怕的是民众，就像水能载舟也能覆舟一样，这是应当特别谨慎的。

诚能见可欲则思知足以自戒[1]，将有作则思知止以安人，念高危，则思谦冲而自牧[2]，惧满盈则思江海下百川，乐盘游则思三驱以为度[3]，忧懈怠则思慎始而敬终，虑壅蔽则思虚心以纳下，惧馋邪则思正身以黜恶[4]，恩所加，则思无因喜以谬赏，罚所及则思无以怒而滥刑。总此十思，弘兹九德[5]，简能而任之[6]，择善而从之。则智者尽其谋，勇者竭其力，仁者播其惠[7]，信者效其忠。文武并用，垂拱而治[8]。何必劳神苦思，代百司之职役哉！

注释

[1]诚：如果。　[2]谦冲：谦虚。　自牧：自我修养。　[3]盘游：游乐。　[4]黜：摒弃，消除。　[5]九德：古书中提到的九种德性，说法不一。这里泛指一切德性。　[6]简能：选拔有才能的人。　[7]播：传扬。　惠：仁爱。　[8]垂拱：垂衣拱手，不亲理事务。后多用以颂扬帝王无为而治。

译文

如果能够见到想要的东西，就想到以知足警戒自己；将要有劳役，就想到适可而止，使人民安宁；思虑位高不安，就想到谦虚来加强自我修养；怕自满，就想到要像江海那样能够容纳千百条河流；爱好游乐，就想到网三面而留一面；忧虑懈怠，就想到慎终如始；怕受到蒙蔽，就想到虚心采纳下面的意见；害怕馋邪，就想到自身要正直，排斥恶人；施加恩赏，就想到不要因为高兴而给予不恰当的赏赐；动用刑罚，就想到不要因为发怒而处罚过度。综合以上十思，厚积德性的修养，选拔、任用有才能的人，选择采纳好的意见，于是有智慧的人尽力出谋划策，勇敢的人竭尽勇力，仁爱的人传扬仁爱，诚信的人报效忠心。文臣武将都得到重用，君主垂衣拱手就能治理好天下。何必劳神苦思，替百官做事呢！

文史链接

魏徵与《谏太宗十思疏》

众所周知，魏徵是历史上最负盛名的谏臣，有许多关于他犯言直谏的故事传为美谈。《谏太宗十思疏》即为他谏疏的代表作，历来被人所称誉。这篇上疏写于唐贞观十一年（637）。

唐太宗登基后，汲取隋朝覆灭的经验教训，从谏如流，与民休养生息，社会生活逐渐从战乱的凋敝中恢复过来，于是出现了为世人称道的“贞观之治”。但随着国力的日益强盛，唐太宗开始忘记居安思危，生活奢侈。仅在贞观十一年，他先下令修了飞仙宫，接着又修建老君庙、宣尼庙，二月巡游洛阳宫，六月巡游明德宫，十月猎于洛阳苑，十一月巡游怀州，狩于济源。魏徵觉察到这些现象后，从三月到七月，连上四疏，《谏太宗十思疏》即为其中之一。

谏疏开篇以“固本思源”为喻，警示唐太宗处在皇帝的位置上要居安思危，戒奢崇俭。然后以史为鉴，提出历朝皇帝“取易

守难”的疑问，对比“得志”前后的作为，提醒唐太宗体会古代“水则载舟，水则覆舟”（语出《荀子·王制》）的深刻政治哲理。接着列出“十思”，作为“垂拱而治”的治国方略。

唐太宗看到这篇上疏后，亲自写了答复诏书，在诏书中承认自己的过失，称赞魏徵的劝谏，并将这篇上疏放在案头上，时时警策。

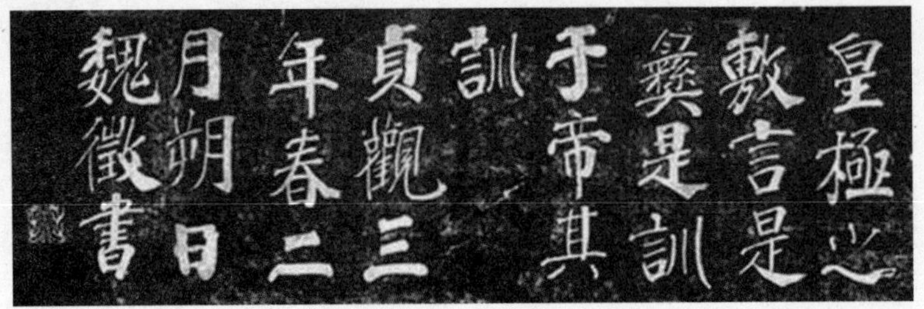

魏徵书法拓片

思考讨论

1.《谏太宗十思疏》中，你比较欣赏哪些文句？为什么？

2. 根据魏徵对唐太宗的劝谏，谈谈古代大臣对君主的态度。

代李敬业传檄天下文 [1]

骆宾王 [2]

伪临朝武氏者 [3]，人非温顺，地实寒微 [4]，昔充太宗下陈 [5]，尝以更衣入侍 [6]。洎乎晚节 [7]，秽乱春宫 [8]。密隐先帝之私，阴图后庭之嬖 [9]。入门见嫉，蛾眉不肯让人；掩袖工谗[10]，狐媚偏能惑主。践元后于翚翟[11]，陷吾君于聚麀[12]。加以虺蜴为心[13]，豺狼成性。近狎邪僻，残害忠良，杀姊屠兄，弑君鸩母。神人之所共疾，天地之所不容。犹复包藏祸心，窥窃神器[14]。君之爱子[15]，幽之于别宫；贼之宗盟，委之以重任。呜呼！霍子孟之不作[16]，朱虚侯之已亡[17]。燕啄皇孙[18]，知汉祚之将尽；龙漦帝后[19]，识夏庭之遽衰。

注释

[1]李敬业：唐朝开国功臣李勣（本姓徐，因有功赐姓李）的长孙，袭英国公爵位，光宅元年起兵反对武则天，兵败后被部下所杀；檄:古代官方用以征召、晓谕、声讨的文书。这里指用檄文晓谕天下。

[2]骆宾王，字观光，婺州义乌（今浙江义乌）人，初唐诗人。

[3]临朝:上朝处理国政。　武氏:武则天。　[4]地:地位，门第。

[5]太宗：唐太宗李世民。　下陈：指后宫中地位较低的宫妃。

[6]更衣:换衣服。此指以侍女身份入宫受宠。　[7]洎(jì):及，到。

[8]春宫：太子居住的东宫，代指太子。　[9]嬖（bì）：宠爱。

[10]工：擅长，善于。　[11]元后：皇后。　翚（huī）翟：皇后的车服仪仗。　[12]聚麀（yōu）：两头公鹿一同占有母鹿。语出《礼记·曲礼》：“夫唯禽兽无礼，故父子聚麀。”麀，母鹿。

[13]虺蜴（huǐ yì）：虺蛇和蜥蜴。　[14]神器：帝位。

[15]君之爱子：这里指唐中宗李显。　[16]霍子孟：西汉时期

的霍光，字子孟，西汉昭帝的辅政大臣。 [17]朱虚侯：汉高祖刘邦的孙子刘章。 [18]燕啄皇孙：汉成帝的皇后赵飞燕谋杀皇子。 [19]龙漦（chí）帝后：据《史记》记载，夏朝末年有两条神龙下降宫廷，口说人言，吐下涎沫。夏帝把龙涎装入匣子藏了起来。到周厉王时，打开观看，龙涎化为玄鼋，爬入后宫，随后一名宫女感而有孕，生下一个女孩，即褒姒。后来，褒姒成为周幽王的王后，周幽王为了博得褒姒一笑，“烽火戏诸侯”，失信于诸侯，最终导致了西周的灭亡。龙漦，龙涎；帝后，指后宫。

译文

非法把持朝政的武氏，不是温和善良之辈，出身卑下。当初是太宗皇帝的婢妾，曾以更衣的身份而得以奉侍左右。到后来，不顾伦常与太子关系暧昧。隐瞒先帝对她的宠幸，谋取在宫中专宠的地位。选入宫里的妃嫔都遭到她的嫉妒，一个都不放过；善于馋谤其他妃子，卖弄风情，皇帝被她迷惑。穿上华丽的礼服，登上皇后的宝座，把君王推到乱伦的丑恶境地。加上有蛇蝎般的心肠，凶残成性，亲近奸佞，残害忠良，杀戮兄姊，谋杀君王，毒死母亲。这种人为天神凡人所痛恨，为天地所不容。还包藏祸心，图谋夺取帝位。皇上的爱子，被幽禁在别宫里；她的亲属党羽，被委以重要的职位。唉！没有霍光这样的大臣，刘章那样的宗室也已没有了。出现了“燕啄皇孙”歌谣，人们知道汉朝将要灭亡；龙的涎水流淌在帝王的宫廷里，标志着夏后氏王朝快要衰亡。

敬业皇唐旧臣，公侯冢子[1]。奉先君之成业，荷本朝之厚恩[2]。宋微子之兴悲[3]，良有以也[4]，

桓君山之流涕[5]，岂徒然哉！是用气愤风云，志安社稷。因天下之失望，顺宇内之推心。爰举义旗，誓清妖孽。南连百越[6]，北尽三河[7]，铁骑成群，玉轴相接。海陵红粟[8]，仓储之积靡穷；江浦黄旗[9]，匡复之功何远。班声动而北风起[10]，剑气冲而南斗平[11]。喑呜则山岳崩颓[12]，叱咤则风云变色。以此制敌，何敌不摧！以此攻城，何城不克！

注释

[1] 冢子：嫡长子。 [2] 荷（hè）：承受，蒙受。[3] 宋微子：微子启，殷纣王的庶兄，被封于宋，所以称“宋微子”。[4] 以：缘故。 [5] 桓君山：桓谭，字君山，东汉哲学家。[6] 百越：古代居住在江浙闽粤之地的南方部族，这里指东南沿海。[7] 三河：洛阳附近的河东、河内、河南三郡。 [8] 海陵红粟：海陵，古县名，今江苏泰州。红粟，指存放多年而变质的陈粮，也比喻粮食富足。 [9] 江浦黄旗：江，长江。浦，水边。黄旗，指王旗，象征统一气象。 [10] 班声：马鸣声。 [11] 南斗：即斗宿，有星六颗。 [12] 喑（yīn）呜：发怒声。

译文

我李敬业是大唐的老臣，是公侯的嫡长子，遵奉祖先留下的基业，享受本朝的优厚恩典。宋微子为故国的覆灭而悲哀，确实有悲伤的原因。桓谭为外戚专权而流泪，难道毫无道理吗？因此我愤然起来干一番事业，目的是为了安定大唐的江山。依随天下

的失望情绪，顺应举国推仰的心愿，高举正义的旗帜，发誓要消除危害。南至偏远的百越，北到中原的三河，铁骑成群，战车相连。海陵的粟米多得发酵变红，仓库里的储存真是无穷无尽。大江之滨旌旗飘扬，光复大唐的伟大功业还会遥远吗？战马在北风中嘶鸣，宝剑的光芒上冲于天与南斗星相接。战士的怒吼能使山岳崩塌，天气剧变。以此对付敌人，有什么敌人不能打败？以此攻打城池，有什么城池不能攻克？

公等或家传汉爵，或地协周亲[1]，或膺重寄于爪牙[2]，或受顾命于宣室[3]。言犹在耳，忠岂忘心！一抔之土未干[4]，六尺之孤安在？倘能转祸为福，送往事君，共立勤王之勋[5]，无废大君之命，凡诸爵赏，同指山河。若其眷恋穷城，徘徊歧路，坐昧先几之兆，必贻后至之诛。请看今日之域中，竟是谁家之天下！移檄州郡，咸使知闻。

注释

[1]周亲：至亲。　[2]膺：受。　[3]顾命：多指帝王临终遗命。　宣室：古宫殿名。泛指帝王所居的正室。　[4]一抔之土：先帝的坟土。语出《史记·张释之冯唐列传》："假令愚民取长陵一抔土，陛下何以加其法乎？"　[5]勤王：为王事尽力。特指起兵救援王朝。

译文

诸位有的承袭爵位，有的是皇室的姻亲，有的受命于前朝重臣，有的接受先帝遗命。先帝的话音犹在耳边，你们怎能忘记忠诚？先帝的坟土尚未干透，我们的幼主在哪里？如果能转危为安，好好地送别先帝，服侍幼主，共同建立匡救王室的功勋，不废弃先皇的遗命，那么一切封爵赏赐，都可以指山河为凭信。如果留恋目前的既得利益，在歧路上犹疑不决，失去已经显露的吉兆，一定会招致严厉的惩罚。请看明白今天的形势，到底是哪家的天下！这道檄文颁布到各州郡，让大家都知晓。

文史链接

武则天的无字碑

一代女皇武则天是中国历史上备受争议的历史人物之一，她留下的无字碑也让后人众说纷纭。有的说她自认为功高莫名；有的说她自知罪孽深重、不敢留名；有的说是因为中宗李显难定武则天的称谓。然而不论原因如何，在过往的凭吊中，无字碑已经成为一座“有字”碑。

据统计，历代共有 39 人在无字碑上题词。题词始于北宋，明代最多；清代绝迹。题词中对武则天有褒有贬，贬之者认为“则天虐炎今何在？殿台焚烧石兽崩”，而称誉者以为武则天可以和秦始皇比肩。除了对武则天的评说，题词中还有许多游记。最早的一段题词即为游记，刻在碑的阴面：“开封王谷正叔按行边部，南还京兆，道经奉天，同邑尉李定应之恭拜乾陵。时男仅从行。崇宁癸未季冬初八日题。”崇宁是北宋徽宗的年号，癸未是崇宁二年，这段话记录了王谷于崇宁二年与朋友一起凭吊乾陵之事。

无字碑上的题词可以说是历史对武则天评价的一个缩影。至近代，吕思勉先生认为："武后何如主？曰暴主也。"岑仲勉先生认为："近人对武则天有恕辞，然即使撤去私德不论，总观其在位廿一年实无丝毫政绩可纪。"白寿彝先生认为："武则天是个有才能和政治野心的人。她注意选拔贤才，先后任用李昭德、狄仁杰、姚崇等政治家担任宰相，协助她管理国家大事。她也亲近一些奸佞小人，任用酷吏，制造冤狱。"郭沫若先生在《咏乾陵》诗中认为："没字碑头镌字满，谁人能识古坤元。"可见时至今日，人们对武则天仍是毁誉参半。

思考讨论

1. 读了《武则天的无字碑》，您认为应该如何评价武则天呢？
2. 你认为应当如何看待历史人物呢？

秋日登洪府滕王阁饯别序

王　勃[1]

南昌故郡，洪都新府。星分翼、轸[2]，地接衡、庐[3]。襟三江而带五湖，控蛮荆而引瓯越。物华天宝，龙光射斗牛之墟[4]；人杰地灵，徐孺下陈蕃之榻[5]。雄州雾列，俊采星驰。台隍枕夷夏之交[6]，宾主尽东南之美。都督阎公之雅望，棨戟遥临[7]；宇文新

州之懿范，襜帷暂驻[8]。十旬休暇[9]，胜友如云；千里逢迎，高朋满座。腾蛟起凤，孟学士之词宗；紫电青霜[10]，王将军之武库。家君作宰[11]，路出名区[12]；童子何知[13]，躬逢胜饯。

注释

[1]王勃，字子安，绛州龙门（今山西稷山）人。初唐文学家，与杨炯、卢照邻、骆宾王齐名，史称“初唐四杰”。 [2]翼、轸（zhěn）：二十八星宿中的两个星名。 [3]衡、庐：衡山和庐山。[4]斗牛：二十八星宿中的两个星名。相传龙泉和太阿两把宝剑出于豫章，现世之前，宝剑的光华直冲斗、牛星之间，后来剑没于水中，化为龙。 [5]徐孺：徐稚，字孺子，东汉名士。 陈蕃：东汉人，曾任豫章太守。 [6]台隍：这里指城池。 [7]棨（qǐ）戟：有衣套的戟，后多泛指古代大官出行用的仪仗。 [8]襜（chān）帷：车上的帷幕，代指车马。 [9]十旬休暇：唐朝规定，官员十天休假一次。 [10]紫电青霜：皆宝剑名。 [11]家君：这里指王勃的父亲。 宰：县令。 [12]路出：路过。[13]童子：这里指王勃，他以后辈自称。

译文

曾经的豫章郡，是现在的洪州府；它对应着翼、轸两星宿，连接着衡山和庐山。以三江为衣襟，以五湖为衣带，控制着楚地，连接着闽越。物有精华，是天之珍宝，宝剑的光华直冲斗、牛星之间。人有俊杰，是大地之灵，陈蕃为徐孺设下专用的几榻。雄伟的洪州像雾涌起一样，俊美的人才像流星飞驰。城池正在荆楚和扬州

交界的地方，宾客和主人都是东南地区的才俊。都督阎公有名望，远道来到洪州任职；宇文州牧有美好的风范，也来参加宴会。正逢十日一休的日子，才华出众的朋友们云集；迎接千里迢迢而来的客人，尊贵的宾客坐满宴席。文采飞扬如蛟腾凤舞，犹如文坛大师孟学士；如紫电、清霜般的宝剑，出自王将军的武库。由于父亲任交趾县令，我在探亲途中路过这个有名的地方；我年幼无知，有幸参加此次盛会。

时维九月，序属三秋[1]。潦水尽而寒潭清[2]，烟光凝而暮山紫。俨骖騑于上路[3]，访风景于崇阿[4]。临帝子之长洲[5]，得仙人之旧馆[6]。层峦耸翠，上出重霄；飞阁流丹[7]，下临无地。鹤汀凫渚[8]，穷岛屿之萦回；桂殿兰宫，列冈峦之体势。披绣闼[9]，俯雕甍[10]。山原旷其盈视，川泽盱其骇瞩[11]。闾阎扑地[12]，钟鸣鼎食之家；舸舰迷津，青雀黄龙之轴[13]。虹销雨霁，彩彻区明。落霞与孤鹜齐飞[14]，秋水共长天一色。渔舟唱晚，响穷彭蠡之滨[15]；雁阵惊寒，声断衡阳之浦。

注释

[1]序：时序。　三秋：农历九月。　[2]潦（lǎo）水：蓄积的雨水。　[3]俨：通“严”，整治。　骖騑（cān fēi）：古代驾在车前两侧的马。　[4]阿（ē）：丘陵。　[5]帝子：指滕王。

[6]仙人：指滕王。　[7]丹：丹漆。这里泛指色彩。　[8]凫(fú)：野鸭。　[9]披：开。　[10]甍(méng)：屋脊。　[11]盱(xū)：张望。　[12]闾阎：里门，这里指房屋。　[13]轴：通“舳”，船头。　[14]鹜：野鸭。　[15]穷：直达。　彭蠡：鄱阳湖的古名。

译文

时当农历九月，正是深秋。雨后积水消尽，潭水冷澈，云烟凝结，暮霭中山峦呈现一片紫色。在高山路上驾着马车，到崇山峻岭中观赏风景。来到滕王的长洲，找到他当年的楼阁。这里山峦重叠，青翠的山峰耸入云霄；阁道凌空，朱彩飞扬，俯视看不到地面。鹤和野鸭栖息的小洲，极尽岛屿纡曲回环之势；雅致的宫殿，配合着山峦的起伏。推开雕花的阁门，在上面俯视彩饰的屋脊。山峰平原让人视野开阔，湖川曲折令人惊讶。遍地是房屋，那是钟鸣鼎食的人家；船只塞满渡口，船头都有青雀黄龙的文饰。云消雨散，阳光明亮。野鸭与落霞仿佛在一起飞行，秋水和远天浑然一色。傍晚渔舟中传出歌声，响彻彭蠡湖滨；寒意中雁群惊叫，飞鸣到衡阳的水边。

遥襟甫畅，逸兴遄飞。爽籁发而清风生[1]，纤歌凝而白云遏[2]。睢园绿竹[3]，气凌彭泽之樽[4]；邺水朱华[5]，光照临川之笔[6]。四美具[7]，二难并[8]。穷睇眄于中天[9]，极娱游于暇日。天高地迥，觉宇宙之无穷；兴尽悲来，识盈虚之有数。望长安于日

下[10]，指吴会于云间[11]。地势极而南溟深，天柱高而北辰远[12]。关山难越，谁悲失路之人？萍水相逢，尽是他乡之客。怀帝阍而不见[13]，奉宣室以何年[14]？

注释

[1]爽籁：参差的箫管。爽，参差。籁，排箫。 [2]遏：止。[3]睢（suī）园：西汉梁孝王的睢阳兔园。 [4]彭泽：县名，在今江西省。陶潜曾任彭泽令，这里借指陶潜。 [5]邺（yè）：今河北临漳县，是曹魏兴起的地方。曹植曾在这里作《公宴诗》，其中有"朱华冒绿水"的诗句。 [6]临川：今江西临川县。谢灵运曾任临川内史，这里借指谢灵运。 [7]四美：指良辰、美景、赏心、乐事。 [8]二难：指贤主人和嘉宾。 [9]睇眄（dì miǎn）：极视。 [10]日下：指京师。 [11]云间：吴地的古称。[12]天柱：传说昆仑山上有铜柱，高耸入天。 [13]帝阍（hūn）：天帝的守门人，指帝王的宫门。 [14]宣室：汉代未央宫前殿的正室，这里指君王。

译文

远望让人胸襟舒畅，兴致即刻飘逸兴起。排箫的乐声随徐徐清风而来，纤柔的歌声使白云停飞。如同睢园竹林的聚会，善饮的人酒量超过彭泽县令陶潜；如同曹植在邺水赞咏莲花，赋诗的人胜过临川内史谢灵运。良辰、美景、赏心、乐事四美齐备，难得的是贤主和嘉宾也凑在一起。向天空极目远眺，在假日里尽情欢乐。天高地远，令人感到宇宙的无穷无尽；兴尽悲来，让人明白兴衰有定数。远望长安，遥指吴会。东南已到大地的尽头，而南方的大海更深，西北天柱高耸，而北极星更高远。雄关高山难以越过，有谁同情不得志的人？萍水相逢，都是他乡异客。怀念着君王的宫门，但不被召见，什么时候才能侍奉君王？

嗟乎！时运不齐，命途多舛[1]。冯唐易老[2]，李广难封[3]。屈贾谊于长沙[4]，非无圣主；窜梁鸿于海曲[5]，岂乏明时？所赖君子安贫，达人知命。老当益壮，宁移白首之心？穷且益坚，不坠青云之志。酌贪泉而觉爽[6]，处涸辙以犹欢。北海虽赊[7]，扶摇可接；东隅已逝[8]，桑榆非晚[9]。孟尝高洁[10]，空怀报国之情；阮籍猖狂[11]，岂效穷途之哭？

注释

[1] 舛（chuǎn）：不顺利。 [2] 冯唐：西汉人，有贤才，但一直没能得到重用。到汉武帝时，有人举荐他，他已经九十多岁，不可能再出仕了。 [3] 李广：西汉人，汉武帝时抗击匈奴的名将，虽有军功，但最终未能封侯。 [4] 贾谊：西汉人，汉文帝时任太中大夫，受到大臣的排挤，被贬为长沙王太傅。 [5] 梁鸿：东汉人，过京师而作《五噫歌》，讽刺时政。 [6] 贪泉：传说广州城外有贪泉，人喝了泉水，必生贪心。 [7] 赊：远。 [8] 东隅：日出的地方。 [9] 桑榆：日落的地方。 [10] 孟尝：东汉人，字伯周，志行高洁，未能见用。 [11] 阮籍：魏晋时期名士，字嗣宗。他有时驾车出游不择路径，直到前方无路才痛哭而返。

译文

唉！时运不济，命运多有不顺。冯唐容易衰老，李广难以封侯。委屈贾谊被贬职长沙，不是没有圣明的君主；使梁鸿逃隐海滨，难道不是政治昌明的时代？所幸的是君子能安贫乐道，通达的人知道命数。年老而更怀壮志，怎能在白头时改变心志？境遇困苦而更加坚定，不放弃高远的志向。即使喝了贪泉的水，心境依然清爽，即使身处干涸的车辙，胸怀依然开朗。北海虽然遥远，乘着旋风仍能到达；早年虽然逝去，但将来的岁月还不算晚。孟尝志行高洁，但空有报国的热情；阮籍狂放不羁，岂能学他穷途哭泣？

勃三尺微命[1]，一介书生。无路请缨，等终军之弱冠[2]；有怀投笔，慕宗悫之长风[3]。舍簪笏于百龄[4]，奉晨昏于万里[5]。非谢家之宝树[6]，接孟氏之芳邻[7]。他日趋庭，叨陪鲤对[8]；今晨捧袂，喜托龙门[9]。杨意不逢[10]，抚凌云而自惜；钟期既遇[11]，奏流水以何惭？

注释

[1] 三尺：绅长三尺，指士人的服饰。这里指身份低微。[2] 终军：西汉人，字子云，汉武帝时名臣。[3] 宗悫（què）：南朝宋人，字元干，少年时就怀有大志向。[4] 簪笏：古代官员奏事，簪笔执笏。这里指做官。[5] 晨昏：早晚向父母问安。[6] 谢家之宝树：东晋谢安问子侄，为什么人们都想要自己的子弟成才？谢玄回答说：“譬如芝兰玉树，欲使其生于庭阶耳。”这里

指能光耀门楣的子弟。 [7]孟氏：孟子的母亲。 [8]叨陪鲤对：这里指自己要去父亲那里。叨，惭愧地接受。陪，比附。鲤对，鲤是孔子的儿子孔鲤，他在孔子面前趋庭应对。 [9]龙门：东汉人李膺，位高名盛，如果能受到他的接待，人称"登龙门"。[10]杨意：杨得意，西汉人，曾举荐司马相如。 [11]钟期：钟子期，春秋时人，善听琴。

译文

我只是一个书生，地位卑微。虽和终军一般年龄，却无处去请缨杀敌；羡慕宗悫的远大抱负，也有投笔从戎的志向。抛弃了一生的功名，不远万里去朝夕侍奉父亲。没有谢家子弟的才能，却结识了诸位名家。不久我将见到父亲，聆听他的教诲；今天谒见阎公，高兴如登龙门。假如遇不到杨得意那样肯引荐的人，只能抚拍自己的文章而独自叹惜；既然遇到了和钟子期一样的人，如弹奏流水之曲一样写一篇文赋又有什么好羞愧的呢？

呜呼！胜地不常，盛筵难再，兰亭已矣[1]，梓泽丘墟[2]。临别赠言，幸承恩于伟饯；登高作赋，是所望于群公。敢竭鄙诚，恭疏短引[3]，一言均赋，四韵俱成。请洒潘江[4]，各倾陆海云尔[5]。

注释

[1]兰亭：晋王羲之和宾客宴集的地方。 [2]梓（zǐ）泽：晋石崇金谷园的别名。 [3]引：序文。 [4]潘江：西晋潘岳，《诗品》称誉为"潘才如江"。 [5]陆海：西晋陆机，《诗品》

称誉为“陆才如海”。

译文

唉！名胜之地不能常存，盛大的宴会难再遇到，兰亭宴集已成陈迹，梓泽也变成了废墟。承蒙恩赐，让我效仿古人临别赠言；至于登高作赋，有待在座诸公。我竭尽微薄的心意，恭敬地作了短短的序文，按各自分到的韵字赋诗，我也写成了一首。请诸位像潘岳、陆机一样施展江海般的文采吧。

文史链接

王勃与《滕王阁序》

《秋日登洪府滕王阁饯别序》，又称《滕王阁序》，是初唐王勃的代表作，也是骈体文中的千古名篇，该文辞藻华美、韵律铿锵、意境开阔，带有六朝的风流余韵。这篇名作作于唐高宗上元二年（675）。

据《新唐书》和《唐摭言》记载，王勃在去交趾县看望父亲的途中，路过南昌，恰逢都督阎公在滕王阁举行宴会，王勃赴宴。宴会上，都督阎公有意让他的女婿为此次宴会作一篇文章，以向众宾客夸耀。出于客气，他先请诸位宾客作文，诸宾客连称不敢当，让至王勃，王勃毫不推辞，提笔就作。阎公恼怒，以“更衣”为借口，拂袖离席，却又派人传报，看看王勃能写些什么。听到头一句“南昌故郡，洪都新府”，阎公不以为然，说：“这不过是老生常谈。”听到“星分翼、轸，地接衡、庐”，阎公沉吟不语。当听到“落霞与孤鹜齐飞，秋水共长天一色”时，阎公大惊，叹道：“此真天才，当垂不朽矣！”于是，急忙回到宴会上，等王勃写完文章后把盏言欢。

自此，《滕王阁序》广为流传，文中所表达的书生情怀感染着每一位读者，而王勃在不久之后的探亲途中因渡海溺水而亡，给后人留下无尽的叹惋。

思考讨论

1. 在《秋日登洪府滕王阁饯别序》中有哪些广为传颂的名句？
2. 你认为这些名句表达了作者怎样的情怀？

滕王阁

与东方左史虬修竹篇序[1]

陈子昂[2]

东方公足下[3]：文章道弊五百年矣。汉、魏风骨，

晋、宋莫传，然而文献有可征者[4]。仆尝暇时观齐、梁间诗[5]，彩丽竞繁，而兴寄都绝，每以咏叹。思古人常恐逶迤颓靡，风雅不作，以耿耿也。一昨于解三处见明公《咏孤桐篇》[6]，骨气端翔，音情顿挫，光映朗练，有金石声。遂用洗心饰视[7]，发挥幽郁[8]。不图正始之音[9]，复睹于兹，可使建安作者[10]，相视而笑。解君云张茂先、何敬祖，东方生与其比肩[11]，仆亦以为知言也。故感叹雅制，作《修竹》诗一篇，当有知音以传示之。

注释

[1] 东方左史虬：东方虬，陈子昂的朋友，武则天时任左使。[2] 陈子昂，字伯玉，梓州射洪（今四川射洪）人，初唐文学家。[3] 足下：敬词，古代下称上或同辈相称。 [4] 征：证明。[5] 仆：自身谦称。 [6] 解三：人名，未详。明公：对位尊者的敬称，这里指东方虬。 [7] 洗心饰视：洗心，涤荡心胸。饰视，增多见识。 [8] 发挥幽郁：发挥，发扬。幽郁，指深微沉郁的思想。 [9] 正始之音：这里指嵇康、阮籍等人的诗歌。正始，魏齐王曹芳的年号，泛指曹魏王朝后期。 [10] 建安作者：主要指曹操、曹植、陈琳、王粲等人。建安，东汉献帝刘协的年号。[11] 张茂先：张华，字茂先，晋初诗人。何敬祖：何劭，字敬祖，晋初人。东方生：东方虬。生，先生。

译文

东方公足下：作文章的道理已经衰落五百年了。汉魏文章质朴健朗的风格，晋宋没有传承下来，然而可以从现存的文献中得到验明。我曾在闲暇的时候阅读齐梁时期的诗歌，觉得它们只在文辞的华丽方面角力逐胜，而没有寄托真实的情感和实际内容，每每为此感叹不已。又想到古人常常担忧文风颓败衰落，不能作出像《诗经》中国风、小雅、大雅那样的作品，我也为此忧心忡忡。前些时候，在解三那里看到您的《咏孤桐篇》，内容充实、气势飞扬，顿挫的音节和沉郁的情感相结合，整篇诗作明朗皎洁，富有音乐感。读后让人心胸开阔，我心中沉郁的忧思也借此抒发出来。没有想到正始时期的文章声韵，重现于此，如果曹操、陈琳等建安时期的文人见到此篇，也会非常高兴。解君说东方先生可以和张茂先、何敬祖并肩而立，我以为这是有见地的评价。因此，感叹您的作品如此高雅，我作了一首《修竹》诗，当有知音以为传阅。

文史链接

陈子昂摔琴

陈子昂是初唐时期的杰出诗人，他的《登幽州台歌》广为传诵。据唐朝李亢的《独异志》记载，陈子昂刚到长安时，虽有满腹才华，却一直没有机会展露出来。

一天，他在东市街头看到很多人围观一个人卖琴，卖琴人手中捧着一张看起来非常名贵的琴，标价百万钱。围观的人群议论纷纷，这几天已经有不少达官贵人来传看此琴，但没有人愿意购买。陈子昂想了想，便出大价钱把琴买下。周围的人问：“你买它干什么？”陈子昂答道：“我十分擅长弹琴，只是一直没有名琴在手，

今天看到这把好琴，花高价也愿意买。”于是，有人说：“能听你弹一曲吗？”陈子昂指着自己住处的方向说：“我住在宣阳里，如果各位想听琴曲，请明天到寒舍小坐，我定当准备好酒宴。不仅各位可以来，你们也可以邀请其他人一起来。”说罢携琴离去。

第二天，陈子昂家里高朋满座，还有不少听到买琴传闻的长安显贵前来。酒席间，大家要求陈子昂弹奏一首，陈子昂捧着琴说：“我陈子昂虽然没有谢灵运、陶渊明的才华，但有屈原、贾谊的志向，我从四川来到长安到处奔走，却没有人赏识我的才华。弹琴这种小技，哪里是我用心的事情？”说罢将琴摔在地上，拿出自己的文章，分赠给席间的客人。大家被他摔琴的举动所震撼，便拿起发到手中的文章，读后忍不住交口称赞。

这次宴会之后没过多久，陈子昂的才名便传遍了长安。

思考讨论

1. 你知道什么是“建安风骨”吗？查一查“建安七子”有哪些代表人物和作品？

2. 你读过陈子昂的《登幽州台歌》吗？请找来读一读，谈谈你的感受。

第二章　生机律动——盛唐

山中与裴秀才迪书[1]

王　维[2]

近腊月下[3]，景气和畅，故山殊可过[4]，足下方温经，猥不敢相烦[5]，辄便独往山中[6]，憩感配寺[7]，与山僧饭讫而去[8]。比涉玄灞[9]，清月映郭[10]，夜登华子冈[11]，辋水沦涟[12]，与月上下。寒山远火，明灭林外，深巷寒犬，吠声如豹，村墟夜舂[13]，复与疏钟相间[14]。此时独坐，僮仆静默，多思曩昔[15]，携手赋诗，步仄迳[16]，临清流也。

注释

[1] 裴秀才迪：裴迪，唐朝诗人，早年和王维同住在终南山，有诗文唱和。　[2] 王维：字摩诘，太原祁（今属山西）人，唐代诗人、画家，曾任尚书右丞，后世称“王右丞”。　[3] 腊月：农历十二月。下，末尾。　[4] 故山：旧居之山。　过：访问。　[5] 猥：谦词，鄙贱的意思。　[6] 辄便：立即，就。　[7] 憩：休息。　[8] 饭讫（qì）：吃完饭。　[9] 比涉玄灞（bà）：比，

等到。玄，形容水深黑色。灞，灞水，源出陕西蓝田县东，流入渭河。[10]郭：四周。　[11]华子冈：王维隐居的辋川别墅的一处美景。　[12]辋（wǎng）水：在陕西蓝田县，流入灞水。[13]舂：用杵臼捣去谷类的壳。　[14]疏钟：稀疏的钟声。[15]曩（nǎng）昔：从前。　[16]仄迳（jìng）：狭窄的小路。迳同“径”。

译文

现在接近十二月末，景色怡人，气候温和舒畅，旧居蓝田山很值得游览。我知道您正在温习经书，不敢打扰，便独自前往山中，在感配寺休息，和山僧一起吃了饭后离开。等到渡过深深的灞水的时候，清亮的月光映照四周，夜里登上华子冈，辋川水在月光中微波荡漾。寒冷中有山火远远地在树林间忽明忽暗，深巷里传来豹吼似的狗叫声，又有村中夜里用杵臼捣谷的声音，与寺庙稀疏的钟声相夹杂。这时僮仆已入睡，我独坐着，不停地想念从前，我们一起吟诵诗歌，漫步在小路上，伫立在清水旁。

当待春中，草木蔓发，春山可望，轻鲦出水[1]，白鸥矫翼[2]，露湿青皋[3]，麦陇朝雊[4]，斯之不远，傥能从我游乎[5]？非子天机清妙者[6]，岂能以此不急之务相邀！然是中有深趣矣，无忽。因驮黄蘗人往[7]，不一[8]。山中人王维白[9]。

注释

[1] 鲦（tiáo）：一种名为白鲦的鱼，身长数寸，游动轻捷。[2] 矫翼：鼓翅振翼。矫，举起。　[3] 皋：水边高地。[4] 雊（gòu）：雉鸣。　[5] 傥（tǎng）：或许，可能。[6] 子：这里指裴迪。天机：天赋之灵性。　[7] 黄蘗（niè）：即黄檗，又名黄柏，可入药。　[8] 不一：不详细说。　[9] 白：陈述。书信中平辈、晚辈的谦词。

译文

等到来年春天，花草树木蔓延生长，满山春色，鲦鱼轻捷地跃出水面，白鸥展翅飞翔，露水润湿了青青河岸，早晨麦田里雉鸡鸣叫，这美景不远了，或许您能和我一起游玩？如果不是您这样天性清妙的人，哪能以这不迫切的事相邀？然而，这其中有深远的情趣，不要忽视。于是，托送黄檗的人带信给您，不能尽言。山中人王维白。

文史链接

辋川别业

辋川别业原是初唐诗人宋之问的辋川山庄。至开元年间，王维把它购买下来，营建为辋川别业。王维住在辋川别业，以山水为伴，与道友裴迪浮舟往来、弹琴赋诗、啸咏终日。今天，我们虽然已经看不到辋川别业的原貌，但通过《辋川集》、《辋川真迹》、《辋川志》等文献，可以想象它当时的盛况。

王维在《辋川集序》中说："余别业在辋川山谷，其游止有孟城坳、华子冈、文杏馆、斤竹岭、鹿柴、木兰柴、茱萸泮、宫槐陌、临湖亭、南垞、欹湖、柳浪、栾家濑、金屑泉、白石滩、北垞、竹里馆、辛夷坞、漆园、椒园等，与裴迪闲暇各赋绝句云尔。”这二十处美景组成了辋川别业。金学智在《论王维辋川别业的园林特色》中认为，这些景点大都以山水植物命名，因此从我国园林发展史上看，辋川别业可以说是带有庄园性质的山水园林的代表。

苏东坡曾称赞王维“诗中有画，画中有诗”。王维也把他的诗情画意融入了辋川别业的设计中。通过《辋川真迹》，我们大致可以看出，辋川别业在山水、花木、建筑上的布局非常注重与自然的结合，使各个景点能够通过明暗、向背、隐露、参差、连断等依次展开。王维在《山中与裴秀才迪书》中描绘了这样的美景：即便是冬天，清冷月光照亮河水，水月辉映，遥望寒山，有几点火光摇动，犬吠的声音、舂米的声音与疏落的钟声远远传来，辋川别业一番朦胧、清寂、幽远的夜色呈现在眼前。

思考讨论

1. 王维在《山中与裴秀才迪书》的末尾说：“然是中有深趣矣。”你认为“深趣”指的是什么呢？

2. 你读过《辋川集》二十首吗？请找来读一读。

秋夜于安府送孟赞府兄还都序[1]

李 白[2]

夫士有饰危冠[3]，佩长剑，扬眉吐诺，激昂青云者，

咸夸炫意气，托交王侯。若告之急难，乃十失八九。我义兄孟子，则不然耶！道合而襟期暗亲[4]，志乖而肝胆楚越[5]。鸿骞凤立[6]，不循常流。孔明披书[7]，每观于大略；少君读《易》[8]，时作于小文。四方贤豪，眩然景慕。虽长不过七尺，而心雄万夫。至于酒情中酣，天机俊发，则谈笑满席，风云动天。非嵩丘腾精[9]，何以及此。

注释

[1]孟赞府：姓孟的赞府。赞府，县丞。　[2]李白：字太白，祖籍陇西成纪（今甘肃秦安），唐代杰出诗人。　[3]危冠：高礼帽。危，高。　[4]襟期暗亲：比喻关系密切。　[5]乖：违背，不一致。肝胆楚越：比喻关系疏离。　[6]鸿骞（xiān）凤立：比喻特别优秀出众。　[7]披书：读书。披，翻阅。

[8]少君：李少君，西汉人，《汉武帝外传》称他有长生术。

[9]嵩丘腾精：嵩山精灵之气降生孟赞府。

译文

有戴着高礼帽，佩着长剑，谈吐自若，慷慨激昂的士人，他们都夸耀自己重恩义，结交朋友如同王侯结盟一样郑重。如果有危急向他们求救，则十有八九不理会。我的义兄孟赞府，不是这样的人。对志同道合的人亲切友爱，志趣不同就形同陌路。他就像凤鸟一样，卓尔不群，不因循常规。他像孔明读书一样，常常读书的大意；又像少君读《易》一样，时常有不同常人的见解。

四方的贤人豪杰，都对他非常仰慕。虽然他的身体没有七尺高，但心胸开阔超过常人。特别是酒喝到酣畅的时候，他灵动的天性就显露出来，于是谈笑满席，风度非比寻常。如果他不是嵩山的精气降生，如何能有这样的性情。

白以弱植[1]，早饮香名。况亲承光辉，恩甚华萼[2]。他乡此别，谁无恨耶？时林风吹霜，散下秋草；海雁嘶月，孤飞朔云。惊魂动骨，戛瑟落涕[3]。抗手缅迈[4]，伤如之何。且各赋诗，以宠行路。

注释

[1] 弱植：根基不固，难以树立。这里指年少。 [2] 华萼(è)：花和萼。这里指花萼相依，比喻兄弟相亲。萼，花朵下面的叶状绿色小片。 [3] 戛瑟：弹奏琴瑟。 [4] 抗手缅迈：抗手，举手拜别；缅迈，远行。

译文

我在年少的时候，就听闻他的盛名。何况能和他亲近地交往，对我比兄弟还亲。如今在这里分别，怎么会不感到怅恨呢？此时，林风吹来白霜，散落在秋草上；海雁在月下鸣叫，孤单地飞在云端。不由得惊心，弹奏着琴瑟而落泪。举手拜别，上路远行，悲伤不已。且作首诗歌，送他上路。

文史链接

力士脱靴

据《新唐书》记载，天宝初年，李白到了长安，拜见当时的文宗贺知章，贺知章看了他的诗文之后，惊呼他为“谪仙人”。于是，贺知章向唐玄宗举荐了李白。唐玄宗召见李白，经过一番问答，便任用李白为翰林供奉。

李白生性洒脱，狂放不拘。有一次，他参加玄宗的赐宴，喝得醉沉沉的，随口就要玄宗最宠信的宦官高力士给他脱靴。高力士一向以为自己是最得宠的宦官，多少人想巴结都巴结不了，而如今一个闲职文官直呼要自己给他脱靴，高力士视这件事为奇耻大辱。于是他寻找机会向杨贵妃进谗言，污蔑李白在诗中故意讽刺她，把她和汉成帝的皇后赵飞燕相提并论。历史上多认为赵飞燕妩媚惑主，坊间更有“燕飞来，啄皇孙”的传言。杨贵妃听信了高力士的谗言，在玄宗多次想重用李白时，出面阻止。

时间久了，李白自知玄宗不可能对他加以重用，胸中的抱负难以施展，于是更加恣意放纵、无拘无束，常常喝得烂醉。杜甫在《饮中八仙歌》中，将李白与贺知章、李适之、汝阳王李琎、崔宗之、苏晋、张旭、焦遂等八人称为“饮中八仙”。后来，李白辞官，云游四方。力士脱靴的故事也流传开来，不管“力士脱靴”这件事真实与否，李白不“摧眉折腰事权贵”的高尚节操，影响了无数后人。

思考讨论

读了《秋夜于安府送孟赞府兄还都序》，结合你读过的李白的文章，你认为李白的文章有什么特点？

吊古战场文[1]

李　华[2]

浩浩乎平沙无垠，敻不见人[3]，河水萦带[4]，群山纠纷[5]。黯兮惨悴[6]，风悲日曛[7]。蓬断草枯，凛若霜晨。鸟飞不下，兽铤亡群[8]。亭长告余曰[9]：“此古战场也。常覆三军。往往鬼哭，天阴则闻。”伤心哉！秦欤？汉欤？将近代欤？

注释

[1] 吊：悼念。　[2] 李华，字遐叔，赵州赞皇（今河北赞皇）人。唐代文学家，提倡古文，是唐代古文运动的先驱之一。[3] 敻（xiòng）：深远。　[4] 萦带：像带一样缠绕。　[5] 纠纷：重叠交错。　[6] 惨悴：凄惨忧愁。　[7] 曛（xūn）：黄昏，日暮。　[8] 铤（tǐng）：快走的样子。　[9] 亭长：古时十里一亭，设亭长一人，管诉讼等。

译文

广阔啊！无垠的旷野，远望看不到人，河水像带子一样萦绕，群山重叠交错。昏暗凄惨，寒风悲啸，日光昏黄。蓬草折断，野草枯萎，寒冷的天气犹如降霜的早晨。鸟儿飞过不肯落下，离群的野兽奔窜而过。亭长告诉我，说：“这里是古代的战场。常有军队覆灭在这里。每逢阴天就会听到鬼哭的声音。”伤心啊！是秦朝？汉朝？还是近代的哭声呢？

吾闻夫齐、魏徭戍，荆、韩召募。万里奔走，连年暴露[1]。沙草晨牧，河冰夜渡。地阔天长，不知归路。寄身锋刃，腷臆谁诉[2]？秦、汉而还，多事四夷。中州耗斁[3]，无世无之。古称戎、夏，不抗王师。文教失宣[4]，武臣用奇。奇兵有异于仁义，王道迂阔而莫为[5]。呜呼噫嘻[6]！

注释

[1]暴露：指在野外蒙受日晒雨淋的辛苦。 [2]腷（bì）臆：郁结在心头的愤懑和悲哀。 [3]耗斁（dù）：损耗，败坏。 [4]文教：礼乐教化。 [5]迂阔：迂远不切实际或不合时宜。 [6]呜呼噫嘻：呜呼，叹词，表示感慨；噫嘻，叹息声。

译文

我听说战国时期，齐魏征集劳役戍边，楚韩募集兵员备战。士兵奔走万里，年复一年在野外日晒雨淋。早晨寻找沙漠中的水草放牧，夜晚渡过结冰的河流。地远天长，不知道哪里是回家的路。生活在刀刃上，心里的愤懑向谁倾诉？自秦汉以来，边境上战争频繁。中原被损耗破坏，无世不有。古时的外夷中夏，都不和天子的军队为敌。后来不再宣扬礼乐教化，武将使用奇兵诡计。奇兵不符合仁义道德，王道被认为迂腐不切实际而不被施行。唉，可叹啊！

吾想夫北风振漠，胡兵伺便，主将骄敌，期门受战[1]。野竖旄旗，川回组练[2]。法重心骇，威尊命贱。利镞穿骨[3]，惊沙入面。主客相搏[4]，山川震眩，声析江河[5]，势崩雷电。至若穷阴凝闭[6]，凛冽海隅，积雪没胫[7]，坚冰在须，鸷鸟休巢，征马踟蹰[8]，缯纩无温[9]，堕指裂肤。

注释

[1] 期门：军营门。 [2] 川回组练：川，平川；回，来回奔跑；组练，借指精锐的军队。 [3] 镞（zú）：箭头。 [4] 主客：指防守者和入侵者。 [5] 析：分。 [6] 穷阴：即穷冬。指季冬岁尽之时。 [7] 胫（jìng）：小腿。 [8] 踟蹰：徘徊。 [9] 缯纩（zēng kuàng）：丝绵品。这里指冬衣。

译文

我想像北风振荡着沙漠，胡兵乘机来袭，主将骄傲轻敌，在军营门口接战。原野上竖起战旗，平野里来回奔跑着全副武装的士兵。严峻的军法使人心里害怕，当官的威重权大，士兵的性命卑贱。锋利的箭头穿透骨头，飞扬的沙粒直扑人面。敌我两军激烈交战，山川震动，声势分裂江河，如同雷电奔掣。何况正值寒冬，空气凝结，天地闭塞，在寒气凛冽的远方，积雪陷没小腿，胡须冻成坚冰，鸷鸟躲在巢里，战马徘徊不前，冬衣毫无温度，人冻得手指快要掉落，肌肤快要开裂。

当此苦寒，天假强胡，凭陵杀气[1]，以相剪屠[2]。

径截辎重[3]，横攻士卒。都尉新降，将军覆没。尸填巨港之岸，血满长城之窟。无贵无贱，同为枯骨。可胜言哉！鼓衰兮力尽，矢竭兮弦绝，白刃交兮宝刀折，两军蹙兮生死决[4]。降矣哉？终身夷狄。战矣哉？骨暴沙砾。鸟无声兮山寂寂，夜正长兮风淅淅。魂魄结兮天沉沉[5]，鬼神聚兮云幂幂[6]。日光寒兮草短，月色苦兮霜白。伤心惨目，有如是耶？

注释

[1]凭陵：凭借，依仗。 [2]剪屠：斩杀。 [3]辎重：出门携带的物资，常指军用物资。 [4]蹙（cù）：逼近，迫近。[5]结：凝结。 [6]幂幂：浓密笼罩的样子。

译文

在这苦寒之际，强大的胡兵趁着寒冬的肃杀之气，来斩杀我们的士兵。他们半途中截取军用物资，拦腰冲断士兵队伍。都尉刚刚投降，将军又战死。尸体僵仆在大港沿岸，鲜血淌满了长城下的窟穴。无论高贵卑贱，同样成为了枯骨。说不完的凄惨啊！鼓声微弱啊，士兵已经精疲力竭；箭已射尽啊，弓弦也断绝；白刃相交啊，宝刀已折断；两军迫近啊，生死相决。投降吗？终身将沦为战俘；战斗吗？尸骨将暴露于沙砾。鸟儿无声啊，群山沉寂，漫漫长夜啊，悲风淅淅。阴魂凝结啊，天色昏暗，鬼神聚集啊，阴云厚积。日光惨淡啊，映照着短草，月色凄苦啊，笼罩着白霜。人间还有像这样令人伤心的景况吗？

吾闻之：牧用赵卒[1]，大破林胡，开地千里，遁逃匈奴。汉倾天下[2]，财殚力痡[3]。任人而已，其在多乎？周逐猃狁[4]，北至太原，既城朔方[5]，全师而还。饮至策勋[6]，和乐且闲，穆穆棣棣[7]，君臣之间。秦起长城，竟海为关[8]，荼毒生灵，万里朱殷[9]。汉击匈奴，虽得阴山，枕骸遍野，功不补患。

注释

[1] 牧：战国末年赵国名将李牧。他率军长期驻守在赵国的北边，打败东胡、降伏林胡，使匈奴远遁，十余年不敢接近赵国边境。 [2] 倾：倾尽。 [3] 痡（pū）：病，疲惫不堪。 [4] 猃狁（xiǎn yǔn）：同“猃狁”，我国古代北方的一个民族。秦汉以后称匈奴。 [5] 朔方：北方。 [6] 饮至策勋：饮至，出征归来而合饮于宗庙；策勋，把功劳记录在简策上。 [7] 穆穆棣棣（dì）：穆穆，和睦的样子；棣棣，雍容娴雅的样子。 [8] 竟：边境。 [9] 朱殷：黑红色，指凝血的颜色。

译文

我听说：李牧统率赵国的士兵，大破林胡的入侵，开辟疆土千里，使匈奴躲避远逃。汉朝倾全国之力和匈奴作战，财物竭尽，国力削弱。关键是任人得当，哪在于兵多呢？周朝驱逐猃狁，北到太原，在北方筑城防御，全军凯旋。在宗庙举行祭祀和宴饮，记功授爵，大家和睦愉快而安适，君臣之间，端庄和睦，恭敬有礼。

秦朝修筑长城，直到海边都建起关塞，无数的人民被残害，鲜血把万里大地染成了赤黑色。汉朝出兵攻击匈奴，虽然攻占了阴山，但遍野都是将士互相枕藉的骸骨，这是得不偿失的事情。

苍苍蒸民[1]，谁无父母？提携捧负[2]，畏其不寿。谁无兄弟，如足如手？谁无夫妇，如宾如友？生也何恩？杀之何咎？其存其没，家莫闻知。人或有言，将信将疑。悁悁心目[3]，寝寐见之。布奠倾觞[4]，哭望天涯。天地为愁，草木凄悲。吊祭不至，精魂何依？必有凶年，人其流离。呜呼噫嘻！时耶？命耶？从古如斯。为之奈何？守在四夷。

注释

[1] 苍苍蒸民：苍苍，深青色，借指天；蒸民，众人，百姓。[2] 提携：牵引，牵扶。[3] 悁（yuān）悁：忧愁的样子。[4] 布奠：摆下祭品。

译文

天下众民，谁没有父母？从小牵着手，抱着、背着，唯恐他们夭折。谁没有亲如手足的兄弟？谁没有相敬如宾的伴侣？他们活着受过什么恩惠？又犯了什么罪过而遭杀害？他们的生死存亡，家中无从知道。即使听到有人传讯，也是半信半疑。整日忧愁想念，只能梦中相见。摆下祭品，倒酒祭奠，望着天边痛哭。天地为之忧愁，草木也为之悲伤。如果没有吊祭，他们的精魂归依哪里？何况战争之后，一定会出现灾荒，人民流离失所。唉，可叹啊！这是时势造成呢？还是命运注定呢？自古以来都是如此。怎样才能避免战争呢？唯有宣扬教化，施行仁义，使周边民族安守疆土。

文史链接

李牧防御匈奴

战国时期，赵国与匈奴接壤，所以受到匈奴的严重威胁。每年秋天，匈奴必定大举出动，到赵国的边境烧杀抢掠。在赵孝成王当政时，李牧驻守雁门，防御匈奴入侵，他下令说：“一旦匈奴来抢掠，立即收拾财物转移，避免交战，如果有人敢捉杀匈奴，军法处置。”李牧特别重视情报工作，所以匈奴入侵之前，他都能得到消息，事先把财物人口转移，如此数年，没有大的损失。但李牧不主动交战，匈奴以为他胆怯，赵国的士兵也觉得自己的主帅太懦弱。赵王以此责备李牧,李牧也不改变策略。于是赵王大怒，任用别的将领代替李牧。不料，一年之内，赵国与匈奴作战，战败连连。不得已，赵王只好重新任用李牧。李牧说：“大王如果要任用我，一定要允许我采取以前的防御方法。”赵王答应了。

李牧重新到任后，又采用前例，避战养息。几年之内，匈奴虽没能抢掠到什么，但越来越轻视李牧。士兵们天天操练，而不能实战，都强烈要求与匈奴一战。这时，李牧才精选军士，准备作战。他先将牲畜赶到野地里，吸引匈奴来抢掠，小股的匈奴来了，他出兵交战，然后假装不敌。几次三番都是如此。匈奴的单于认为可以大举进攻，于是带领几十万军队，前来攻赵。而李牧早已侦察到这个消息，布置好阵势，等匈奴的主力进入陷阱后，突然发起进攻。战场上赵国的士兵个个争先，匈奴溃败如山倒，死伤投降的人达十余万。经此一役，至李牧去世，匈奴都不敢接近赵国边境。唐代诗人卢纶的一首诗正为描写这一战争："月黑雁飞高，单于夜遁逃。欲将轻骑逐，大雪满弓刀。"

现代思想家胡秋原先生对李牧的评价最为准确，他认为李牧"以逸道使民，使人有从军之乐；以生道杀人，杀其所当杀；以最小牺牲，得最大战果；静如处女，动如脱兔，不轻言战，战必大胜，这才真是大将军之风"。

思考讨论

读了《吊古战场文》，请谈谈你对战争的看法。

菊圃记

元　结[1]

春陵俗不种菊[2]。前时自远致之，植于前庭墙下，及再来也，菊已无矣。徘徊旧圃，嗟叹久之。谁不知菊也方华可赏，在药品是良药，为蔬菜是佳蔬。纵须地趋走[3]，犹宜徙植修养。而忍蹂践至尽，不爱惜乎？呜呼！贤人、君子自植其身，不可不慎择所处。一旦遭人不重爱，如此菊也，悲伤奈何？

注释

[1]元结:字次山，号漫叟、聱叟。河南鲁山人，唐代文学家。[2]春陵：古县名。在今湖南宁远西，唐代属道州，元结曾任道州刺史。 [3]趋走：疾走。

译文

春陵没有种菊花的习俗。前些时候我从远处带来几株菊花，种植在前院的墙下，等再去看的时候，菊花已经没有了。我徘徊在种过菊花的地方，叹息了很久。谁不知道菊花的芳华可以观赏？在草药中是好的药材？在蔬菜中是美味的蔬菜？纵然人们要从此地过往，也应当将它移植到别处种养。怎么能忍心践踏，不爱惜呢？哎呀！贤人、君子立身于世，不能不慎重地选择所处的地方，一旦不被人看重、喜爱，就会像这菊花一样惨遭蹂躏，到时除了悲伤又能怎么样呢？

于是更为之圃，重畦植之。其地近宴息之堂，吏人不此奔走[1]；近登望之亭，旌旄不此行列[2]。纵参歌妓[3]，菊非可恶之草；使有酒徒，菊为助兴之物。为之作记，以托后人，并录《药经》，列于记后。

注释

[1]吏人：这里泛指一般人。 [2]旌旄（jīng máo）：两种旗子。这里代指车马人群。 [3]参：比，并。

译文

于是，我另开辟了园圃，重新种植菊花。这里接近起居休息的内室，一般人不会从这里经过；靠近登高望远的亭台，远离熙攘的车马人群。纵然是对歌妓来说，菊花也不是令人讨厌的荒草；而对于喜欢饮酒的人来说，菊花可以助兴。我为新建的菊圃写了这篇记文，传示后来人，并且摘录了《药经》写在后面。

文史链接

漫谈菊花

菊花是我国的原产花卉，有悠久的栽培和观赏历史。《礼记·月令》曰:“季秋之月，鞠有黄华。”鞠，即菊花。《楚辞·九歌·礼魂》曰:“春兰兮秋菊，长无绝兮终古。”《楚辞·离骚》曰:“朝饮木兰之坠露兮，夕餐秋菊之落英。”无疑，菊花象征着高洁的节操。

至汉代，已有饮菊花酒，以求长寿的习俗了。《西京杂记》曰:“九月九日，佩茱萸，食蓬饵，饮菊华酒，令人长寿。菊华舒时，并采茎叶，杂黍米酿之，至来年九月九日始熟，就饮焉，故谓之菊华酒。”另外，南朝梁吴均的《续齐谐记》记载:“桓景从费长房游学，长房谓之曰:‘九月九日，汝南当有大灾厄，急令家人缝绛囊盛茱萸系臂上，登山饮菊花酒，此祸可消。’景从其言，举家登山，夕还，鸡犬俱暴死，长房闻之曰:‘此可代也。’”重阳节登高、佩茱萸、饮菊花酒的习俗从此形成。

同时，魏晋文人认同屈原对菊花的称赞，菊花成为高洁超逸的象征。东晋卢谌作《菊花赋》:“何斯草之特伟，涉节变而不伤。超松柏之寒茂，越芝英之众芳。”南朝卞伯玉作《菊赋》:“不履苦而渝操，不在同而表淑。伤众花之飘零，嘉兹卉之能灵。”而“古今隐逸诗人之宗”陶渊明的《饮酒》第五首有诗句："采菊东篱下，悠然见南山。”句中流露出的物我两忘的境界，倾倒无数文人墨客。自此，菊花又成为隐逸君子的象征。

唐、宋是咏菊的高峰时期，菊花成为诗歌中的常用意象。在唐代，孟浩然曰："待到重阳日，还来就菊花”。韦应物曰："是菊花开日，当君乘兴秋。”白居易曰："相思只傍花边立，尽日吟君咏菊诗。”元稹曰："秋丛绕舍似陶家，绕遍篱边日渐斜。不是花中偏爱菊，此花开尽更无花。”可见，唐朝的诗人对菊花倾注了大量的情思，视菊花为朋友。而宋代更尊崇、仰慕陶渊明的爱菊风范，周敦颐说："晋陶渊明独爱菊。”又说："菊，花之隐逸者也。”苏轼曰："荷尽已无擎雨盖，菊残犹有傲霜枝。”陆游曰："菊花如志士，过时有余香。”菊花被视为高雅脱俗、隐逸逍遥的道德化身。

经过唐、宋文士对菊花的咏赞，后世不断有和诗、和文涌现。菊花与梅、兰、竹被世人共尊为“四君子”，它的凌寒不凋成为士人所向往的一种气节、风度。

思考讨论

1. 读了《菊圃记》，你认为应当如何立身处世？

2. 想一想，你知道哪些关于菊花的诗词和典故？

吴季子札论[1]

独孤及[2]

谨按季子三以吴国让[3]，而《春秋》褒之[4]。

余征其前闻于旧史氏[5]。窃谓废先君之命[6]，非孝也；附子臧之义[7]，非公也；执礼全节，使国篡君弑，非仁也；出能观变，入不讨乱，非智也。左丘明、太史公书而无讥[8]，余有惑焉。

注释

[1]吴季子札：又称季札、公子札，春秋时吴国皇室贵族，被封于延陵，所以称“延陵季子”。 [2]独孤及，字至之，河南洛阳人，唐代文学家，推重两汉文章，著有《毗陵集》。 [3]让：谦让，退让。 [4]《春秋》：记录我国春秋时期史事的编年体史书。[5]征：验证。 旧史氏：这里指过去史官的著述。 [6]窃：谦词，私自，私下。 先君：这里指吴王寿梦。 [7]附：比附。 子臧：公子欣时，春秋时曹国贵族。 [8]左丘明、太史公：左丘明，春秋时期鲁国人，史学家。太史公，这里指司马迁。

译文

谨按：季子三次退让吴国王位，《春秋》对此褒奖。我从过去的史书中验证了以前听到的这种说法。我私下认为，不遵先王的命令，不能叫做孝；比附子臧让位的义举，不能叫作有公心；坚持长子继承的礼制，保全自己的节操，使国家被篡夺，君王被杀死，不能叫做仁；出使外国，能观察形势的变化，回到国内，却不讨伐叛乱，不能叫做智。左丘明的《左传》和司马迁的《史记》对季札没有批评，我感到疑惑。

夫国之大经[1]，实在择嗣。王者慎德之不建，故以贤则废年，以义则废卜，以君命则废礼。是以太伯之奔句吴也[2]，盖避季历[3]。季历以先王所属，故纂服嗣位而不私[4]。太伯知公器有归[5]，亦断发文身而无怨[6]。及武王继统[7]，受命作周，不以配天之业让伯邑考[8]，官天下也[9]。

注释

[1] 大经：大法，纲常。 [2] 太伯：周太王的长子，太王要立幼子季历为嗣，所以太伯和弟弟仲雍一起走避江南，后来他们成为吴国的君王。 句吴：吴国。 [3] 季历：周太王的幼子，周文王姬昌的父亲。 [4] 纂服嗣位：继承王位。纂，通“缵”，继承。 [5] 公器：王位。 [6] 断发文身：剪短头发，文身。古代吴地居民的一种风俗。 [7] 武王：周武王姬发。 [8] 伯邑考：周文王的长子，周武王的兄长。 [9] 官：公有。

译文

国家最重要的纲常就在于选择君王的继承人。君王担心有德的人不能被立为嗣君，所以按照贤能的标准而不管年龄，按照大义的标准就不用占卜，按照君王的命令就不管礼制。因此吴太伯出走吴地，是为了让位给弟弟季历。季历遵从周太王的命令，所以他继承王位并没有私心。太伯知道王位有了归属，就剪短头发，纹上文身，毫无怨言。而周朝时，周武王继承王位，承受天命，建立周朝，不把建立周朝的事业让给长兄伯邑考，这是以天下为公。

彼诸樊无季历之贤[1]，王僚无武王之圣[2]，而季子为太伯之让，是徇名也[3]，岂曰至德？且使争端兴于上替，祸机作于内室[4]，遂错命于子光[5]，覆师于夫差[6]，陵夷不返[7]，二代而吴灭。以季子之闳达博物[8]，慕义无穷[9]，向使当寿梦之眷命，接馀眛之绝统[10]，必能光启周道，以霸荆蛮。则大业用康[11]，多难不作。阖闾安得谋于窟室？专诸何所施其匕首[12]？

注释

[1] 诸樊：吴王寿梦的长子，季札的兄长。 [2] 王僚：馀眛的儿子，季札的侄子。 [3] 徇：追求，谋求。 [4] 祸机：潜伏的祸患。 [5] 错：通“措”，安置。 子光：公子光，即吴王阖闾。 [6] 夫差：吴王阖闾的儿子。 [7] 陵夷：衰落。 [8] 闳达：渊博通达。 [9] 慕义：仰慕正义。 [10] 馀眛：吴王寿梦的第三个儿子，季札的兄长，也作余眛。 [11] 用：因。 [12] 专诸：吴国刺客。他刺杀吴王僚，帮助公子光登上了吴国王位。

译文

诸樊没有季历的贤能，王僚没有武王的圣明，而季子做出太伯让国那样的事，这是追求虚名，怎么能说是至德呢？况且使国内的争端因王位更替而发生，祸乱兴起于王族内部，最后公子光篡夺了王位。到了他儿子夫差为王时，被越王勾践打败，国势衰颓，不能恢复,父子两代而吴国灭亡。以季子这样见解通达、知识渊博、不懈追求道义的人，如果继承了寿梦的遗命，承接了馀眛的王位，一定能光大吴国，称霸江南。如此，吴国强盛，许多祸乱都不会发生。阖闾怎么可能在地下室里密谋夺位？专诸怎么会拿匕首行刺杀之事？

呜呼！全身不顾其业，专让不夺其志，所去者忠，所存者节。善自牧矣[1]，谓先君何？与其观变周乐，虑危戚钟[2]，曷若以萧墙为心[3]，社稷是恤？复命哭墓，哀死事生，孰与先衅而动[4]，治其未乱？弃室以表义，挂剑以明信，孰与奉君父之命，慰神祇之心？则独守纯白，不干义嗣[5]，是洁己而遗国也。吴之覆亡，君实阶祸[6]。且曰非我生乱，其孰生之哉！其孰生之哉！

注释

[1] 牧：自我修养。 [2] 戚：卫国的地名。 [3] 萧墙：古代宫室内当门的小墙,后世多喻指内部。 [4] 衅（xìn）：争端。[5] 干（gān）：追求。 [6] 阶：原因。这里指招引。

译文

唉！保全自己而不顾吴国的大业，坚决退让而不改变志向，所去掉的是忠，所保存的是节。很会保护自己，但对逝去的父王如何交待？与其从周朝的音乐中观察各诸侯国的变化，从戚地的钟声觉察到危险，何不关心一下自己国家内部的祸患，忧虑自己国家的安危？到王僚的墓上复命哭祭，哀悼已死的王僚，侍奉新君，何不在争端发生前采取行动，在祸乱未发生前进行防治呢？抛弃家室来表示自己的节义，把宝剑挂在墓前来表示守信用，何不遵奉父王寿梦的遗命，继承王位，来安慰他的在天之灵呢？自己保持纯洁，不继承合理的王位，这是自己清净而抛弃了国家。吴国的灭亡，实在是季子招来的祸乱。他还说不是他引起的祸乱，是谁引起的呢！是谁引起的呢！

文史链接

季札三让位

据《史记》记载，吴王寿梦有四个儿子，长子名诸樊，次子名余祭，三子名余昧，最小的儿子名季札。季札有贤才，所以寿梦想立季札为王储，季札认为不可，于是寿梦立长子为储君。

寿梦去世后，诸樊想要让位给季札，季札推辞说："曹宣公去世后，曹国人认为即位的曹君是篡位，所以想拥立宣公的庶子子臧为王，而子臧不愿就位，离开了曹国。君子应当守节。您遵照父亲的遗志，继承王位，谁敢不服。我愿意像子臧那样不继承王位。"于是诸樊即位。

当时王位继承制度有两种，即父死子继和兄终弟及。诸樊去世时，采取兄终弟及的制度，遗命让弟弟余祭即位，这样王位相传，最后可使季札即位，以实现父亲寿梦的心愿，并且可令世人知道吴国是礼仪之邦。

余祭即位后，季札被赐予封地延陵，尊为"延陵季子"，同时他担任出使外交的职务。季札受命在鲁国观周乐；在齐国与晏平仲论政；又到郑国与子产相交；再到卫国拜访蘧瑗、史狗、史鳍、公子荆、公叔发，公子朝等贤人；还到了晋国，与贤臣叔向议论晋国的政权，认为晋国的国政将落在韩、赵、魏三家大臣的手中。

余祭去世后，余昧即位。余昧当政四年，去世时，遵照先例，将传位给季札，季札又一次逃跑，不愿即位。于是大臣只好拥立余昧的儿子僚为王。但诸樊的儿子公子光心有不满，认为自己才是王位的第一继承人。于是他暗中结党，图谋篡位。最终，他在伍子胥的帮助下，任用刺客专诸，刺杀了王僚，登上王位。这时，季札还在出使晋国，闻讯归国后，他说："如果新君不废祭祀，人民也不反对，我还能怎么办？哀死事生罢了。发生这样的事，不是我要生乱啊！"他到王僚的墓前哭祭，然后承认公子光为吴王。

司马迁认为季札有仁爱之心，向往正义，能见微知著，是一位博闻强记的君子。后世也常有人称赞季札让位的高义，但唐朝独孤及在《吴季子札论》中认为吴国的祸乱正是源自季札的让位。

思考讨论

你认为季札应该让位吗？你如何评价季札让位？

第三章 古风振起——中唐

送李愿归盘谷序[1]

韩 愈[2]

太行之阳有盘谷[3]。盘谷之间，泉甘而土肥，草木丛茂，居民鲜少[4]。或曰："谓其环两山之间，故曰盘。"或曰："是谷也，宅幽而势阻，隐者之所盘旋[5]。"友人李愿居之。

注释

[1] 李愿：隐士，称为"盘谷子"。盘谷，在今河南济源北。 [2] 韩愈：字退之，邓州南阳（今河南南阳）人，唐代文学家，政治家。 [3] 太行之阳：太行山的南面。阳，山的南面。 [4] 鲜（xiǎn）：少。 [5] 盘旋：逗留，停留。

译文

太行山的南面有个盘谷。盘谷中，泉水甘甜、土地肥沃、草木繁茂、人烟稀少。有人说："因为这山谷环绕在两山之间，所以称作盘。"也有人说："这个山谷，位置幽僻而地势封闭，是隐者逗留的地方。"我的朋友李愿住在这里。

愿之言曰：“人之称大丈夫者，我知之矣。利泽施于人[1]，名声昭于时[2]。坐于庙朝，进退百官，而佐天子出令[3]。其在外，则树旗旄[4]，罗弓矢[5]，武夫前呵，从者塞途，供给之人，各执其物，夹道而疾驰。喜有赏，怒有刑。才畯满前[6]，道古今而誉盛德，入耳而不烦。曲眉丰颊，清声而便体[7]，秀外而惠中，飘轻裾[8]，翳长袖[9]，粉白黛绿者，列屋而闲居，妒宠而负恃[10]，争妍而取怜[11]。大丈夫之遇知于天子、用力于当世者之所为也。”

注释

[1]利泽：恩泽。　[2]昭：显著。　[3]佐：辅助。　[4]树：立。　[5]罗：罗列。　[6]才畯（jùn）：才能杰出的人。畯，通“俊”。　[7]便体：体态轻便。　[8]裾：衣襟。　[9]翳（yì）：遮蔽。　[10]负恃：自负，有所依恃。　[11]取怜：求取怜爱。

译文

李愿说：“人们称为大丈夫的人，我是了解的。他们把利益恩惠施给别人，名声显扬于当世。在朝廷上参与政事，任免百官，辅佐皇帝发号施令。他们到了朝廷外面，便树起旗帜，陈设弓箭，武夫在前面呼喝，侍从塞满道路，负责供给的仆役各自拿着物品，在路的两边飞快奔跑。高兴时赏赐，发怒时处罚。才能出众的人聚集在他们跟前，论古说今，赞扬他们的美德。这些话听在耳中而不感到厌烦。那些眉毛弯弯、面颊丰腴、声音清亮、体态美好，外貌秀丽而内心聪慧，起舞时衣襟飘然、长袖遮身，白粉脸、青黛眉的女子，在一排排后房中清闲地住着，忌妒别的姬妾得到宠爱，自恃貌美，争着比美，求取怜爱。这就是受到皇帝的知遇，掌握了当世权力的大丈夫的所作所为。”

“吾非恶此而逃之[1]，是有命焉，不可幸而致也[2]。穷居而野处，升高而望远，坐茂树以终日，濯清泉以自洁。采于山，美可茹[3]；钓于水，鲜可食。起居无时，惟适之安。与其有誉于前，孰若无毁于其后；与其有乐于身，孰若无忧于其心。车服不维[4]，刀锯不加[5]，理乱不知[6]，黜陟不闻[7]。大丈夫不遇于时者之所为也，我则行之。伺候于公卿之门，奔走于形势之途。足将进而趑趄[8]，口将言而嗫嚅[9]，处污秽而不羞，触刑辟而诛戮[10]。徼幸于万一，老死而后止者，其于为人，贤不肖何如也？”

注释

[1]恶（wù）：厌恶。 [2]幸：侥幸。 致：得到。 [3]茹：吃。 [4]车服不维：不受官职的约束。维，约束。 [5]刀锯：古代刑具。刀用于割刑，锯用于刖刑。 [6]理乱：治乱。 [7]黜陟：指官吏降免或升迁。 [8]趑趄（zī jū）：进退犹豫。

[9] 嗫嚅（niè rú）：欲言又止。　　[10] 刑辟：刑法，刑律。

译文

“我并非厌恶这些而躲开，这是命中注定，不能侥幸得到。安于困顿，隐居山野，登高望远，坐在繁茂的树下消闲时日，用清澈的泉水洗涤，使自身洁净。从山上采来的果菜，味美可食；从水中钓来的鱼虾，鲜嫩可口。日常作息没有定时，只要感到舒适就安于如此。与其当面受到赞誉，不如背后不受诋毁；与其肉体享受快乐，不如心中没有忧愁。不受官职的约束，不受刑罚的惩处，不问天下的治乱，不管官吏的升降。这些都是不得志的人的所作所为，我愿如此行事。侍候在达官贵人的门下，在通往权势的路上奔走。将要举脚进门却犹豫不前，将要开口说话却欲言又止，处于不义之地而不知羞耻，触犯刑法而被诛杀。希冀着获得非分名利的微弱机会，直到老死才罢休，这样的人是贤还是不贤呢？”

昌黎韩愈，闻其言而壮之[1]，与之酒而为之歌曰：“盘之中，维子之宫[2]。盘之土，可以稼。盘之泉，可濯可沿。盘之阻，谁争子所？窈而深，廓其有容[3]。缭而曲[4]，如往而复。嗟盘之乐兮，乐且无央[5]。虎豹远迹兮，蛟龙遁藏。鬼神守护兮，呵禁不祥[6]。饮且食兮寿而康，无不足兮奚所望[7]。膏吾车兮秣吾马[8]，从子于盘兮，终吾生以徜徉[9]。”

注释

[1]壮:称赞。　[2]维子之宫:是您的居室。维,发语词。子,指李愿。宫,居室。　[3]廓:广大,宽阔。　[4]缭:回旋。[5]殃:灾祸。　[6]呵禁:喝止。　[7]奚:何。　[8]膏(gào):用油脂涂抹。秣(mò):喂养。　[9]徜徉:安闲自在。

译文

昌黎韩愈听了李愿的话，称赞他讲得对。送酒给他，并为他作一首歌："盘谷之中，是您的房屋。盘谷的土地，可以播种五谷。盘谷的泉水，可以用来洗涤，可以沿着它散步。盘谷地势险要，谁会来争夺您的住所？谷中幽远深邃，广阔足以容身。山谷回环曲折，像是走了过去，却又绕回原处。盘谷中的快乐啊，快乐而没有尽头。虎豹远离这儿啊,蛟龙避开躲藏。鬼神守卫保护啊，呵斥禁绝不祥。有饮食啊长寿而健康，没有不满足的事啊，还有什么要求？用油润滑我的车轴啊，喂我的马，跟随您到盘谷啊，我会终生安闲自在。"

文史链接

大丈夫

据《史记》记载，汉高祖刘邦在未得志时，曾到咸阳服徭役。某天，恰逢秦始皇出行，他看到始皇出行的宏大场面，非常感慨地说："唉，大丈夫应当如此！"但大丈夫是否就是秦始皇那样的人呢？

关于何谓大丈夫，早在战国时期，景春与孟子就进行过精彩的讨论。景春是当时有名的纵横家，他对孟子说："主张六国合力抗秦的公孙衍，还有打破六国合力抗秦的张仪，他们受聘为多个国家的主政大臣，一发怒，诸侯都害怕；安居不说话，天下就太平。他们难道不是大丈夫吗？”孟子说：“他们怎么能称得上是大丈夫？你没有学过礼义吗？男子举行成人礼，加冠的时候，父亲训导他成人的道理。女子出嫁的时候，母亲训导她为人妇的道理。这都是按照礼义行事。而您讲的这两个人，只知道迎合君主的私欲，他们主张合纵连横的计策，没有为百姓着想的理念，怎么能算得上是大丈夫呢？真正的大丈夫，住在天下间最宽广的住宅——仁，站在天下最正确的地方——礼，走在天下间最通达的道路——义，得志的时候，能带领大众一起前进；不得志的时候，独自坚持自己的原则。富贵不能扰乱他的心志，贫贱不能改变他的原则，威势武力不能使他屈服，这样的人才是真正的大丈夫！”

景春和孟子的对话发人深省，一个人想成为大丈夫、想建立功业，这无可厚非。但他在行动前，是否应该仔细思量一下什么才是真正的大丈夫呢？

思考讨论

读了《送李愿归盘谷序》，你认为文中李愿所批评的大丈夫是真正的大丈夫吗？

圬者王承福传[1]

韩　愈

圬之为技，贱且劳者也。有业之其色若自得者[2]。

听其言，约而尽[3]；问之，王其姓，承福其名，世为京兆长安农夫[4]。天宝之乱[5]，发人为兵，持弓矢十三年；有官勋，弃之来归，丧其土田，手镘衣食[6]，余三十年。舍于市之主人，而归其屋食之当焉[7]。视时屋食之贵贱，而上下其圬之佣以偿之[8]；有余，则以与道路之废疾饿者焉。

注释

[1] 圬（wū）者：泥瓦匠。 [2] 业之：以之为业。 [3] 约而尽：简约而透彻。 [4] 京兆长安：唐长安县为京兆府所辖，管理长安城西部。 [5] 天宝之乱：指“安史之乱”，起于唐玄宗天宝十四年（755）。 [6] 镘（màn）：抹子，涂墙的工具。引申为涂抹墙壁。 [7] 当（dàng）：抵押。 [8] 佣：受雇的工钱。

译文

粉刷墙壁作为一种手艺，是卑贱且辛苦的。有人以此作为职业，好像自在满足。听他说话，简明而透彻。问他，他说姓王，名承福，祖祖辈辈是京兆长安的农民。天宝年间发生安史之乱，抽调百姓当兵，被征入伍，手持弓箭战斗了十三年；获得官阶勋位，放弃了，返回家乡。由于丧失了田地，靠做泥瓦匠维持生活，这样生活了三十多年。借住在街上的屋主家里，并支付相当的房租、伙食费。根据房租、伙食费的时价高低，来增减他粉刷墙壁的工价，用以维持生活；有余钱，就拿去给街上残疾、贫病、饥饿的人。

又曰："粟[1]，稼而生者也[2]；若布与帛[3]，必蚕绩而后成者也[4]；其他所以养生之具，皆待人力而后完也——吾皆赖之。然人不可遍为，宜乎各致其能以相生也。故君者，理我所以生者也[5]；而百官者，承君之化者也。任有小大，惟其所能，若器皿焉。食焉而怠其事[6]，必有天殃。故吾不敢一日舍镘以嬉[7]。"

注释

[1] 粟：谷子，泛指粮食。 [2] 稼：种植。 [3] 若：至于。 [4] 蚕绩：养蚕缉麻。 [5] 理：治。避唐高宗李治的讳。 [6] 怠：怠惰。 [7] 嬉：游戏，玩乐。

译文

他又说："粮食，是种植才长出来的；至于布匹丝绸，一定要养蚕、纺织才能制成；其他用来维持生活的物品，都靠人们劳动然后才完备——我都离不开它们。然而人们不可能样样都亲自制造，最合适的做法是各人尽他的能力，相互协作来求得生存。所以，国君的责任是治理我们；而各种官吏的责任是秉承国君的旨意来教化百姓。责任有大有小，只有各尽自己的能力去做，好像器皿一样。如果只吃而懒于做事，一定有天降的灾祸。所以我一天也不敢丢下抹子去游戏玩乐。"

“夫镘，易能可力焉；又诚有功，取其直[1]，虽劳无愧，吾心安焉。夫力，易强而有功也；心，难强而有智也。用力者使于人，用心者使人，亦其宜也。吾特择其易为而无愧者取焉。嘻！吾操镘以入富贵之家有年矣[2]。有一至者焉，又往过之，则为墟矣[3]；有再至、三至者焉，而往过之，则为墟矣。问之其邻，或曰：噫！刑戮也；或曰：身既死而其子孙不能有也；或曰：死而归之官也[4]。

注释

[1]直：同“值”。　[2]有年：多年。　[3]墟：废墟。
[4]归之官：被官府抄没。

译文

“粉刷墙壁是比较容易掌握的技能，可以努力做好；又确实有用处，取得报酬，虽然辛苦，却问心无愧，我心里坦然。力气，容易强力而有成效；心智，难以强力而获得智慧。用体力的人被人役使，用脑力的人役使人，也是合适的。我只是选择那种容易做而问心无愧的活来取得报酬。唉！我拿着抹子到富贵人家干活有许多年了。有的人家我只去过一次，再从那里经过，房屋成为废墟了；有的我去过两次、三次，后来经过那里，也成为废墟了。向他们邻居打听，有的说：唉！他们家被判刑杀掉了；有的说：原主人已经死了，而他们的子孙不能守住家产；有的说：人死了，财产都充公了。

“吾以是观之，非所谓食焉怠其事而得天殃者邪？非强心以智而不足、不择其才之称否而冒之者邪？非多行可愧、知其不可而强为之者邪？将富贵难守、薄功而厚飨之者邪[1]？抑丰悴有时[2]、一去一来而不可常者邪？吾之心悯焉，是故择其力之可能者行焉。乐富贵而悲贫贱，我岂异于人哉！”

注释

[1] 飨（xiǎng）：通“享”。 [2] 丰悴：盛衰。

译文

“我从这些情况来看，不正是只吃不做事而遭到了天降的灾祸吗？不正是勉强自己去做才智达不到的事，不选择与他的才能相称的事而假充能干的结果吗？不正是多做了亏心事，明知不行，却勉强去做的结果吗？也许是富贵难以保住，少贡献却多享受造成的结果吧？也许是富贵贫贱都有一定的时运，一来一去，不能一直保有吧？我的心怜悯这些人，所以选择力所能及的事情去做。以富贵为乐，以贫贱为悲，我哪里与一般人不同呢！”

又曰：“功大者，其所以自奉也博[1]。妻与子，皆养于我者也。吾能薄而功小，不有之可也。又吾所谓劳力者。若立吾家而力不足，则心又劳也。一身而二任焉，虽圣者不可能也。”

注释

[1]奉：供养。

译文

他还说："贡献大的人，他用来养活自己的东西也多。妻子儿女都能由他一人养活。我能力小，贡献少，没有妻子儿女也是可以的。再则我是体力劳动的人，如果成家而能力不足以养家，那么又劳累了心。一个人既要劳力，又要劳心，即使是圣人也不能做到。"

愈始闻而惑之，又从而思之，盖贤者也，盖所谓独善其身者也。然吾有讥焉[1]，谓其自为也过多[2]，其为人也过少。其学杨朱之道者邪[3]？杨之道，不肯拔我一毛而利天下。而夫人以有家为劳心，不肯一动其心以畜其妻子[4]，其肯劳其心以为人乎哉？虽然，其贤于世之患不得之而患失之者，以济其生之欲、贪邪而亡道以丧其身者，其亦远矣。又其言有可以警余者[5]，故余为之传而自鉴焉。

注释

[1]讥：指责。　[2]自为：为自己。　[3]杨朱：战国时期魏国人，思想家。　[4]畜：养。　[5]警：警醒。

译文

韩愈最初听到他的这些话时，感到疑惑，再仔细想想，认为他是贤人，是通常所说的独善其身的人。然而我要指责他，说他为自己考虑得太多，为别人考虑得太少。他是践行杨朱的学说吗？杨朱的学说，提倡不肯拔自己一根汗毛而有利于天下。而他认为有家室会使心劳累，不肯动用一点心力去养活妻子儿女，难道他会有心为别人考虑吗？即便如此，他也比世上那些患得患失的人贤明，更远远胜过为了自己的私欲贪欲而犯罪，最后丢掉性命的人。因为他的言论中有可以警醒我的地方，所以我为他写传记，并且作为自己的借鉴。

文史链接

拔一毛利天下而不为

《孟子》曰："杨朱、墨翟之言盈天下，天下之言，不归杨则归墨。"可见杨朱的学问在战国时期非常受欢迎。而今天，杨朱的著作已经消失在历史的长河中，难见踪影，但他"损一毫利天下不与"的论题，化为成语一毛不拔，常被人引用。在《列子》一书中，有一段杨朱与禽子的对话，或许可以帮助我们理解"损一毫利天下不与"到底讲了些什么。

杨朱对禽子说："伯成子高这个人，不肯拔一根汗毛而有利于他人。所以他舍弃了王位，隐居起来，以耕种为生。大禹不愿为自己牟私利，所以治水劳累到半身不遂。古时候的人，如果让他损伤自己的一根汗毛而有利于天下，他是不干的；而拿整个天下来奉养他一个人，他也是不取的。人人都不愿意损伤自己一根汗毛，人人都不有利于天下，天下就太平了。"

听了这话，禽子问杨朱："拔你一根汗毛来救助世道，你愿意不愿意？"杨朱说："世道难道是一根汗毛能救助得了的？"禽子说："假如可以，你愿意吗？"杨朱不应声了。

禽子把他和杨朱的对话告诉了孟孙阳，孟孙阳说："你没有明白杨朱先生的话。如果有人划伤你，而给你万两黄金，你愿意吗？"禽子说："愿意。"孟孙阳又说："如果有人砍断你一节肢体，而给你一个国家，愿意吗？"禽子沉默了。孟孙阳接着说："大家都知道，一根汗毛不比皮肤重要，皮肤不比一节肢体重要。但一根汗毛是皮肤的一部分，皮肤又是肢体的一部分，一根汗毛固然只是身体的万分之一，然而能够认为它不重要吗？"禽子说："拿你的观点问老子、关尹子，你是正确的；拿我的观点去问大禹、墨子，我正确。"孟孙阳听了这话，就不再回答了。

人们都知道"损一毫利天下不与"，但往往忽略这句话后还有一句"悉天下奉一身不取"。从以上的对话可以看出杨朱的思想主要在于"为我""贵生"，即他认为一个人的生命是最重要的。在这一前提下，每个人都不做有害于自己身体的事情，社会就会太平无事。

思考讨论

在《圬者王承福传》中，韩愈认为王承福是独善其身的贤人，你认为他是一个什么样的人呢？

子产不毁乡校颂[1]

韩　愈

我思古人，伊郑之侨[2]。以礼相国[3]，人未安其教[4]。游于乡之校，众口嚣嚣[5]。或谓子产：“毁乡校则止。”曰：“何患焉？可以成美。夫岂多言，亦各其志。善也吾行，不善吾避。维善维否[6]，我于此视。川不可防，言不可弭[7]。下塞上聋，邦其倾矣。”既乡校不毁，而郑国以理。

注释

[1]子产：春秋时期郑国大夫公孙侨，字子产。乡校，乡学。[2]伊：发语词。　[3]相：辅助，这里指治理。　[4]教：政教，法令。　[5]嚣嚣：喧哗的样子。　[6]否（pǐ）：恶。　[7]弭（mǐ）：停止，消除。

译文

我思慕的古人，是郑国的公孙侨。他用礼制治理国家，国人还没有认同他的政教。来往于乡学，众人议论纷纷。有人对子产说：“毁掉乡学，议论就停止了。”子产说：“有什么可担心的呢？可以把议论变成好事。哪是议论多？只是各抒己见。好的意见，我采纳；不好的，我避免。是好是坏，我从这里观察。河流不能堵塞，言论不能禁止。下面的言路堵塞，执政的人像聋子一样，国家就要衰败。”既然乡校没有毁掉，郑国就得以治理。

在周之兴，养老乞言[1]。及其已衰，谤者使监[2]。成败之迹，昭哉可观。维是子产，执政之式[3]。维其不遇，化止一国。诚率是道[4]，相天下君。交畅旁达，施及无垠[5]。於虖[6]！四海所以不理，有君无臣。谁其嗣之，我思古人。

注释

[1]养老乞言：古代一种礼制，政府奉养老人之贤者，按时从乞善言。 [2]谤者使监：指周厉王派人监视，不许国人议论朝政。 [3]式：标准，榜样。 [4]率：依照，遵循。 [5]施（yì）：延续。 [6]於虖：同“呜呼”。

译文

周朝兴盛的时候，敬养老人，听取他们的意见。到周厉王时朝政衰败，派人监视议论朝政的人。成功失败的迹象，可以清楚地看见。这子产，是执政者的榜样。只因他没有机会，所以教化只限于一个诸侯国。如果依照子产的执政理念，辅佐天下的君王。各方面都舒畅通达，使教化遍及所有地方。哎呀！天下没有治理好，是因为有君王而没有贤臣。谁能继承子产的精神，我思慕古人。

文史链接

子产论政

春秋时期，郑国的执政大夫子产在临终的时候，对儿子太叔说："我死后，肯定是由你掌握政权。你要知道，有德的人才能采取宽政，否则只有采取严厉的法律，依法治国。这好比水火，水性柔和，人多亲近它，所以常有人溺水身亡；火性猛烈，人害怕而不敢接近它，所以很少有人被火烧死。因此，实行以德治国是很困难的，你还做不到。"

子产去世后，太叔当政，不忍心采用严厉的法律，而实行宽政。不久，郑国出现了占山为王的强盗团伙，不断地扩大势力，气焰越来越嚣张。这时，太叔想起父亲子产临终前的嘱咐，后悔地说："早听父亲的话，就不会乱成这个样子。"于是派兵前去围剿，强盗团伙大败。自此，强盗很少在郑国出没了。

孔子听闻了这件事，感叹地说："子产有古人的遗风啊！政策宽，老百姓就轻视法纪，而轻视法纪，就容易违法作乱，于是要采用严厉的政策来纠正。但太严厉了，老百姓又容易畏首畏尾而没有积极性，于是要采用宽政来缓和。为政者要把握好宽与严的平衡，宽和严相互补充、辅助，这样政治秩序能正常运转，社会也就趋于和谐了。"

思考讨论

你认同子产不毁乡校的做法吗？为什么？

原道[1]

韩愈

博爱之谓仁，行而宜之之谓义[2]，由是而之焉之谓道，足乎己而无待于外之谓德。仁与义为定名[3]，道与德为虚位[4]。故道有君子小人，而德有凶有吉。老子之小仁义[5]，非毁之也，其见者小也。坐井而观天，曰天小者，非天小也。彼以煦煦为仁[6]，孑孑为义[7]，其小之也则宜。其所谓道，道其所道，非吾所谓道也；其所谓德，德其所德，非吾所谓德也。凡吾所谓道德云者，合仁与义言之也，天下之公言也；老子之所谓道德云者，去仁与义言之也，一人之私言也。

注释

[1]原：推究，论述。　[2]宜：合宜。　[3]定名：有固定含义的概念。　[4]虚位：没有固定内涵的范畴。　[5]小：轻视。　[6]煦煦：恩惠。　[7]孑（jié）孑：谨小慎微的样子。

译文

博爱叫做仁，合于仁的行为叫做义，从仁义而行叫做道，自身具有而不依赖外界叫做德。仁和义是有一定意义的名词，道和德是意义不确定的名词。所以道有君子之道和小人之道，而德有吉德和凶德。老子轻视仁义，并非诋毁仁义，是由于他的思想狭隘。好比坐在井里看天的人，说天很小，其实天并不小。老子把小恩小惠当做仁，把谨小慎微当做义，他轻视仁义就是很自然的事了。老子所说的道，是把他认为的道当做道，不是我所说的道。他所说的德，是把他认为的德当做德，不是我所说的德。凡是我所说的道德，都是结合仁和义所说，是天下的公论；老子所说的道德，抛开了仁和义，只是他一个人的说法。

周道衰，孔子没，火于秦[1]，黄、老于汉[2]，佛于晋、魏、梁、隋之间。其言道德仁义者，不入于杨[3]，则入于墨[4]；不入于老，则入于佛。入于彼，必出于此。入者主之，出者奴之；入者附之，出者污之。噫，后之人其欲闻仁义道德之说，孰从而听之？老者曰[5]："孔子，吾师之弟子也。"佛者曰："孔子，吾师之弟子也。"为孔子者习闻其说，乐其诞而自小也[6]，亦曰"吾师亦尝师之云尔"。不惟举之于其口，而又笔之于其书。噫，后之人虽欲闻仁义道德之说，其孰从而求之？甚矣，人之好怪也。不求其端，不讯其末，惟怪之欲闻。

注释

[1]火：焚烧。　[2]黄、老：黄帝、老子。汉初遵奉黄、

老之学。　[3]杨：杨朱。　[4]墨：墨翟。　[5]老者：遵奉老子学说的人。　[6]诞：荒诞。

译文

自从周道衰落，孔子去世以后，秦始皇焚烧诗书，黄、老之学盛行于汉代，佛教盛行于晋、魏、梁、隋之间。那时谈论道德仁义的人，不归入杨朱学派，就归入墨翟学派；不归入老子的道学，就归入佛学。归入了那个学派，必然不是这一学派。尊崇所归入的学派，贬低所反对的学派；附和归入的学派，污蔑反对的学派。唉，后世的人想知道仁义道德的学说，到底听从谁的说法呢？道家说："孔子是我们老师的学生。"佛家也说："孔子是我们老师的学生。"学习孔子学问的人，听惯了他们的话，乐于接受他们的荒诞言论而轻视自己，也说："我们的老师曾向他们学习呀"。不仅在口头上这样说，而且还把它写在书上。唉，后世的人即使想知道关于仁义道德的学说，又该向谁去请教呢？人们喜欢奇谈怪论。他们不探求事情的起源，不考察事情的结果，只喜欢听怪诞的言论。

古之为民者四[1]，今之为民者六[2]。古之教者处其一，今之教者处其三。农之家一而食粟之家六，工之家一而用器之家六，贾之家一而资焉之家六[3]，奈之何民不穷且盗也？古之时，人之害多矣。有圣人者立，然后教之以相生养之道。为之君，为之师，驱其虫蛇禽兽而处之中土。寒，然后为之衣；饥，然后为之食；木处而颠[4]、土处而病者，然后为之

宫室。为之工，以赡其器用；为之贾，以通其有无；为之医药，以济其夭死；为之葬埋祭祀，以长其恩爱；为之礼，以次其先后；为之乐，以宣其壹郁[5]；为之政，以率其怠倦；为之刑，以除其强梗[6]。

注释

[1]为民者四：指士、农、工、商。 [2]为民者六：指士、农、工、商、僧、道。 [3]资焉：由之取给。 [4]颠：自高处坠落。 [5]壹郁：同"抑郁"。 [6]强梗：强横不法的人。

译文

古代的人民只有四类，今天的人民有了六类。古代负责教育人民的人，只占四类中的一类，今天却有三类。务农的一类人，要供应六类人的粮食；务工的一类人，要供应六类人的器用；经商的一类人，依靠他服务的有六类人，这怎么能使人民不因穷困而去偷盗呢？古时候，人民遭受的灾害很多。有圣人出来，然后教给人民以相生相养的方法。做他们的君王、导师，驱走那些蛇虫禽兽，把人们安顿在中原。天冷就教他们做衣裳，饿了就教他们种庄稼。栖息在树木上容易掉下来，住在洞穴里容易生病，于是就教导他们建造房屋。又教导他们做工匠，供应人民的生活用具；教导他们经营商业，互通货物的有无；发明医药，以拯救那些生病早死的人；制定葬埋祭祀的制度，以增进人与人之间的恩爱感情；制定礼节，以分别尊卑秩序；制作音乐，以宣泄人们心中的郁闷；制定政令，以督促那些怠惰懒散的人；制定刑罚，以铲除那些强暴之徒。

相欺也，为之符玺、斗斛、权衡以信之[1]；相夺也，为之城郭、甲兵以守之。害至而为之备，患生而为之防。今之言曰："圣人不死，大盗不止。剖斗折衡，而民不争。"呜呼！其亦不思而已矣！如古之无圣人，人之类灭久矣。何也？无羽毛、鳞介以居寒热也[2]，无爪牙以争食也。

注释

[1] 权衡：称量物体重量的器具。　[2] 居寒热：抵御寒暑。

译文

因为有人弄虚作假，于是制作符节、印玺、斗斛、秤尺，作为凭信；因为有争夺抢劫的事，于是设置了城池、盔甲、兵器来守卫家园。总之，灾害来了就设法防备，祸患将要发生，就及早防范。现在道家却说："如果圣人不死，就不可能没有大盗。只要砸烂斗斛、折断秤尺，人民就不会争夺了。"唉！这都是没有经过思考的话罢了！如果古代没有圣人，人类早就灭亡了。为什么呢？因为人们没有羽毛、鳞甲以抵御严寒酷暑，也没有强硬的爪牙来夺取食物。

是故君者，出令者也；臣者，行君之令而致之民者也[1]；民者，出粟米麻丝、作器皿、通货财以事其上者也。君不出令，则失其所以为君；臣不行君之令而致之民，民不出粟米麻丝、作器皿、通货财以事其上，则诛。今其法曰：必弃而君臣，去而父子，禁而相生养之道，以求其所谓清净寂灭者[2]。呜呼！其亦幸而出于三代之后，不见黜于禹、汤、文、武、周公、孔子也；其亦不幸而不出于三代之前，不见正于禹[3]、汤、文、武、周公、孔子也。

注释

[1] 致：传达。　[2] 清净寂灭：佛教用语，指佛教徒所追求的一种超越生死轮回的绝对境界。　[3] 见正：被纠正，被教导。

译文

因此，君王是制定政令的人；臣子，是执行君王的政令并且传达给百姓的人；百姓，是生产粮食丝麻、制作器物、交换货物，以此供养统治者的人。君王不制定政令，就丧失了作为君王的责任；臣子不执行君王的政令并且传达给百姓，百姓不生产粮食丝麻、制作器物、交换货物来供养统治者，就要被诛杀。现在佛家却说：一定要抛弃你们的君臣关系，消除你们的父子关系，禁止你们相生相养的办法，以便追求佛教所谓的清净寂灭的境界。唉呀！他们也幸而出生在三代之后，没有被夏禹、商汤、周文王、周武王、周公、孔子所贬斥；他们又不幸而没有出生在三代以前，没有受到夏禹、商汤、周文王、周武王、周公、孔子的教导。

帝之与王[1]，其号名殊，其所以为圣一也。夏

葛而冬裘，渴饮而饥食，其事虽殊，其所以为智一也。今其言曰：曷不为太古之无事？是亦责冬之裘者曰："曷不为葛之之易也[2]？"责饥之食者曰："曷不为饮之之易也？"《传》曰[3]："古之欲明明德于天下者，先治其国；欲治其国者，先齐其家；欲齐其家者，先修其身；欲修其身者，先正其心；欲正其心者，先诚其意。"然则古之所谓正心而诚意者，将以有为也。

注释

[1]帝：五帝。　王：三王。　[2]易：换。　[3]《传》：这里指《礼记·大学》。

译文

五帝与三王，他们的名号虽然不同，但他们之所以成为圣人的原因是相同的。夏天穿葛衣，冬天穿皮衣，渴了要喝水，饿了要吃饭，这些事情虽然各不相同，但它们作为智慧有同一个理由。现在道家却说："为什么不实行远古的无为而治呢？"这就好像在责怪冬天穿皮衣的人："为什么不以葛衣代替皮衣呢？"责怪饿了要吃饭的人："为什么不以喝水代替吃饭呢？"《礼记·大学》认为："在古代，想要发扬他的道德于天下的人，一定要先治理好他的国家；要治理好他的国家，一定要先整顿好他的家族；要整顿好他的家族，必须先提高自身的修养；要提高自我修养，必须先端正自己的思想；要端正自己的思想，必须先使自己的意念诚实。”可见古人之所以说正心和诚意，都有一定的原因。

今也欲治其心，而外天下国家，灭其天常[1]，子焉而不父其父，臣焉而不君其君，民焉而不事其事。孔子之作《春秋》也，诸侯用夷礼则夷之，进于中国则中国之。《经》曰[2]：“夷狄之有君，不如诸夏之亡。”《诗》曰：“戎狄是膺[3]，荆舒是惩[4]。”今也举夷狄之法而加之先王之教之上，几何其不胥而为夷也[5]！

注释

[1]天常：天理伦常。 [2]《经》：这里指《论语》。[3]膺：抵挡。 [4]荆舒：荆，楚国；舒，舒国，故城在今安徽省庐江县西。 [5]几何：用于反问，表示没有多少。 胥：全，皆。

译文

现在那些修心养性的人，却想抛开天下国家，灭绝天理伦常，做儿子的不把他的父亲当做父亲，做臣子的不把他的君主当做君主，做百姓的不做他们该做的事。孔子作《春秋》的时候，把采用夷狄礼俗的诸侯列入夷狄，把采用中原礼俗的诸侯列为中原人。《论语》说：“夷狄虽然有君主，还不如中国没有君主。”《诗经》说：“夷狄应当攻击，荆舒应当惩罚。”现在，却尊崇夷礼之法，把它抬高到先王的政教之上，那么用不了多久我们就全都要沦为夷狄了！

夫所谓先王之教者何也？博爱之谓仁，行而宜之之谓义，由是而之焉之谓道，足乎己无待于外之谓德。其文《诗》、《书》、《易》、《春秋》；其法礼、乐、刑、政；其民士、农、工、贾；其位君臣、父子、师友、宾主、昆弟、夫妇；其服丝麻；其居宫室；其食粟米、果蔬、鱼肉。其为道易明，而其为教易行也。是故以之为己，则顺而祥；以之为人，则爱而公；以之为心，则和而平；以之为天下国家，无所处而不当。是故生则得其情，死则尽其常；效焉而天神假[1]，庙焉而人鬼飨[2]。

注释

[1] 效：祭天。　假（gé）：通“格”。至，到。　[2] 庙：指在祖庙祭祀。　飨：通“享”。

译文

所谓先王的政教是什么呢？就是博爱即称之为仁，合乎仁的行为即称为义，从仁义而行就是道，自身具有而不依赖外界叫做德。讲仁义道德的书有《诗经》、《尚书》、《易经》和《春秋》；体现仁义道德的法式就是礼仪、音乐、刑法、政令；人民是士、农、工、商；伦理次序是君臣、父子、师友、宾主、兄弟、夫妇；穿的是麻布丝绸；

住的是宫室；食物是粮食、瓜果、蔬菜、鱼肉。这些作为道理是很容易明白的，作为行为准则是很容易做到的。所以，用它们来教育自己，能和顺吉祥；用它们来对待别人，能做到博爱公正；用它们来修养内心，能平和而宁静；用它们来治理天下国家，没有不适合的地方。因此，活着能够作为真正的人活着；死了能够完成自己作为人的本分。祭天则天神降临，祭祖则祖先的灵魂得到满足。

曰：斯道也，何道也？曰：斯吾所谓道也，非向所谓佛与老之道也[1]。尧以是传之舜，舜以是传之禹，禹以是传之汤，汤以是传之文、武、周公，文、武、周公传之孔子，孔子传之孟轲，轲之死，不得其传焉。荀与扬也[2]，择焉而不精，语焉而不详。由周公而上，上而为君，故其事行；由周公而下，下而为臣，故其说长。然则如之何而可也？曰：不塞不流，不止不行。人其人，火其书，庐其居。明先王之道以道之[3]，鳏寡、孤独、废疾者有养也。其亦庶乎其可也。

注释

[1] 向：以前，以往。　　[2] 荀与扬：荀子与扬雄。
[3] 道：通“导”，教导。

译文

有人问：这个道，是什么道？我说：这是我所说的道，不是

前面所说的道家和佛家的道。尧把这个道传给舜，舜把它传给禹，禹把它传给汤，汤把它传给文王、武王、周公，文王、武王、周公传给孔子，孔子传给孟轲，孟轲死后，没有传承了。只有荀卿和扬雄，对此思考过一些，但思考得不精密，论述过一些，但论述得不全面。从周公以上，传承人都是在上位的君王，所以道能够实行；从周公以下，传承人都是在下位的臣子，所以道以学说的方式流传。那么，怎么办才好呢？我以为：不堵塞佛老之道，儒道就难以流传；不禁止佛老之道，儒道就难以推行。必须把僧、道还俗为民，烧掉佛经道书，把佛寺、道观变成民房。阐明先王的儒道以教导人民，使鳏夫、寡妇、孤儿、老人、残疾人、病人都有生活保障。这样做也就差不多了。

文史链接

“三武一宗”法难

中国历史上曾发生四次大规模的禁佛运动，佛教史上称之为“三武一宗”法难。

第一次法难是北魏太武帝拓跋焘禁佛。太武帝即位之初崇信佛法，后渐渐改为信奉道教。公元445年，太武帝平定叛乱，到达长安，发现长安的佛寺藏有兵器，又查出酒具和大量的财物，甚至还接到报告称佛寺“又为窟室，与贵室女私行淫乱”。司徒崔浩上书请求诛杀僧人，毁弃佛寺。于是，太武帝下诏，诛杀长安沙门，并下令全国各地都废除佛教。诏令发布后，北魏境内的佛寺佛院几乎都遭到不同程度的毁坏。

第二次法难发生在北周武帝时期。当时制度规定，佛教徒不用缴纳赋税。因此，佛教大兴，寺院生齿日繁，而国库的收入不断减少。于是，武帝多次召集官员和释、道两家，辩论儒、释、道的先后。在天和三年（568），武帝在大德殿召集群臣和僧人、道士，亲自讲解《礼记》，表明自己以儒治天下的决心。建德三年（574），武帝下诏禁佛、禁道，毁弃经书、塑像等，命令僧人、道士还俗，把佛、道的财物分赏给大臣，寺庙赐给王公贵族。建德六年，随着北齐被北周所灭，禁佛的命令也在北齐境内推行开来，当时的佛学大师慧远曾劝谏武帝不要禁佛，但没有成功。于是"北地佛教，一时绝其声迹"，僧人多逃到江南安身。

第三次法难是发生在唐武宗会昌年间的"会昌法难"。当时，寺院名下的庄园日渐增多，而国库的收入不断减少，唐武宗又喜好道术，于是在会昌二年，武宗下令僧人中犯罪和违戒的人还俗，财物充公。会昌三年，又下令普查僧众人口，凡不在官府名录上的僧人必须还俗，遣送回原籍。会昌四年，武帝将长生殿内的佛像替换为天尊像。会昌五年，下诏全面禁佛，诏令中公告："只在东西两都两街各留两寺，每寺只留三十位僧人，节度观察使的治所和同、华、高、汝四州各留一个寺院，其余的寺院都要被毁弃。"据统计，"会昌法难"毁弃寺院44600余处，被迫还俗的僧尼达26万余人。武宗死后，宣宗解除了禁令。

第四次法难是后周世宗禁佛。当时，北方五代战乱频繁，烽烟四起，对佛教的管理逐渐松弛，百姓躲避战乱，多出家为僧，这再次直接影响到国家的赋税和兵役。显德二年（955），世宗下令，凡是不在官府的收录名单上的寺院，都要被废除。同时，严禁私自出家。此次禁佛共废弃寺院三千余所。接连的禁佛运动，使得北方的佛教元气大伤，名僧经论多遭毁灭。

思考讨论

你认同韩愈对仁、义、道、德的理解吗？

送穷文[1]

韩　愈

元和六年正月乙丑晦[2]，主人使奴星结柳作车[3]，缚草为船，载糗舆粻[4]，牛系轭下，引帆上樯[5]，三揖穷鬼而告之曰：“闻子行有日矣[6]。鄙人不敢问所途，窃具船与车，备载糗粻，日吉时良，利行四方。子饭一盂，子啜一觞，携朋挈俦[7]，去故就新，驾尘彍风[8]，与电争先。子无底滞之尤[9]，我有资送之恩，子等有意于行乎？”

注释

[1] 送穷：送穷鬼。《荆楚岁时记》：“正月晦日，送穷鬼。” [2] 晦：阴历每月的最后一天。 [3] 奴星：名字叫做星的仆人。 [4] 载糗（qiǔ）舆粻（zhāng）：用车装载干粮。糗，干粮；粻，食米。 [5] 樯（qiáng）：桅杆。 [6] 有日：多日。 [7] 俦（chóu）：同类。 [8] 彍（guō）：拉满弓。 [9] 底滞：稽留。

译文

元和六年正月乙丑晦日，我吩咐名为星的仆人用柳条编制车子，用草编制成船，装上干粮，把纸牛绑在车轭上，把船帆拉上桅杆，向穷鬼三鞠躬而祝祷说：“早就听说你要离开了。我不敢问你要到哪里去，私下准备了船和车，装上干粮，在这吉日良辰，愿你到哪里都吉利。你吃一碗饭，喝一杯酒，和你的朋友们一起离开这里，到新的地方去，牛车扬起尘土，风吹得船帆如同满弓，速度比闪电都快。不要有稽留的抱怨，我有财物送给你，你们有意启程吗？”

屏息潜听，如闻音声，若啸若啼，砉欻嘎嘤[1]。毛发尽竖，竦肩缩颈，疑有而无，久乃可明。若有言者曰：“吾与子居，四十年余，子在孩提，吾不子愚；子学子耕，求官与名，惟子是从，不变于初。门神户灵，我叱我呵，包羞诡随[2]，志不在他。子迁南荒[3]，热烁湿蒸，我非其乡，百鬼欺陵。太学四年[4]，朝齑暮盐[5]，惟我保汝，人皆汝嫌。自初及终，未始背汝，心无异谋，口绝行语。于何听闻，云我当去，是必夫子信谗，有间于予也[6]。我鬼非人，安用车船，鼻嗅臭香，糗帐可捐[7]。单独一身，谁为朋俦，子苟备知[8]，可数已不[9]？子能尽言，可谓圣智，情状既露，敢不回避？”

注释

[1] 砉（xū）欻（xū）嘎嘤：微细琐碎的声音。　[2] 包羞诡随：忍受羞辱，曲随人意。　[3] 子迁南荒：指流放阳山。[4] 太学四年：指作者于元和元年六月授国子博士，二年夏分司东都，四年改都官员外郎分司，前后四年。　[5] 朝齑（jī）暮盐：

早晚只有咸菜、盐下饭。　[6]间：离间。　[7]捐：放弃。
[8]苟：假如。　[9]已不：同“以否”。

译文

屏住呼吸静听，好像听到穷鬼的声音，又哭又笑，声音微细琐碎。汗毛和头发都快竖起来了，背颈发紧，那声音似有还无，长时间听才听清楚。好像有声音说：“我和你一起住了四十多年了，你小时候，我不愚弄你；你学习和耕作，谋求官位和名声，我一直跟随你，没有改变初衷。守护门户的神灵，叱骂我、呵斥我，我忍受屈辱，紧紧追随你，没有改变心意。你贬职阳山，气候酷热潮湿，不是家乡，我受到百鬼的欺负。自从你在太学做官以后的四年，每天只有咸菜、盐水下饭，只有我安慰你，人人都嫌弃你。自始至终，我从来没有背弃过你，没有二心，没有提过要离开的话。你从哪里听说我要离开，这一定是你听信谗言，与我有了嫌隙。我是鬼，不是人，哪里用得上车船，只闻香火，干粮对我没有用处。我单独一个，谁是我的朋友，如果你知道，可以数给我听吗？如果你能说得准，可称得上圣明睿智，我被你说穿了，怎敢不离开？”

主人应之曰：“子以吾为真不知也邪？子之朋俦，非六非四，在十去五，满七除二。各有主张，私立名字，捩手覆羹[1]，转喉触讳[2]，凡所以使吾面目可憎、语言无味者，皆子之志也。其名曰智穷，矫矫亢亢[3]，恶圆喜方，羞为奸欺，不忍害伤；其次名曰学穷，傲数与名，摘抉杳微[4]，高挹群言[5]，

执神之机[6]；又其次曰文穷，不专一能，怪怪奇奇，不可时施，秖以自嬉[7]；又其次曰命穷：影与形殊，面丑心妍，利居众后，责在人先；又其次曰交穷，磨肌戛骨[8]，吐出心肝，企足以待[9]，置我仇冤。凡此五鬼，为吾五患，饥我寒我，兴讹造讪。能使我迷，人莫能间[10]，朝悔其行，暮已复然。蝇营狗苟，驱去复还。”

注释

[1]捩（liè）：扭转。 [2]转喉触讳：开口就犯了忌讳。[3]矫矫亢亢：孤高的样子。 [4]摘抉（jué）：挑剔指摘。[5]挹（yì）：舀，取。 [6]机：关键。 [7]秖（zhī）：只，但。[8]磨肌戛（jiá）骨：磨掉肌肉，刮出骨头。形容无私地袒露自己。[9]企足：踮起脚跟。 [10]间：离间。

译文

我回答说：“你以为我真的不知道吗？你的朋友，不是六个，不是四个，十去五，七去二，共有五个。各有各的能力，自己给自己命名，扭转人手，打翻羹汤，让人开口就犯忌讳，只要是让我令人厌恶、不会讲话的事，都是你们的主意。一个叫做智穷，样子高傲，厌恶圆滑，喜爱正直，以欺骗为耻辱，不忍心伤害别人；又一个叫做学穷，轻视玩弄技艺、概念的学问，择取发掘深微的道理，居高临下地酌取百家之言，把握神妙的关键；再一个叫做文穷，不专精一方面的能力，身怀各种罕见奇异的本事，不能施用于当下，只能自得其乐；再一个叫做命穷，影子斜而身体正，外貌丑而心灵美，获利在众人之后，受责难在他人之前；再一个叫做交穷，如同磨掉肌肉、刮出骨头一样无私地袒露自己，吐出心肝一样诚实，热忱待人，却让别人把我当做仇人。总共有这五鬼，是我的五个忧患，使我饥饿，使我寒冷，造成错误，引来诽谤，让我心中迷乱，没有人能够离间，早晨后悔自己的行为，晚上又恢复如初了。像苍蝇一样飞来飞去，像狗一样苟且偷生，赶走了又回来。”

言未毕，五鬼相与张眼吐舌，跳踉偃仆[1]，抵掌顿脚[2]，失笑相顾。徐谓主人曰："子知我名，凡我所为，驱我令去，小黠大痴[3]。人生一世，其久几何？吾立子名，百世不磨。小人君子，其心不同，惟乖于时[4]，乃与天通。携持琬琰[5]，易一羊皮，饫于肥甘[6]，慕彼糠麋[7]。天下知子，谁过于予？虽遭斥逐，不忍子疏。谓予不信，请质《诗》、《书》[8]。"主人于是垂头丧气，上手称谢[9]，烧车与船，延之上座。

注释

[1] 跳踉（liáng）偃仆：跳跃、扑倒。 [2] 抵掌：击掌。 [3] 黠：聪慧。 [4] 惟：通"虽"。 [5] 琬琰（wǎn yǎn）：美玉。 [6] 饫（yù）：饱。 [7] 糠麋（mí）：糠粥。 [8] 质：质证，对证。 [9] 上手：举手。

译文

话没有说完，五鬼一起瞪着眼睛，吐出舌头，跳跃扑倒，拍手跺脚，互相看着笑出声来。缓慢地对我说："你知道我的名字，我的所作所为，驱赶我，让我离开，是小聪明而大愚蠢。人活一生，有多长时间呢？我确立你的名望，百世不灭。小人与君子的志向不同，君子虽然没有时运，但和天道相通。你这是手中有美玉，却拿去换一张羊皮，又好比有美味的食物可以吃饱，却羡慕糠粥。天下有谁能比我更知晓你的为人？虽然遭到斥骂驱逐，但我不忍心疏远你。如果认为我说的不真实，请拿《诗》、《书》来对证。"听了这话，我垂头丧气，举手对穷鬼行礼，烧掉车船，请穷鬼上座。

文史链接

送　穷

送穷是我国民间的一种风俗，据钱钟书先生在《管锥编》中的考证，唐代民间就开始流行送"穷鬼"了。如唐代诗人姚合有《晦日送穷》："年年到此日，沥酒拜街中。万户千门看，无人不送穷。"可见当时送穷风俗之盛。

唐代文学家李邕在《金谷园记》中记载了送穷鬼的来历，以及相关的仪式。他说："高阳氏子瘦约，好衣敝食糜。人做新衣与之，即裂破，以火烧穿着之，宫中号曰穷子。正月晦日巷死。今人作糜，弃破衣，是日祀于巷，曰送穷鬼。"穷鬼是颛顼帝的儿子，喜欢穿破衣服，喝稀粥，即便有新衣服，也要弄破了才穿。他在正月晦日死了，后人在正月晦日这天，用稀饭和破衣服祭拜他，同时也想除去一年的晦气。如此，便慢慢地形成了送穷的风俗。

文人们也多有为"送穷"著文。唐代韩愈有《送穷文》，文中韩愈与穷鬼对谈，最后对穷鬼不送反请。韩愈借此抒怀，表明自己安贫乐道的志向。清代蒲松龄著有《除日祭穷神文》，文中把穷鬼刻画得入木三分。

思考讨论

1. 读了韩愈的《送穷文》，不妨再找来蒲松龄的《除日祭穷神文》，对比读一读。

2. 你如何看待贫富？

天　论（上篇）

刘禹锡[1]

世之言天者二道焉。拘于昭昭者则曰[2]："天与人实影响：祸必以罪降，福必以善徕[3]，穷厄而呼必可闻，隐痛而祈必可答，如有物的然以宰者。"故阴骘之说胜焉[4]。泥于冥冥者则曰[5]："天与人实刺异[6]：霆震于畜木，未尝在罪；春滋乎堇荼，未尝择善。跖、蹻焉而遂[7]，孔、颜焉而厄[8]，是茫乎无有宰者。"故自然之说胜焉。余之友河东解人柳子厚作《天说》[9]，以折韩退之之言[10]。文信美矣，盖有激而云，非所以尽天人之际。故余作《天论》，以极其辩云。

注释

[1]刘禹锡，字梦得，彭城（今徐州）人，唐代哲学家，文学家。[2]昭昭：明亮。[3]徕（lái）：来。[4]阴骘（zhì）：阴德。借指暗中主宰。[5]冥冥：昏暗。[6]剌（là）：违背。[7]跖（zhí）、跻（jué）：跖，春秋末期大盗。跻，战国时楚国大盗。[8]孔、颜：孔子、颜回。[9]河东解人：河东，郡名，在今山西永济。解，河东郡属县。[10]折：反驳。韩退之：韩愈。

译文

世上关于天的学说分为两派。一派固守天人感应的经验认为："天与人的确相互感应：天降灾祸必定是因为人做了坏事，天赐福泽必定是因为人做了善事，处于穷困而向天呼救，天必定能听到呼救，患有病痛而向天祈祷，天必会应答，好像确实有一个东西在主宰。"因此有主宰者的看法有理。另一派持守天人无关的经验认为："天与人确实不相干：雷劈到牲畜树木，不是为了惩恶；春天滋生堇荼之类的野菜，不是选择善的滋生。跖、跻这样的大盗顺心如意，孔子、颜回却遭受困厄，这意味着苍天没有主宰。"自然无主宰的说法有理。我的朋友河东解人柳宗元作《天说》，反驳韩愈的观点。文章写得确实华美，大概是有感而发，并非要详究天与人的关系。因此，我写作《天论》，把天与人的关系辨说明白。

大凡入形器者，皆有能有不能。天，有形之大者也；人，动物之尤者也。天之能，人固不能也；

人之能，天亦有所不能也。故余曰，天与人交相胜耳。其说曰：天之道在生植，其用在强弱；人之道在法制，其用在是非。阳而阜生[1]，阴而肃杀；水火伤物，木坚金利；壮而武健，老而耗眊[2]；气雄相君，力雄相长：天之能也。阳而艺树，阴而揫敛[3]；防害用濡，禁焚用光[4]；斩材窾坚[5]，液矿硎铓；义制强讦，礼分长幼；右贤尚功[6]，建极闲邪[7]：人之能也。

注释

[1] 阜（fù）生：茂盛生长。　[2] 耗眊（mào）：衰弱眼花。[3] 揫（jiū）敛：聚集收敛。　[4] 防害用濡，禁焚用光：防止水灾而用水灌溉，防止火灾而用火照明。　[5] 窾（kuǎn）：挖空。[6] 右：尊。古代以右为尊。　[7] 极：准则，法则。

译文

一般有形质的东西，都有能与不能。天，是有形之物中最大的；人，是动物中最特别的。天所能的，人固然不能；人能够做到的事情，天也有不能做到的。所以我说，天和人各有所长。具体而言：天道在于生养万物，它的能力在于使万物强壮或衰弱；人道在于制定法律制度，他的能力在于明辨是非。阳气助长生养，阴气主宰肃杀；水火伤害器物，木材坚固而金属锐利；壮年时孔武有力，老年时衰弱眼花；以气势壮的为尊，以力气大的为长：这都由天主宰。阳春植树，阴秋储藏；防止水灾而用水灌溉，防止火灾而用火照明；伐木挖山，融化矿石，磨砺刀剑；用公义约束强暴和恶意攻击，用礼仪分别长幼次序；尊贤而崇尚功业，建立制度防止邪恶：这些是人的能力。

人能胜乎天者，法也。法大行，则是为公是，非为公非，天下之人蹈道必赏[1]，违之必罚。当其赏，虽三旌之贵，万钟之禄[2]，处之咸曰宜。何也？为善而然也。当其罚，虽族属之夷[3]，刀锯之惨，处之咸曰宜。何也？为恶而然也。故其人曰："天何预乃事耶？唯告虔报本[4]、肆类授时之礼[5]，曰天而已矣。福兮可以善取，祸兮可以恶召，奚预乎天邪？"

注释

[1] 蹈：遵循。 [2] 三旌（jīng）之贵，万钟之禄：指高官厚禄。 [3] 族属之夷：株连亲戚家族。 [4] 告虔报本：指祭天的典礼。告虔，祭祀时告其诚敬。报本，报谢其本。[5] 肆类授时：肆类，祭天。授时，颁布历法。

译文

人能胜天在于制定法度。法度畅行，则是为公认的是，非为公认的非，天下的人遵守法度必定受赏，违犯法度必定受罚。配得上赏赐，即使赏赐的是高官厚禄，大家都觉得合适。为什么呢？因为这是为善。符合刑罚，即使是抄家灭族，身首异处，大家也都觉得合理。为什么呢？因为那是作恶。所以人们说："天能干预什么事呢？只有祭祀和颁布历法时的礼仪，与天有关。福报由行善取得，祸乱由作恶招致，与天有什么相关呢？"

法小弛，则是非驳，赏不必尽善，罚不必尽恶。或贤而尊显，时以不肖参焉；或过而僇辱[1]，时以不辜参焉[2]。故其人曰："彼宜然而信然，理也。彼不当然而固然，岂理邪？天也。福或可以诈取，而祸或可以苟免。"人道驳，故天命之说亦驳焉。法大弛，则是非易位。赏恒在佞，而罚恒在直。义不足以制其强，刑不足以胜其非，人之能胜天之具尽丧矣。夫实已丧而名徒存，彼昧者方挈挈然提无实之名[3]，欲抗乎言天者，斯数穷矣。

注释

[1]僇（lù）辱：定罪处罚。　[2]不辜：无罪。　[3]挈（qiè）挈然：孤独的样子。

译文

法度有了小的松懈，则是非不公正，受赏的不一定都是好人，受罚的不一定都是恶人。本来贤德的人才尊贵，却出现了不贤的人而尊贵；本来犯罪而受处罚，却出现了没有罪而受罚。所以有人说："如果一切恰当且事实如此，便是合理。如果不应如此却偏偏这样，难道是理吗？是天意吧。有时可以通过诈骗取得福报，有时可以苟且避免罪祸。”人道驳杂不明，所以关于天命的言论也就混乱了。法度有了大的松懈，则是非颠倒，受赏的总是佞人，而受罚的总是正直的人。道义不能够约束强暴，刑罚不能够制止犯罪，人能胜天的东西完全丧失了。没有了真实的内容而只保留着名称，那些昏昧的人独自拿着没有实质的名词，想要和讲宿命的人讲道理，这是不可能的。

故曰：天之所能者，生万物也；人之所能者，治万物也。法大行，则其人曰：“天何预人邪？我蹈道而已。”法大弛，则其人曰：“道竟何为邪？任天而已。”法小弛，则天人之论驳焉。今以一己之穷通，而欲质天之有无，惑矣！余曰：天恒执其所能以临乎下，非有预乎治乱云尔；人恒执其所能以仰乎天，非有预乎寒暑云尔。生乎治者，人道明，咸知其所自，故德与怨不归乎天；生乎乱者，人道昧，不可知，故由人者举归乎天。非天预乎人尔！

译文

所以说：天的能力在于生养万物；人的能力在于管理万物。法度畅行，人们就会说：“天哪里干预人的事？我遵守法度就可以了。”法度混乱，人们就会说：“哪里有什么道理？全在于天意罢了。”法度有了小的松懈，天与人的关系就分辨不清了。如今想要

通过一个人的贫富贵贱，来论证有没有天意，这太糊涂了！我认为，天永远有它的能力，对普天下的万物发挥作用，不会干预人事的治乱；人永远有人的能力，上仰着天，不可能干预寒暑的循环；生活在法制昌明的时代，人事的道理清楚明白，人们都知道祸福的真正原因，所以不把恩德和怨恨归为天意；生活在乱世，人事不清，道理不明，所以把人事的原因全都说成是天意。并非是天要干预人事啊！

文史链接

盖天说和浑天说

在我国古代天文学史上有多种关于宇宙结构的学说，如盖天说、浑天说、宣夜说、安天说、穹天说等，其中关于盖天说和浑天说的争论最多，影响也最大。

盖天说大概是我国最古老的宇宙学说。汉代的《周髀算经》记载了这一学说的新、旧观点。旧盖天说认为，天圆如张盖，地方如棋局。天是倾斜的，所以它的中心位置在北面，并以这个中心为轴向左旋转。天圆地方说大概是人们对自然经验的初步总结。但在人们的直接经验中，圆和方不能弥合，而天地相合无缝，所以旧盖天说不能自圆其说。于是出现了新盖天说，它认为："天似盖笠，地法复磐，天地各中高外下。"天和地都是圆的，中间高，四周低，天像一顶斗笠，地像一个反扣的盘子，斗笠的顶即是北极，天以北极为中心旋转。新的盖天说虽然更为合理，但仍有解释不了的天象。

汉代著名思想家扬雄曾推崇盖天说，但他和桓谭辩论之后，便放弃了盖天说，改信浑天说，并作《难盖天八事》。在他的《法言》

中有这样的记载："或问浑天曰：落下闳营之，鲜于妄人度之，耿中丞象之。"可见浑天说在当时已经形成了一定的理论体系。后来，张衡将浑天说发展成为更为系统的学说，在《浑仪注》中，他论说了浑天说的主要思想：天像蛋壳，地像蛋黄，天包裹着地。天像车轮一样旋转。

浑天说比盖天说更进步，盖天说能够解释的天象，浑天说能解释，盖天说不能解释的天象，浑天说也能解释。但盖天说比较符合人们的直接感官经验，这使不少人仍然笃信盖天说。同时，浑天说中的一些观点，如地是漂浮不定的，日月星辰在夜晚会浸泡在水里，难以让当时的普通人接受。所以，有关盖天说和浑天说的争论持续了很长时间。一直到了唐代开元十二年（724），当时的天文学家经过一次实验测量，推翻了以往的一个天文学公理，为浑天说提供了坚实的论据。自此，浑天说被大多数人所接受，成为我国古代主流的宇宙结构学说。

思考讨论

刘禹锡在《天论》中认为"天与人交相胜"，请查一查古代文献，是否还有其他关于天人关系的观点，进而思考一下，天与人有什么关系？

养竹记

白居易[1]

竹似贤，何哉？竹本固[2]，固以树德[3]；君子见其本，则思善建不拔者。竹性直，直以立身；君子见其性，则思中立不倚者[4]。竹心空，空似体道[5]；君子见其心，则思应用虚受者。竹节贞[6]，贞以立志；君子见其节，则思砥砺名行[7]，夷险一致者。夫如是，故君子人多树之为庭实焉[8]。

注释

[1] 白居易：字乐天，下邽（今陕西渭南县）人，唐代诗人。[2] 本：根。 [3] 树：立，建立。 [4] 倚：偏颇。 [5] 体道：包含仁道。 [6] 贞：坚贞，有操守。 [7] 砥砺：磨砺，磨炼。行（xíng）：德行，品行。 [8] 庭实：把礼品陈列于中庭。

译文

竹子像贤人，为什么呢？竹子的根稳固，稳固是为了树立德行；君子看到竹根，就想到坚定不移的品格。竹子的秉性直，直是为了立住身体；君子看见它这种秉性，就想到正直不偏颇。竹子中空，空好像包含仁道；君子看见它的空心，就想到虚心求道。竹节坚贞，坚贞是为了立志；君子看见竹节，就想到磨砺品行，穷通祸福都德行如一。因为这些原因，所以君子多喜欢在庭院中种竹子。

贞元十九年春[1]，居易以拔萃选及第[2]，授校书郎[3]，始于长安求假居处[4]，得常乐里故关相国私第之东亭而处之。明日，履及于亭之东南隅，见丛竹于斯，枝叶殄瘁[5]，无声无色。询于关氏之老，则曰：此相国之手植者。自相国捐馆[6]，他人假居，由是筐篚者斩焉[7]，篲帚者刈焉[8]。刑余之材，长无寻焉，数无百焉[9]。又有凡草木杂生其中，菶茸荟郁[10]，有无竹之心焉。

注释

[1]贞元十九年：公元803年。 [2]拔萃：唐代的一种选官制度。选官有一定的年限，期限未满，试判三条，合格授官的叫拔萃。 及第：科举中选。 [3]授校书郎：授，授职。校书郎，秘书省属官。 [4]假居：借居。 [5]殄瘁：枯萎，凋谢。 [6]捐馆：捐弃所居的房舍。去世的讳语。 [7]篚（fěi）：一种圆形竹器，用以盛物。 [8]篲（huì）帚：扫帚。 刈：割。 [9]寻：古代的长度单位。 [10]菶（běng）茸荟郁：茂密繁盛。

译文

贞元十九年的春天，我在吏部以拔萃中选，被任命为校书郎，开始在长安寻找租住的地方，找到常乐里已故关相国私宅的东亭，住了下来。第二天，走到房屋的东南角，看到那里长着几丛竹子，枝叶枯萎，毫无生气。向关家的旧人询问，对方说：“这些竹子是关相国亲手栽种的。自从相国去世，别人租住在这里，从那时起，做筐篓的人来砍，做扫帚的人也来砍。砍伐剩下的竹子，长没有八尺的，数量也不到百竿了。还有其他草木杂生在竹丛中，长得茂密繁盛，简直都没有竹苗了。”

居易惜其尝经长者之手[1]，而见贱俗人之目，翦弃若是[2]，本性犹存；乃芟蘙荟[3]，除粪壤，疏其间，封其下[4]，不终日而毕。于是日出有清阴，风来有清声，依依然[5]，欣欣然[6]，若有情于感遇也。

注释

[1] 长者：显贵的人，德高望重的人。这里指已故的关相国。[2] 翦：砍伐。 [3] 芟（shān）：除草。 [4] 封：培土。[5] 依依：茂盛的样子。 [6] 欣欣：草木生长旺盛的样子。

译文

我叹惜这些竹子曾由德高望重的关相国亲手种植，而被庸俗的人看得卑贱，被砍削、废弃到这种程度，本性仍然不变；于是铲除杂草，清理秽物，梳理枝节，根部培土，不到一天就干完了。从此以后，这些竹子日出有清阴，风来有清声，生长茂盛起来，好像在感激我的知遇之情。

嗟乎！竹，植物也，于人何有哉？以其有似于贤，而人犹爱惜之，封植之[1]；况其真贤者乎？然

则竹之于草木，犹贤之于众庶。呜呼！竹不能自异，惟人异之；贤不能自异，惟用贤者异之。故作《养竹记》，书于亭之壁，以贻其后之居斯者[2]；亦欲以闻于今之用贤者云。

注释

[1] 封植：培植，栽培。 [2] 贻：留给。 斯：此，这。

译文

可叹啊！竹子，是一种植物，与人有什么关系呢？由于它与贤人相似，人们就特别爱惜它，培植它，何况对于真正的贤人呢？然而，竹子与其他草木的关系，就像贤人与普通人的关系一样。唉！竹子不能把自己与其他草木区别开来，只有人能加以区别；贤人不能把自己与普通人区别开来，只有任用贤人的人能加以区别。因此我作《养竹记》，书写在东亭的墙壁上，留给以后居住这所房子的人；也是为了使现在任用贤人的人知晓这个道理。

文史链接

竹林七贤

据东晋史学家孙盛的《魏氏春秋》记载："康寓居河内之山阳县，与之游者未尝见其喜愠之色。与陈留阮籍、河内山涛、河南向秀、籍兄子咸、琅琊王戎、沛人刘伶相与友善，游于竹林，号为七贤。"这大概是竹林七贤最早见于文献的记载。晚于孙盛的文学家刘义庆在《世说新语》中说："陈留阮籍、谯国嵇康、河内山涛，三人年皆相比，康年少亚之。预此契者，沛国刘伶、陈留阮咸、河内向秀、琅琊王戎。七人常集于竹林之下，肆意酣畅，故世谓竹林七贤。”

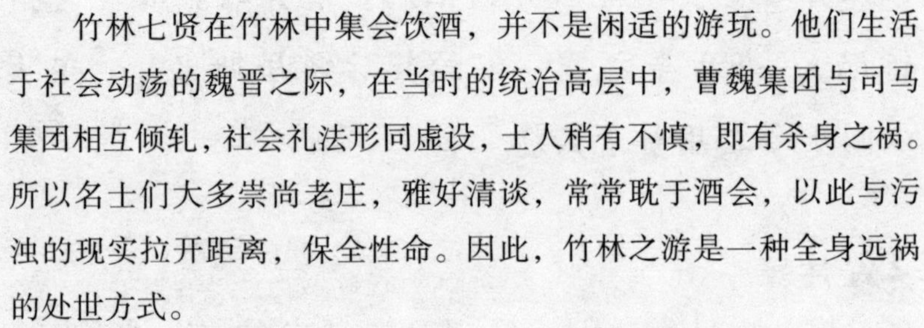

竹林七贤在竹林中集会饮酒，并不是闲适的游玩。他们生活于社会动荡的魏晋之际，在当时的统治高层中，曹魏集团与司马集团相互倾轧，社会礼法形同虚设，士人稍有不慎，即有杀身之祸。所以名士们大多崇尚老庄，雅好清谈，常常耽于酒会，以此与污浊的现实拉开距离，保全性命。因此，竹林之游是一种全身远祸的处世方式。

竹林七贤并不是一个严格的团体，他们的思想倾向各有不同。嵇康、阮籍、刘伶、阮咸崇尚老庄，提倡“越名教而任自然”，以此批判现实；山涛、王戎热衷权势，投靠了司马氏；向秀主张名教与自然合一。其中山涛、王戎、阮咸的作品没能流传下来；向秀只有《思旧赋》和部分对庄子的注解传世；刘伶有《酒德颂》和《北芒客舍》诗一首；嵇康、阮籍都有作品集流传。不论是当时还是后世，七贤中都以嵇康和阮籍的影响最大，他们建立的竹林玄学即为魏晋玄学的第二个发展时期。

《世说新语》中保留了许多嵇康和阮籍的逸事，有两则小记最能显露他们的性情。据《世说新语·简傲》记载，投靠司马氏集团的钟会去拜访隐居的嵇康，嵇康正在树下打铁，对钟会的来访视而不见，过了很久也没有说一句话。直到钟会忍不住起身要离开时，嵇康说：“何所闻而来？何所见而去？”钟会答：“闻所闻而来，见所见而去。”另外，在《世说新语·任诞》中记载，阮籍的母亲去世出殡时，阮籍蒸了一头小肥猪，边吃边喝了两斗酒，然后到母亲的遗体前作最后告别，说了一句：“穷矣！”大哭一声，随即口吐鲜血，晕了过去，过了很长时间才醒过来。

思考讨论

1. 你喜欢竹子吗？读了《养竹记》，你觉得竹子有哪些品性？

2. 你知道历史上有哪些和竹子有关的典故？

郑板桥的竹

醉吟先生传

白居易

醉吟先生者，忘其姓字、乡里、官爵，忽忽不知吾为谁也[1]。宦游三十载[2]，将老，退居洛下。所居有池五六亩，竹数千竿，乔木数十株，台榭舟桥，具体而微，先生安焉。

注释

[1] 忽忽：恍惚。　　[2] 宦游：在外做官。

译文

醉吟先生，忘记了他的姓名、乡里、官爵，心中恍惚，不知道自己是谁。在外做官三十年，快老时，退休住在洛阳。住的地方有五六亩池塘，上千根竹子，几十棵大树，还有亭台、水榭、小桥、小船等，虽然规模不大，但东西齐全，先生安居其中。

家虽贫，不至寒馁；年虽老，未及耄[1]。性嗜酒，耽琴[2]，淫诗。凡酒徒、琴侣、诗客，多与之游。游之外，栖心释氏，通学小中大乘法[3]。与嵩山僧如满为空门友，平泉客韦楚为山水友，彭城刘梦得为诗友[4]，安定皇甫朗之为酒友。每一相见，欣然

忘归。洛城内外六七十里间，凡观寺、丘墅，有泉石花竹者，靡不游；人家有美酒、鸣琴者，靡不过；有图书、歌舞者，靡不观。

注释

[1] 耄（mào）：年老，八九十岁。 [2] 耽：沉溺。

[3] 小中大乘法：佛教引导众生求得解脱苦厄的三种法门。

[4] 刘梦得：刘禹锡，字梦得，唐代文学家。

译文

家里虽然贫穷，但不至于挨饿受冻；年纪虽然大了，但还没到耳聋眼花的地步。嗜好喝酒，沉迷于抚琴吟诗之中。凡是酒友、琴友、诗友都与他往来交游。除了这些，先生还醉心于佛学，精通大乘、小乘佛法，与嵩山僧如满是佛学好友，与平泉人韦楚是游山玩水的朋友，与彭城刘禹锡是诗友，与安定皇浦朗之是酒友。每次相见，都高兴得忘记回家。洛阳城内外六七十里范围之内，凡是道观、寺庙、山丘、别墅，有泉水、奇石、花卉、绿竹的地方，没有不去游览的；有美酒琴声的人家，没有不去拜访的；有藏书画的、善歌舞的人家，没有不去观看的。

自居守洛川洎布衣家[1]，以宴游召者，亦时时往。每良辰美景，或雪朝月夕，好事者相过，必为之先拂酒罍，次开诗箧。酒既酣，乃自援琴，操宫声[2]，弄《秋思》一遍[3]。若兴发，命家僮调法

部丝竹[4]，合奏《霓裳羽衣》一曲[5]。若欢甚，又命小妓歌《杨柳枝》新词十数章[6]。放情自娱，酩酊而后已[7]。往往乘兴，屦及邻，杖于乡，骑游都邑，肩舁适野[8]。舁中置一琴、一枕，陶、谢诗数卷[9]，舁竿左右，悬双酒壶。寻水望山，率情便去；抱琴引酌，兴尽而返。

注释

[1]洎（jì）：到，及。　[2]宫声：古代音阶中的第一个音阶，这里指弹奏乐曲。　[3]弄：演奏。　[4]法部：法曲原是道观所演奏的乐曲，唐玄宗喜好法曲，曾在梨园训练乐工，称梨园训练和演奏法曲的部门叫法部。　[5]《霓裳羽衣》：唐开元中西凉节度使杨敬述献霓裳羽衣舞，初名婆罗门曲，经唐玄宗的润色，并写作歌词，成为《霓裳羽衣》歌曲。　[6]《杨柳枝》：原是隋代的宫词，唐代洛阳地方文人创为新调，词句采用七言四句的形式，但音节和绝句不完全一样，内容都为咏杨柳。　[7]已：止。　[8]肩舁（yú）：坐轿子。　[9]陶、谢：东晋诗人陶渊明和谢灵运。

译文

上自居住在洛阳的朝廷官员，下到平民百姓，凡有人举办宴会邀请他，他常常去参加。每当良辰美景，或是雪晨月夜，有些喜欢热闹的人找他聚会，必定先为他准备好酒杯，接着打开他作诗用的笔墨纸砚。酒喝到尽兴了，先生便自己操琴弹奏乐曲，弹一遍《秋思》曲。如果兴致来了，先生让仆人搬出乐器，调调音，合奏一曲《霓裳羽衣》。如果非常高兴，还会叫歌妓唱十几首《杨柳枝》新词。尽情宴乐，酩酊大醉后才停止。先生往往乘着一时兴致，走到邻家，拄杖走在乡间，骑马逛街市，坐轿子到野外。轿中放着一张琴、一个枕头，几卷陶渊明、谢灵运的诗，轿竿的两边挂两只酒壶。到处寻望山水，有能抒怀的地方便去游玩；弹琴饮酒，兴尽而归。

如此者凡十年。其间日赋诗约千余首，岁酿酒约数百斛[1]。而十年前后赋酿者不与焉。妻孥弟侄，虑其过也，或讥之，不应；至于再三，乃曰：凡人之性，鲜得中[2]，必有所偏好。吾非中者也，设不幸，吾好利，而货殖焉[3]，以至于多藏润屋，贾祸危身，奈吾何？设不幸，吾好博弈，一掷数万，倾财破产，以至于妻子冻饿，奈吾何？设不幸，吾好药，损衣削食，炼铅烧汞，以至于无所成，有所误，奈吾何？今吾幸不好彼，而自适于杯觞讽咏之间，放则放矣，庸何伤乎[4]？不犹愈于好彼三者乎[5]？此刘伯伦所以闻妇言而不听[6]，王无功所以游醉乡而不还也[7]。

注释

[1]斛（hú）：古代十斗为一斛。 [2]鲜（xiǎn）：少。[3]货殖：经商。 [4]庸：乃。 [5]愈：胜过。 [6]刘伯伦：刘伶，字伯伦，魏晋竹林七贤之一，好喝酒，著有《酒德颂》。[7]王无功：王绩，字无功，唐代诗人，著有《醉乡记》。

译文

这样生活了十年。其间写的诗大概有一千多首，每年酿酒大概数百斛。而在这十年前后，没有与作诗酿酒的人这样来往频繁。妻子儿女、兄弟侄辈，担心他喝酒太多，有时劝他，不听；直到再三地劝他，他才说：一般而言，人很少有不偏不倚的，必定有所偏好。我不是一个没有偏好的人，如果不幸我喜欢钱财而去经商，以至于储藏的财物过多，自招祸患，危及生命，到时能拿我怎么办？如果不幸我喜欢赌博，赌一次数万银两，倾家荡产，以至于妻子儿女挨饿受冻，到时能拿我怎么办？如果不幸我喜欢仙药，节衣缩食，烧铅汞炼丹，以至于一事无成，有时还误伤人命，到时能拿我怎么办？现在，幸好我不喜欢那些东西，而只陶醉于饮酒吟诗中，放诞是有些放诞，但有什么妨碍呢？不是比喜欢那三种东西好得多吗？这就是刘伶不听妻子劝他戒酒，王绩每天饮酒大醉而不止的原因。

遂率子弟，入酒房，环酿瓮，箕踞仰面[1]，长吁太息曰：吾生天地间，才与行，不逮于古人远矣[2]；而富于黔娄[3]，寿于颜回[4]，饱于伯夷[5]，乐于荣启期[6]，健于卫叔宝[7]：幸甚幸甚！余何求哉？若

舍吾所好，何以送老？因自吟《咏怀》诗云："抱琴荣启乐，纵酒刘伶达。放眼看青山，任头生白发。不知天地内，更得几年活？从此到终身，尽为闲日月。"

注释

[1] 箕（jī）踞：坐时两腿岔开伸直，是一种傲慢无礼的表现。 [2] 不逮：不及。 [3] 黔娄：战国时齐国的隐士，家贫，死的时候衣不蔽体。 [4] 颜回：春秋时鲁国人，孔子最欣赏的弟子，不幸早卒。 [5] 伯夷：商末孤竹君的长子，反对武王伐纣，耻食周粟，饿死在首阳山。 [6] 荣启期：春秋时的隐士。 [7] 卫叔宝：晋朝卫玠，字叔宝，体弱貌美，出门时常被围观，二十多岁就去世了，时人称看杀卫玠。

译文

他每天仍带着晚辈，进酒房，围着酒缸，伸开两腿随意坐着，仰头长叹，感慨地说："我活在世上，才能与德行远远比不上古人；但比黔娄富裕，比颜回长寿，比伯夷吃得饱，比荣启期快乐，比卫叔宝健康：很幸运啊，很幸运！我还求什么呢？如果放弃我的爱好，怎么能活到老？"于是自吟《咏怀》一首："抱琴荣启乐，纵酒刘伶达。放眼看青山，任头生白发。不知天地内，更得几年活。从此到终身，尽为闲日月。"

吟罢自哂，揭瓮拨醅[1]，又饮数杯，兀然而醉[2]。

既而醉复醒，醒复吟，吟复饮，饮复醉：醉吟相仍，若循环然。由是得以梦身世，云富贵，幕席天地，瞬息百年，陶陶然，昏昏然，不知老之将至，古所谓得全于酒者，故自号为醉吟先生。于时，开成三年[3]，先生之齿，六十有七，须尽白，发半秃，齿双缺；而觞咏之兴犹未衰。顾谓妻子云：今之前，吾适矣；今之后，吾不自知其兴何如。

注释

[1] 醅（pēi）：未过滤的酒。　[2] 兀然：茫然的样子。[3] 开成三年：公元 838 年。开成，唐文宗的年号。

译文

吟完，微微一笑，揭开酒缸，舀出酒，连饮数杯，浑然不觉就醉了。过了一会儿，从醉中醒来，醒了再吟，吟完再喝，喝完又醉：醉吟往复循环。如此能够以世间为梦幻，把富贵当做浮云，以天地为床帏，时间过得飞快，乐陶陶，昏昏然，不知道衰老将要到来，古人说喝酒可以保全性命，所以他自号为醉吟先生。当时是开成三年，先生六十七岁了，胡须全白了，头发半秃，牙齿脱落；但喝酒吟诗的兴致还没有减退。先生常对妻子儿女说：“在此之前，我过得很快乐；在此之后，我不知道我的兴致会怎么样啊。”

文史链接

刘伶醉酒

据《世说新语》记载，刘伶是魏晋时期的竹林七贤之一，他嗜酒如命，常常乘着鹿车，带着酒，使仆人拿着铁锹跟着鹿车走，吩咐仆人说："我死了便就地掘个坑埋了。"

有一次，他酒瘾犯了，渴酒难耐，要妻子拿酒给他。妻子听到他又要酒喝，再也忍受不了了，便把酒都倒了，毁掉家中所有的酒器，哭着对他说："你喝酒喝得太凶了，这实在不是养生之道，你一定要戒掉！"刘伶说："我对自己说戒，恐怕是戒不掉的，只有在神明的面前发誓才可以戒掉。你去准备祭神的酒肉吧。"妻子听信了他的话，便命人准备酒肉，供在神位前的几案上，让刘伶发誓。刘伶祝祷说："天生刘伶，以酒为名，一饮一斛，五斗解酲。妇人之言，慎不可听。"说完拿过祭神的酒肉，吃喝起来，不一会儿又一次醉倒在地。

刘伶于醉酒中放情肆志，抒发着心中的苦闷。有时他在屋里光着身子，不着片缕，有朋友偶然看到了，讥讽他。他说："我以天地为房屋，以我的房屋为衣裤。哎呀，你怎么跑到我的裤子里来了？"

思考讨论

1. 在《醉吟先生传》中，白居易非常喜欢饮酒，但他只是为了满足口腹之欲吗？

2. 查一查《世说新语》中关于刘伶的记载，比较一下刘伶和白居易嗜酒有什么区别？

寄从弟正辞书[1]

李　翱[2]

知尔京兆府取解[3]，不得如其所怀，念勿在意。凡人之穷达所遇，亦各有时尔，何独至于贤丈夫而反无其时哉？此非吾徒之所忧也。其所忧者何？畏吾之道未能到于古之人尔。其心既自以为到，且无谬，则吾何往而不得所乐？何必与夫时俗之人，同得失忧喜而动于心乎？

注释

[1]从弟：堂弟。　[2]李翱：字习之，陇西成纪（今甘肃秦安）人，唐代文学家，师从韩愈学古文。　[3]京兆府：治所在长安。取解：录取解送。唐宋科举考试，选送士子应进士第。

译文

知道你参加京兆府主持的科举考试，结果没有如你所愿，希望不要在意。大凡人的遭遇顺利与否，只是由于时运好坏不同罢了，怎么会独独有本事的人反而没有好时运呢？这不是我们应当忧虑的事。那我们所忧虑的是什么呢？忧虑的是自己的学问修养不能达到古人的境界而已。如果心中自以为已经达到了，而且没有错误，那么我们到哪里得不到快乐呢？何必跟那些世俗之人一样，患得患失、时忧时喜，而扰乱内心呢？

借如用汝之所知[1]，分为十焉，用其九学圣人之道而知其心，使有余以与时世进退俯仰。如可求也，则不啻富且贵矣[2]；如非吾力也，虽尽用其十，只益劳其心尔，安能有所得乎？

注释

[1]借如：假如。　　[2]啻（chì）：止，仅。

译文

假如把你的智力分成十份，用其中九份来学圣人的学说，从而了解他们的心意，使剩余的那一份应对时世的沉浮。如果这样能有所得，那就不仅富裕，而且显贵了；如果不是自己能力所及的事，那么即使把这十份智力全都用上，也只是让自己更加烦心罢了，怎么能有所得呢？

汝勿信人号文章为一艺[1]！夫所谓一艺者，乃时世所好之文，或有盛名于近代者是也。其能到古人者，则仁义之辞也，恶得以一艺而名之哉[2]？仲尼、孟轲殁千余年矣[3]，吾不及见其人，吾能知其圣且贤者，以吾读其辞而得之者也。后来者不可期，安知其读吾辞也，而不知吾心之所存乎？亦未可诬也。

注释

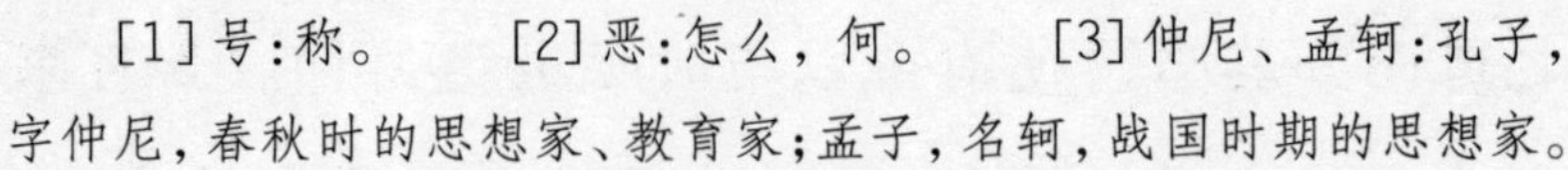

[1]号：称。　[2]恶：怎么，何。　[3]仲尼、孟轲：孔子，字仲尼，春秋时的思想家、教育家；孟子，名轲，战国时期的思想家。

译文

你不要相信人们把文章称为一种技艺的说法！他们所说的作为一种技艺的文章，即为媚俗的文章，或者在近世有一时浮名的那种文章。能达到古人水平的文章，是阐述仁义之道的文章，怎么能用一种技艺来称呼这种文章呢？孔子、孟子已去世一千多年了，我没能见到他们，我能知道他们的圣明和贤德，是因为我读了他们的文章，从而获得了这种认识。将来的事无法预料，怎么知道后人读了我的文章而不明白我心里的想法呢？也不能说没有这个可能。

夫性于仁义者，未见其无文也；有文而能到者，吾未见其不力于仁义也。由仁义而后文者性也，由文而后仁义者习也，犹诚明之必相依尔。贵与富在乎外者也，吾不能知其有无也，非吾求而能至者也，吾何爱而屑屑于其间哉[1]？仁义与文章生乎内者也，吾知其有也，吾能求而充之者也，吾何惧而不为哉？汝虽性过于人，然而未能浩浩其心[2]，吾故书其所怀以张汝[3]，且以乐言吾道云耳。

注释

[1]屑屑：劳累忙碌的样子。　　[2]浩浩：心胸开阔、坦荡。[3]张：张大。这里指宽慰。

译文

追求仁义的人，未曾见到他们没有文章；有文章而能达到古人境界的，我未曾见到有谁不是在仁义上用力。从仁义之心出发，然后有文章的人，是天性如此。通过写文章，然后达到仁义境界的人，是修养的结果。仁义与文章的关系，就像诚与明必定相依相生一样。显贵与富裕是身外之物，我无法知道能否拥有，这不是我想得到就能得到的东西，我为什么要去喜爱它并为此劳累忙碌呢？仁义与文章是生发于内心的东西，我知道能拥有它，能够追求并扩充它，我为什么害怕而不去追求呢？虽然你的天性超过一般人，然而不能扩充心性，所以我把这些想法写出来宽慰你，同时借此高兴地谈谈我的思想罢了。

文史链接

六　艺

《周礼·地官司徒第二·大司徒》记载："以乡三物教万民而宾兴之。一曰六德，知、仁、圣、义、忠、和；二曰六行，孝、友、睦、姻、任、恤；三曰六艺，礼、乐、射、御、书、数。"又有《周礼·地官司徒·保氏》记载："保氏掌王恶，而养国子以道。乃教之六艺：一曰五礼，二曰六乐，三曰五射，四曰五驭，五曰六书，六曰九数。"从以上文献中看，六艺原是我国古代教育学生的六种科目，即礼、乐、射、御、书、数。

其中，礼有五礼，据《周礼·春官·大宗伯》记载，五礼应该为吉礼、凶礼、宾礼、军礼和嘉礼。吉礼指祭祀之礼，凶礼是伤亡哀丧之礼，宾礼是君臣、诸侯会见之礼，军礼指用军之礼，嘉礼指庆贺之礼。乐有六乐，据《周礼·春官·大司乐》记载，六乐指云门、大咸、大韶、大夏、大濩、大武。这六乐分别是周代所保存的黄帝、尧、舜、禹、汤、武王六代之乐，乐不仅是单纯的乐曲，还包括吟唱和舞蹈。射有五射，汉代经学大师郑众认为五射指白矢、参连、剡注、襄尺、井仪，即五种不同的射箭方法。御有五御，即鸣和鸾、逐水曲、过君表、舞交衢、逐禽左等五种不同的驾驭技术。书有六书,《说文解字》序曰:“周礼八岁入小学，保氏教国，先以六书。”六书指指事、象形、形声、会意、转注、假借，即汉字的六种构字之法。数有九数，即方田、粟米、差分、少广、商功、均输、方程、赢不足、旁要等九种算学。

到了汉代，礼、乐、射、御、书、数等六艺被称为小六艺，经学家将《诗》、《书》、《礼》、《乐》、《易》、《春秋》等六部经典称为大六艺。《礼记·经解》记载 :“温柔敦厚,《诗》教也。疏通知远,《书》教也。广博易良,《乐》教也。洁静精微,《易》教也。恭俭庄敬,《礼》教也。属辞比事,《春秋》教也。”传世的大六艺经过孔子的整编，主要的功用在于使人能通晓古今历史，陶冶性情，提升人生的境界，从而在社会各行各业中修养自身、发展自身，做好自己分内的事。

思考讨论

你怎样理解《寄从弟正辞书》中李翱所说的“仁义与文章生乎内者也”？

蝜蝂传[1]

柳宗元[2]

蝜蝂者，善负小虫也[3]。行遇物，辄持取，昂其首负之。背愈重，虽困剧不止也。其背甚涩，物积因不散，卒踬仆不能起[4]。人或怜之，为去其负。苟能行，又持取如故。又好上高，极其力不已，至坠地死。

注释

[1]蝜蝂（fù bǎn）：一种小虫，又名“负版”。 [2]柳宗元：字子厚，河东（今山西永济县）人。唐代文学家，古文运动的推动者。[3]负：用背载物。 [4]踬（zhì）仆：跌倒。

译文

蝜蝂是一种喜欢背东西的小虫。它在爬行中，只要遇到东西，就马上拾取，昂着头把东西背起来。（于是）背负的越来越重，即使背不动了也不停下。它的背部非常不光滑，东西积攒着不会散落，结果被背上的东西压到不能起来。有人怜悯它，把它背上的东西拿掉。一旦能够爬行了，它又像之前一样背起东西来。它还喜欢爬高，一直爬到没力气，掉下来跌死。

今世之嗜取者，遇货不避，以厚其室，不知为

己累也，唯恐其不积。及其怠而踬也，黜弃之，迁徙之，亦以病矣。苟能起，又不艾[1]。日思高其位，大其禄，而贪取滋甚[2]，以近于危坠，观前之死亡不知戒。虽其形魁然大者也，其名人也，而智则小虫也。亦足哀夫！

注释

[1]艾：止息，断绝。　[2]滋甚：更加过分。

译文

如今世上贪得无厌的人，遇到财货就赚取，用来充裕家产，不知道这是为自己增加累赘，唯恐财货不多。等到疏忽大意而跌倒，被罢免不用，被降职放逐，才算是受害了。如果能够重新被举用，而又不知悔改，继续敛财。每天想着位子更高一点，俸禄更多一些，进而更加过分地贪取，看到以前因贪而死亡的事例，还不知道引以为戒。虽然形体高大称为人，但智力和小虫一样。这是多么悲哀的事啊！

文史链接

二桃杀三士

据《晏子春秋》记载，公孙接、田开疆和古冶子是齐景公时期的三位勇士，以孔武有力闻名天下。三朝元老晏子从三位勇士面前谦逊地小步走过，他们不肯起身回礼致意。于是，晏子觐见齐景公，说：“臣听说，明君所养的勇士不仅严守君臣之礼，而且能成为属下的榜样；不仅可以平叛国家内部的暴动，而且可以抵御外敌的入侵；国家因他们的功绩而得利，其他人也佩服他们的勇力。所以君主给他显赫的权位和丰厚的俸禄。而您的这三位勇士，不遵守君臣之礼，不能成为军士的榜样，不能制止国家内部的叛乱，不能威慑外敌，实在是国家的害群之马，应当除掉他们。”齐景公听信了晏子的话，但担心地说：“他们武力惊人，恐怕没人能制得住。”晏子说：“您不用担心，他们不过是有勇无谋的莽夫，我有计策可以除掉他们。”

晏子请齐景公派人送两个桃子给三位勇士，并对他们说：“你们何不按功劳的大小来分桃呢？”公孙接仰头对天，叹息道：“晏子是个智者。他请景公用这样的办法来让我们分桃，谁得不到桃，谁就承认了自己没有勇力。人多桃少，怎么能不按功劳的大小分桃呢？我曾经捉过一头野猪，还捉到一头老虎，像我这样的勇力，可以独自分到一个桃。”说完，把一个桃拿在手中。田开疆说：“我手执兵刃，身先士卒，多次击退敌军，这样的功劳也可以独自分到一个桃。”说完，也拿起一个桃。古冶子说：“我曾经和景公一起渡河，遇到大鼋，大鼋把一匹马拖入水中。当时我年少，而且不会游泳，但立即跳入水中，在水底潜行，跟着大鼋逆着水流走了百步，顺流走了九里，赶上大鼋，杀了它，左手攥着马尾，右手提着鼋头，从水里跳出来，渡口的人都说‘河伯出来了’。我这样的勇力，也可以独自分到一个桃。你们还不把桃给我？”说着抽出了剑。见状，公孙接和田开疆说：“我们的勇力、功劳都比不上你，不给你桃是贪婪，如果背负贪婪的骂名而不死，就不是勇士。”于是，两人放下桃，自刎而死。古冶子说：“他们死了，而只有我活着，这是不仁；夸耀自己的名声，侮辱别人，这是不义；恨自己犯了这样的大错而不自杀，算不上一名勇士。他们为了自己的节操而死，难道我能独自拥有桃吗？”说罢，也用剑自刎了。

送桃的使者回去复命说：“三人都死了。”景公便以士的安葬礼仪，安葬了他们。

思考讨论

你认为如何才能不像蝜蝂那样呢？

愚溪诗序

柳宗元

灌水之阳有溪焉[1]，东流入于潇水。或曰：冉氏尝居也，故姓是溪为冉溪。或曰：可以染也，名之以其能，故谓之染溪。余以愚触罪，谪潇水上[2]，爱是溪，入二三里，得其尤绝者家焉。古有愚公谷，今予家是溪，而名莫定，士之居者犹龂龂然[3]，不可以不更也[4]，故更之为愚溪。

注释

[1]阳：北面。山南水北为阳。　[2]谪：贬职。

[3]龂（yín）龂：争辩的样子。　[4]更：更改。这里指定名。

译文

灌水的北面有一条小溪，往东流入潇水。有人说，过去有姓冉的人家住在这里，所以把这条溪水叫做冉溪。有人说，溪水可以用来染色，以它的功能命名为染溪。我因愚获罪，被贬到潇水，喜爱这条溪水，沿着它走二三里，发现一个风景绝佳的地方，安了家。古代有愚公谷，如今我把家安置在这条溪水旁，可是它没有定名，当地的居民还在争论不休，不能不定名了，所以我把它定名为愚溪。

愚溪之上，买小丘为愚丘。自愚丘东北行六十步，得泉焉，又买居之为愚泉。愚泉凡六穴，皆出山下平地，盖上出也[1]。合流屈曲而南，为愚沟。遂负土累石，塞其隘为愚池。愚池之东为愚堂。其南为愚亭。池之中为愚岛。嘉木异石错置[2]，皆山水之奇者，以余故，咸以愚辱焉。

注释

[1]上：向上。　　[2]错置：参差错落。

译文

在愚溪上游，我买了个小丘，命名为愚丘。从愚丘往东北走六十步，发现一眼泉水，又买下来，称它为愚泉。愚泉共有六个泉眼，都在山下平地，泉水是往上涌出的。泉水合流后弯弯曲曲向南流去，经过的地方称作愚沟。于是运土堆石，堵住狭窄的地方，筑成愚池。

愚池的东面是愚堂，南面是愚亭。池子中央是愚岛。美好的树木和奇异的岩石参差错落，这些都是山水中罕见的景色，因为我的缘故，都被愚字辱称了。

夫水，智者乐也[1]。今是溪独见辱于愚，何哉？盖其流甚下，不可以溉灌；又峻急，多坻石[2]，大舟不可入也；幽邃浅狭，蛟龙不屑，不能兴云雨。无以利世，而适类于余，然则虽辱而愚之，可也。宁武子“邦无道则愚”[3]，智而为愚者也；颜子“终日不违如愚”[4]，睿而为愚者也，皆不得为真愚。今余遭有道[5]，而违于理、悖于事，故凡为愚者莫我若也。夫然，则天下莫能争是溪，余得专而名焉。

注释

[1]乐(yào):喜好。语出《论语·雍也》:“知者乐水，仁者乐山。” [2]坻(chí):水中小洲或高地。 [3]语出《论语·公冶长》:“宁武子，邦有道，则智；邦无道，则愚。” [4]语出《论语·为政》:“吾与回言终日，不违，如愚。” [5]遭有道:遇到天下太平。遭，遇到；有道，天下太平。

译文

水为智者所喜爱。现在这条溪水竟然被愚字辱称，为什么呢？因为它水道很低，不能用来灌溉；又险峻湍急，有很多浅滩和石头，大船进不去；幽深浅狭，蛟龙又不屑于此，不能兴起云雨，对世人没有什么好处，正像我，所以虽有辱没，但用愚字来称呼它，也是可行的。宁武子“在国家动乱时就显得很愚蠢”，是智慧而假装愚蠢；颜子“从来不提与老师不同的见解，像是很愚笨”，是聪明而表现得愚笨，他们都不是真正的蠢笨。如今，我在政治清明时却做出与事理相悖的事情，所以再没有像我这么愚蠢的人了。因此，天下人谁也不能和我争这条溪水，独我有资格给它命名。

溪虽莫利于世，而善鉴万类[1]，清莹秀澈，锵鸣金石，能使愚者喜笑眷慕[2]，乐而不能去也。余虽不合于俗，亦颇以文墨自慰，漱涤万物[3]，牢笼百态[4]，而无所避之。以愚辞歌愚溪，则茫然而不违，昏然而同归，超鸿蒙[5]，混希夷[6]，寂寥而莫我知也。于是作《八愚诗》，纪于溪石上。

注释

[1]鉴：照，照视。　[2]愚者：这里指作者本人。　[3]漱涤：洗涤。　[4]牢笼：包罗。　[5]鸿蒙：宇宙形成以前的混沌状态，也指气。　[6]希夷：虚寂玄妙。

译文

溪水虽然对世人没有什么好处，却能够映照万物，清秀明澈，发出金石般的响声，能使我喜笑颜开，对它眷恋爱慕，快乐而不能离去。我虽然不合于世俗，但还能用文章来安慰自己，描摹万物，包罗万象，没有什么不能用笔墨来形容。我以愚为言辞歌唱愚溪，觉得茫茫然没什么悖于事理，昏昏然都是一样的归宿，跃入混沌初态，融入玄虚静寂，在寂寥中达到忘我之境。于是作《八愚诗》，记在溪石上。

文史链接

柳宗元的《愚溪对》

柳宗元谪居永州的时候，将住处附近的冉溪改名为愚溪，并作《愚溪诗序》和《八愚诗》以明志。同时，他还作有《愚溪对》，进一步说明为什么要以“愚”为溪名。

在《愚溪对》中，愚溪之神在梦中质问柳宗元为什么以“愚”称呼他，这实在是一种侮辱。因为愚溪“清且美”，“功可以及圃畦，力可以载方舟”，并非真“愚”，只有恶溪、弱水、浊泾、黑水等那样的溪水才名副其实。柳宗元答道：“你确实没有那些不好的品质，但你偏偏招引我这样愚蠢的人住在这里，为什么不能让那些聪明的显贵之人来此游赏？既然你不能得到他们的器重而被我所赏识，那么称你为‘愚’有什么不妥？”愚溪之神听了柳宗元的回答，点头称是，又问：“那你为什么是愚人呢？”柳宗元说：“恐怕你不能理解我的愚蠢，姑且告诉你一个大概：我总是不能随波逐流，不能圆滑处事，获得进用时不感到满足，黜退后不知道谨慎，只会忧心于政务民事。”听了这话，愚溪之神叹息道：“原来你的愚蠢是指这些，那你称我为‘愚’是可以的。”

关于《愚溪对》，明代茅坤的评论非常精当，他在《唐宋八大家文钞·柳柳州文钞》中说：“柳子自嘲，并以自矜。”柳宗元假托与愚溪之神梦中对话，自嘲为“愚”，一方面是影射社会现实的黑暗，抒发谪居的愤懑之情，一方面表明自己虽然被贬，但仍然志怀正道。

思考讨论

请找来《愚溪对》，结合《愚溪诗序》思考一下，为什么柳宗元要用“愚”字来命名自己住处附近的美景呢?

送僧浩初序[1]

柳宗元

儒者韩退之与余善[2]，尝病余嗜浮图言[3]，訾予与浮图游[4]。近陇西李生础自东都来[5]，退之又寓书罪余[6]，且曰:“见《送元生序》[7]，不斥浮图。”浮图诚有不可斥者，往往与《易》、《论语》合，诚乐之，其于性情奭然[8]，不与孔子异道。

注释

[1]僧浩初:僧人浩初，柳宗元的朋友。 [2]韩退之:韩愈，字退之,唐代文学家。 [3]浮图:也作“浮屠”,指佛教或佛教徒。 [4]訾(zǐ):指责。 [5]东都:洛阳。 [6]寓:委托。 [7]《送元生序》:指柳宗元的《送元十八山人序》。 [8]奭(shì)然:无阻碍的样子。

译文

儒者韩退之与我交好，曾经批评我爱好佛教言论，指责我与僧人来往。最近，陇西李础从东都洛阳来，带来韩愈的书信，信中再次指责我说："我见到你写的《送元生序》，不排斥佛教思想。"佛教思想确实有不可被责难的部分，常常与《易》、《论语》的思想相契合，我真诚地喜爱这些部分，它们对人的性情没有阻碍，不与孔子的学说相矛盾。

退之好儒，未能过扬子[1]，扬子之书于庄、墨、申、韩皆有取焉[2]。浮图者，反不及庄、墨、申、韩之怪僻险贼耶？曰："以其夷也。"果不信道而斥焉以夷，则将友恶来、盗跖[3]，而贱季札、由余乎[4]？非所谓去名求实者矣。吾之所取者与《易》、《论语》合，虽圣人复生不可得而斥也。

注释

[1]扬子：扬雄，汉代思想家。　[2]庄、墨、申、韩：庄，战国时期道家代表人物庄周。墨，春秋末战国初墨家学派开创者墨翟。申，战国时期法家代表人物申不害。韩，战国时期法家思想集大成者韩非。　[3]恶来、盗跖：恶来，商纣王时的大臣，为周武王所杀；盗跖，秦国大盗。　[4]季札、由余：季札，吴国大臣，有贤德的名声；由余，秦国大臣，辅佐秦穆公称霸西戎。

译文

退之喜好儒学，比不上扬雄，扬雄的著作对庄子、墨子、申子、韩非子等诸子思想都有采用。佛教思想，难道比不上庄子、墨子、申子、韩非子等诸子思想的险怪程度吗？有人反驳我说："它是外来文化。"如果不相信它有某些真理而认为它是外来文化，加以排斥，那么将要和中原的恶来、盗跖做朋友，而鄙薄非中原的季札、由余吗？这样并非是从本质上看问题。我从佛教思想中择取的部分与《易》、《论语》的旨趣相合，即使圣人复活，也不能对此加以指责。

退之所罪者其迹也，曰："髡而缁[1]，无夫妇父子，不为耕农蚕桑而活乎人。"若是，虽吾亦不乐也。退之忿其外而遗其中，是知石而不知韫玉也[2]。吾之所以嗜浮图之言以此。与其人游者，未必能通其言也。且凡为其道者，不爱官，不争能，乐山水而嗜闲安者为多。吾病世之逐逐然[3]，唯印组为务以相轧也[4]，则舍是其焉从？吾之好与浮图游以此。

注释

[1]髡（kūn）而缁：髡，剪去头发。缁，黑色，这里指穿上缁色的僧衣。　[2]韫（yùn）：蕴藏，包藏。　[3]逐逐：急欲得到的样子。　[4]印组：系带的印，这里指名位。

译文

退之反对佛教是因为它的外在形式，认为："剃发而穿上僧衣，是要断绝夫妇父子的伦常，不耕作纺织而靠别人过活。"在这方面，即使是我也不赞同。退之厌恶其外表而丢弃内在的内容，这是只见璞石而不知璞石中还包藏着美玉。我之所以喜欢佛教言论正是因为如此。与佛教僧侣来往的人，也不一定能通晓他们的学说。而且学佛的人大多不爱官，不争强好胜，乐于游赏山水，喜欢悠闲、安适。我厌恶世上追名逐利之徒整日为了权力相互倾轧排挤，如果排斥学佛的人，我该和哪些人交往呢？我之所以喜欢与僧人往来的原因在此。

今浩初闲其性[1]，安其情，读其书，通《易》、《论语》，唯山水之乐，有文而文之；又父子咸为其道，以养而居，泊焉而无求[2]，则其贤于为庄、墨、申、韩之言，而逐逐然，唯印组为务以相轧者，其亦远矣。李生础与浩初又善。今之往也，以吾言示之。因北人寓退之，视何如也。

注释

[1] 闲：约束。　[2] 泊：恬静，淡泊。

译文

如今僧人浩初约束自己的心性，平稳自己的情感，静心读书，会通《易》、《论语》，只有向往山水的快乐，有文章时便写下来；

而且父子都学佛，通过修养身心而渐变气质，心境安然而不追逐名利，这胜过庄、墨、申、韩等诸子所言，更是远远胜过那些整日追名逐利、为了权力相互倾轧排挤的人。李础与浩初交好。现在你前去见李础，把我的话告诉他。让他转告退之，看退之怎么说。

文史链接

韩愈与《谏迎佛骨表》

韩愈被苏轼赞为“文起八代之衰，道济天下之溺。”“文”自然是指他的古文成就，而“道”即为他所推崇的儒家之道。和孟子批判杨、墨一样，韩愈对言盈天下的佛教发起激烈地批判。

唐初，唐太宗汲取梁、隋的历史教训，对儒、释、道三教采取平等的态度。太宗之后的皇帝们对三教的偏重虽时有不同，但大体还是平衡的。安史之乱后，唐朝国力日颓，许多人投身宗教中寻找安慰。而此时，西来的佛学经过几百年来的释读也终于被中国文化所内化，各种中国化的佛学大兴，文士们大多对佛学抱有好感,民间的佛教信仰也非常广泛。在唐宪宗元和十三年(818)，有功德使上奏，称法门寺有护国真身塔，塔内有释迦牟尼佛指骨一节，相传三十年开塔一次，开则岁泰人安。于是次年，宪宗皇帝下诏派人迎奉佛骨入皇宫,供养三日,然后送京城佛寺轮流奉养。一时间，朝野震动，上至王公，下至走卒，都为这次迎奉奔走呼号。在佛骨舍利经过的地方，人们竞相施舍，有的不惜倾家荡产，有的甚至以烧顶、燃指等自残的方式供佛。面对这样的宗教迷狂，当时任刑部侍郎的韩愈，毅然逆潮流而上，上书《谏迎佛骨表》，痛斥“事佛渐谨，年代尤促”，称迎佛骨是“诡异之观，戏玩之举”，会导致“伤风败俗，传笑四方”。

因上表触怒了宪宗皇帝，韩愈被贬为潮州刺史。在上任途中，韩愈赋诗一首：“一封朝奏九重天，夕贬潮阳路八千。欲为圣明除弊事，肯将衰朽惜残年。云横秦岭家何在，雪拥蓝关马不前。知汝远来应有意，好收吾骨瘴江边。”

思考讨论

你认为应该如何对待别人不同的主张呢?

始得西山宴游记

柳宗元

自余为僇人[1]，居是州[2]，恒惴慄。其隙也[3]，则施施而行[4]，漫漫而游[5]。日与其徒上高山，入深林，穷回谿[6]，幽泉怪石，无远不到。到则披草而坐，倾壶而醉。醉则更相枕以卧，卧而梦。意有所极，梦亦同趣。觉而起，起而归。以为凡是州之山水有异态者，皆我有也，而未始知西山之怪特。

注释

[1]僇（lù）人：遭到刑辱的罪人。这里指自己被贬职。[2]是州：指永州。[3]隙：闲暇。[4]施施：行走舒缓的样子。[5]漫漫：随意的样子。[6]穷回谿：穷，尽；谿，同“溪”。

译文

自从我受辱被贬，居住在永州，常常忧惧不安。闲暇之时，缓缓散步，没有目的地出游。每天和我的朋友们登高山，探深林，走到迂回曲折的小溪尽头，凡是有幽泉、奇石的地方，没有不去的。到了就拨开杂草坐下，倾尽壶中的酒，喝得大醉。喝醉后相互枕靠着睡在地上，睡而有梦。心中想到哪里，梦也做到哪里。睡醒起来，然后回家。我原以为永州山水中有特异景致的地方，都被我游览了，而未曾知道西山的怪异和奇特。

今年九月二十八日，因坐法华西亭[1]，望西山，始指异之。遂命仆人过湘江，缘染溪[2]，斫榛莽[3]，焚茅茷[4]，穷山之高而上。攀援而登，箕踞而遨[5]，则凡数州之土壤，皆在衽席之下[6]。其高下之势，岈然洼然[7]，若垤若穴[8]，尺寸千里，攒蹙累积[9]，莫得遁隐。萦青缭白，外与天际，四望如一。然后知是山之特立，不与培塿为类[10]。

注释

[1] 法华：法华寺。 [2] 缘：沿着。 [3] 斫：砍，劈。[4] 茅茷（fá）：茅草。茷，草叶盛多。 [5] 箕踞：坐时两腿前伸，形如簸箕，是一种倨傲无礼的表现。 [6] 衽席：席子。[7] 岈（yá）然：深邃的样子。 [8] 垤（dié）：土堆，小丘。[9] 攒（cuán）蹙：攒，聚集；蹙，收缩。 [10] 培塿（lǒu）：小土堆。

译文

今年九月二十八日，由于我坐在法华寺西亭，眺望西山，才开始指着它并称赞它奇异。于是吩咐仆人渡过湘江，沿着染溪，砍伐丛生的草木，焚烧茂密的茅草，向山的高处攀登。然后，我们攀援着登上山去，伸开腿坐下，观赏风景，只见几个州的土地，都在坐席下。它们高高低低的地势，或高耸或凹陷，有的像小土堆，有的像洞穴，千里之内的景物近在眼前，种种景物聚集、缩拢在一块，没有能够逃离在视线之外的。青山白水互相缠绕，远处与天相连，环望都是一样。然后知道这座山有奇特的地方，不与小丘同类。

悠悠乎与颢气俱[1]，而莫得其涯；洋洋乎与造物者游，而不知其所穷。引觞满酌，颓然就醉[2]，不知日之入。苍然暮色，自远而至，至无所见，而犹不欲归。心凝形释，与万化冥合[3]。然后知吾向之未始游，游于是乎始，故为之文以志。是岁，元和四年也[4]。

注释

[1]颢（hào）气：洁白清新之气。 [2]颓然：醉倒的样子。[3]万化：万物。 [4]元和四年：公元809年。元和，唐宪宗的年号。

译文

心神悠闲地与天地间的大气融合，没有边界；舒畅地与大自然一起遨游，不知道尽头。拿起酒杯来倒满酒，醉得身子倾倒，不知道太阳落山。苍苍暮色，从远处来临，直到什么也看不见了，然而还不想回去。心神凝住了，形体消散了，与万物暗合为一体。然后才知道我以前的游览不能算作游览，真正的游览从这一次才开始，所以为这次游览写了篇文章作为记述。这年，是元和四年。

文史链接

“二王八司马”事件

唐太宗曾立下制度，宦官的品级不能超过三品官，以此来防止宦官势大干预朝政。但自唐玄宗开始，宦官不断在政治事变中扮演重要角色，如唐玄宗的心腹宦官高力士。他在平叛韦后、太平公主之乱中，建立大功，于是唐玄宗封他为正三品的官阶。而唐肃宗即位时，宦官李辅国拥立有功，被赐名护国，后改赐辅国，身兼军政要职。唐代宗继位后，尊李辅国为“尚父”，李辅国直接对代宗说：“大家但居禁中，外事听老奴处分。”可见宦官的嚣张气焰。再后来，宦官也娶妻纳妾、收养子嗣，培养世代宦官。宦官常常强买强卖、扰民生事，成为唐代后期摘不掉的毒瘤。

为了清除宦官干政，贞元二十一年正月，唐顺宗即位后，立即任用老臣王叔文、王伾为翰林学士，以韦执谊为宰相，还提拔韩泰、陈谏、柳宗元、韩晔、凌准、程异等着手进行政治革新，打击宦官势力。革新刚开始的时候进行顺利，罢免了贪官京兆尹陈实，革除了宫市、五坊小儿和进奉等弊政。但起用老将范希朝以夺取宦官所掌握的兵权时，遭到宦官的激烈抵制。不久，顺宗中风，王伾也突然中风，而王叔文因为要为亡母守丧，不得不告假回家，改革一时间失去了中坚力量，宦官俱文珍等抓住这一时机，紧密联络中央和地方的同党，联名上书，迫使顺宗让位给太子李淳，然后贬王伾为开州司马，贬王叔文为渝州司马，贬韦执谊为崖州司马，贬韩泰为虔州司马，贬陈谏为台州司马，贬柳宗元为永州司马，贬刘禹锡为郎州司马，贬韩晔为饶州司马，贬凌准为连州司马，贬程异为郴州司马。王伾被贬不久，就病逝了，王叔文也在被贬的第二年被赐死。参与革新的其他官员也都受到不同程度的打压。这次革新运动彻底失败，史称“二王八司马”事件。又因为顺宗曾预定当年改年号为永贞，所以这段史实又名“永贞革新”。

思考讨论

你印象最深的一次旅游是哪一次？和柳宗元在西山宴游的感觉有什么不同吗？

第四章　光彩夕照——晚唐

阿房宫赋[1]

杜　牧[2]

六王毕[3]，四海一。蜀山兀[4]，阿房出。覆压三百余里，隔离天日。骊山北构而西折，直走咸阳[5]。二川溶溶[6]，流入宫墙。五步一楼，十步一阁。廊腰缦回[7]，檐牙高啄[8]。各抱地势，钩心斗角[9]。盘盘焉[10]，囷囷焉[11]，蜂房水涡，矗不知其几千万落[12]。长桥卧波，未云何龙？复道行空，不霁何虹？高低冥迷，不知西东。歌台暖响，春光融融；舞殿冷袖，风雨凄凄。一日之内，一宫之间，而气候不齐。

注释

[1]阿房宫：秦朝宫殿，秦朝灭亡，宫殿被项羽烧毁。遗址在今陕西西安市。　[2]杜牧，字牧之，京兆万年(今陕西西安市)人，唐朝诗人。　[3]六王：战国时期的韩、赵、魏、燕、齐、楚六

个诸侯国。　[4]兀:高而平。　[5]走:趋。　[6]二川溶溶:二川，渭水和樊川；溶溶，水流平稳的样子。　[7]廊腰：走廊的转折处。　[8]檐牙：屋檐的尖角。　[9]钩心斗角：宫室建筑结构错综精密。心，指宫室的中心；角，指檐角。[10]盘盘：盘结的样子。　[11]囷（qūn）囷：屈曲的样子。[12]矗：高耸。

译文

六国灭亡，天下统一。蜀山光秃了，阿房宫盖起来了。阿房宫占地三百多里，楼阁高耸，遮天蔽日。从骊山向北构筑宫殿，折而向西，一直通到都城咸阳。渭水和樊川两条河，水波平稳地流入宫墙。走五步、十步就能看到一座楼阁。走廊回环曲折，突起的檐角尖耸，犹如禽鸟仰首啄物。宫殿阁楼随地形而建，彼此环抱呼应，宫室结构参差错落，精巧工致。盘旋屈曲的样子，像蜂房，像水涡，矗立着不知有几千几万座。长桥横卧在渭水上，天上没有云，怎么出现了龙？复道横跨半空，不是雨过天晴，哪里来的彩虹？楼阁随着地势高高低低，迷茫不清，使人辨不清方向。歌台上传出柔和的歌声，如同处在暖融融的春光里；殿中的舞蹈，舞袖飘拂，好像带来寒气，如同处在凄冷的风雨里。同一天，同一座宫里，而气候不同。

妃嫔媵嫱[1]，王子皇孙，辞楼下殿，辇来于秦[2]，朝歌夜弦，为秦宫人。明星荧荧，开妆镜也；绿云扰扰，梳晓鬟也；渭流涨腻，弃脂水也；烟斜雾横，焚椒兰也[3]；雷霆乍惊，宫车过也；辘辘远听，杳

不知其所之也[4]。一肌一容，尽态极妍，缦立远视[5]，而望幸焉[6]。有不见者，三十六年。

注释

[1]妃嫔媵嫱（yìng qiáng）：皇帝后宫中四种品阶的妃子。这里泛指六国的宫妃。　　[2]辇（niǎn）：车名，用人推挽的车。秦以前，卿大夫都可以乘坐，秦以后，只有天子能乘坐。
[3]椒兰：泛指香料。　　[4]之：往，到。　　[5]缦：通“慢”，舒缓。　　[6]望幸：嫔妃盼望得到君王的宠爱。

译文

亡国的妃嫔和公主们，辞别了自己国家的楼阁，走出宫殿，乘辇车来到秦国，早晚唱歌奏乐，成了秦宫里的宫女。明星闪亮，是宫女打开梳妆的镜子；乌云浮动，是宫女在早晨梳理发髻；渭水河面上浮起一层脂膏，是宫女泼掉的脂粉水；空中烟雾弥漫，是宫女在焚烧香料；雷霆般的声音响起使人骤然吃惊，是皇上的宫车驰过；车声听起来越来越远，也不知驶到哪儿去了。这些妃嫔公主们的每一处肌肤，每一种姿容，都娇媚极了，她们耐心地久立远视，盼望皇帝能驾临。有的宫女等了三十六年都未见到皇帝。

燕、赵之收藏，韩、魏之经营，齐、楚之精英，几世几年，剽掠其人，倚叠如山[1]。一旦不能有，输来其间[2]。鼎铛玉石[3]，金块珠砾，弃掷逦迤[4]，秦人视之，亦不甚惜。

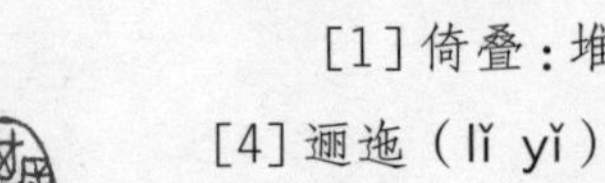

注释

[1] 倚叠：堆积。　[2] 输：运输。　[3] 铛（chēng）：锅。[4] 逦迤（lǐ yǐ）：连绵不断的样子。

译文

燕、赵收藏的金玉珍宝，韩、魏聚敛的金银，齐、楚保存的瑰宝，这都是多少世代、多少年月以来，从人民那里掠夺来的，堆积得像山一样。旦夕之间国家灭亡不再占有，珠宝都被运进阿房宫。把宝鼎看做铁锅，把美玉看做石头，把黄金看做土块，把珍珠看做沙石，到处丢弃，秦人看见了也不觉得可惜。

嗟乎！一人之心，千万人之心也。秦爱纷奢，人亦念其家。奈何取之尽锱铢[1]，用之如泥沙？使负栋之柱，多于南亩之农夫；架梁之椽，多于机上之工女；钉头磷磷[2]，多于在庾之粟粒[3]；瓦缝参差，多于周身之帛缕；直栏横槛，多于九土之城郭[4]；管弦呕哑，多于市人之言语。使天下之人，不敢言而敢怒，独夫之心，日益骄固。戍卒叫，函谷举，楚人一炬[5]，可怜焦土。

注释

[1] 锱铢（zī zhū）：古代的重量单位。比喻极细微的数量。[2] 磷磷：突出的样子。　[3] 庾（yǔ）：粮仓。　[4] 九土：九州，

全国。　　[5] 楚人：这里指项羽。

译文

唉！一个人的心愿抵得过千万个人的心愿。秦始皇喜爱奢侈，百姓也顾念自己的家业。为什么搜刮老百姓的财物一分一厘都不放过，挥霍时却像泥沙一样毫不珍惜呢？那宫中承担栋梁的柱子，比田里的农夫还多；架起侧梁的椽子，比织布机上的女工还多；突出的钉子，比谷仓里的稻米还多；横直密布的屋瓦缝隙，比身上衣服的线还要多；栏杆纵横，比天下的城郭还多；乐声嘈杂，比集市人们的话语还多。对此，天下的老百姓不敢言语只能在心中咒骂。失去人心极端孤立的统治者越来越骄横顽固。陈胜、吴广号召起义，刘邦入驻函谷关，项羽放了一把火，可惜阿房宫变成了一片焦土。

呜呼！灭六国者，六国也，非秦也。族秦者[1]，秦也，非天下也。嗟夫！使六国各爱其人，则足以拒秦。使秦复爱六国之人，则递三世可至万世而为君[2]，谁得而族灭也？秦人不暇自哀，而后人哀之；后人哀之而不鉴之，亦使后人而复哀后人也。

注释

[1] 族：灭族。　　[2] 递：传。

译文

唉！使六国灭亡的是六国，而不是秦国。使秦国灭亡的是秦国,而不是天下百姓。唉！如果六国的统治者都能爱护本国的百姓，就能够抗拒秦国。如果秦国统治者同样能爱护六国的人民，就能传到三世，甚至可以传到万世而为君王，谁能够使秦国灭亡呢?秦统治者来不及为自己的灭亡哀叹，后世的人哀叹秦朝的灭亡；如果后世的人只是哀叹秦朝灭亡而不引以为鉴，那么又要让后世的人为哀叹的人哀叹了。

文史链接

阿房宫

阿房宫是秦始皇所建造的最为奢华的宫殿,《史记·秦始皇本纪》记载:“始皇以为咸阳人多，先王之宫殿小，吾闻周文王都丰，武王都镐。丰、镐之间，帝王之都也。乃营作朝宫渭南上林苑中。先作前殿阿房，东西五百步，南北五十丈，上可以坐万人，下可以建五丈旗，周驰为阁道，自殿下直抵南山。”从这段记载可以想象阿房宫的规模是多么宏大。秦始皇为了营建阿房宫，从全国各地运输材料，役使几十万人。阿房是宫殿没有建成前的名称，秦始皇本想等宫殿建成后，另换一个好名，但宫殿还没有建成，他就去世了。即位的秦二世胡亥穷奢极欲，接着营建阿房宫，耗尽了民财民力。民众在胡亥的统治下苦不堪言，陈胜、吴广愤然起义。随后，各地的起义浪潮不断高涨。刘邦率先攻占咸阳，随后，起义军中声势最大的项羽从刘邦手中接收了咸阳，但他接收后，没有安抚民众，而是在杀掉投降的秦王子婴、屠城、抢掠财物后，一把火烧了秦朝宫殿。大火烧了三个多月，阿房宫这个凝聚血泪的奢华宫殿成为一堆随风而散的灰烬。

另外，坊间流传好几种关于阿房宫的“阿房”两字的读音，有人读“ē páng”，有人读“ē fáng”，还有人读“ā fáng”、“ā páng”、“wō bāng”等等。但哪一个读音才是较为正确的呢？阿，有 ā、ē、hē 等读音，这里显然不读 hē，而“阿”读 ā 时，一般为加在名前作词缀，读 ē 时有许多意思，最早应为大土山或山坡的意思。阿房宫依山而建，因此“阿”读 ē，较为妥当。而“房”字，清代钱大昕在《十驾斋养新录》中认为：“秦始皇二十八年，为阿房宫；二世元年，就阿房宫，宋本皆作‘旁’。‘旁’、‘房’古通用。”所以，“房”读作 páng 较为妥当。

思考讨论

你认同杜牧对秦朝灭亡的分析吗？为什么？

李贺小传[1]

李商隐[2]

京兆杜牧为《李长吉集序》[3]，状长吉之奇甚尽，世传之。长吉姊嫁王氏者，语长吉之事尤备。长吉细瘦，通眉[4]，长指爪，能苦吟疾书，最先为昌黎韩愈所知。所与游者，王参元、杨敬之、权璩、崔植为密[5]。

注释

[1]李贺：字长吉，晚唐诗人。　[2]李商隐：字义山，号玉谿生，怀州河内（今河南沁阳）人，晚唐诗人。　[3]杜牧：字牧之，晚唐诗人。　[4]通眉：两眉相连。　[5]王参元、杨敬之、权璩、崔植：王参元，李贺的姐夫，唐元和二年进士；杨敬之，字茂孝，唐元和初进士；权璩，字大圭，曾任中书舍人等官；崔植，字公修，曾任宰相。

译文

京兆人杜牧在《李长吉集序》中，很详尽地描绘了李长吉的奇特之处，为人们所传诵。嫁入王家的李长吉的姐姐说起长吉的事来更加完备。李长吉身材纤瘦、双眉相连、手指很长，写诗反复推敲，并能快速书写，他的才华最先被韩愈所了解。与长吉交往的人，以王参元、杨敬之、权璩、崔植等人最为密切。

每旦日出，与诸公游，未尝得题然后为诗，如他人思量牵合以及程限为意[1]。恒从小奚奴骑距驉[2]，背一古破锦囊，遇有所得，即书投囊中。及暮归，太夫人使婢受囊，出之，见所书多，辄曰："是儿要当呕出心始已耳。"上灯与食，长吉从婢取书，研墨叠纸足成之，投他囊中。非大醉及吊丧日，率如此。过亦不复省[3]。王、杨辈时复来探取写去。长吉往往独骑，往还京洛[4]，所至或时有著，随弃

之，故沈子明家所余四卷而已[5]。

注释

[1]思量牵合：这里指凑合句子作诗。　程限：程式界限，这里指体裁、韵脚等限制。　[2]距驉（xū）：骡。　[3]省：察看。[4]京洛：长安，洛阳。　[5]沈子明：李贺的朋友，曾任集贤殿学士。

译文

长吉每天早上出去，与朋友们一同出游，从不先确立题目然后再写诗，也不如同他人那样苦思凑句，把作诗的规范死板地记在心里。他常常带着一个小书童，骑着骡子，背着一个破旧的锦袋，有了心得感受，就写下来投入囊中。等到晚上回来，他的母亲让婢女拿过锦囊，取出里面的稿子，见稿子很多，就说："这孩子要呕出心才罢休啊！"点上灯，摆上饭。长吉让婢女取出稿子，研墨铺纸，把稿子写成完整的作品，再投入其他袋子。只要不是碰上大醉及吊丧的日子，他都是如此。后来也不再去看那些作品。王参元、杨敬之等人经常过来从囊中取出稿子，抄好带走。长吉常常独自来往于京城长安和洛阳之间，所到之处如果写了作品，就随意丢弃，所以沈子明家仅有四卷罢了。

长吉将死时，忽昼见一绯衣人[1]，驾赤虬[2]，持一板，书若太古篆或霹雳石文者[3]，云当召长吉，长吉了不能读，欻下榻叩头[4]，言："阿弥老且病[5]，

贺不愿去。”绯衣人笑曰：“帝成白玉楼，立召君为记。天上差乐[6]，不苦也。”长吉独泣，边人尽见之。少之，长吉气绝。尝所居窗中，勃勃有烟气[7]，闻行车嘒管之声[8]。太夫人急止人哭，待之如炊五斗黍许时，长吉竟死。王氏姊非能造作谓长吉者，实所见如此。

注释

[1] 绯（fēi）：红色。 [2] 虬：传说中的龙类动物。 [3] 太古篆：远古的篆字。霹雳石文：传说雷神打雷用石斧，笔画如同石斧的文字即称霹雳石文。 [4] 欻（xū）：忽然。 [5] 阿弥：母亲。 [6] 差：最，颇。 [7] 勃勃：兴盛的样子。 [8] 嘒（huì）管：吹奏乐器。

译文

李长吉将要去世的时候，忽然在白天看见一个穿着红色衣服的人，骑着红龙，拿着一块木板，上面写着好像远古的篆体字或石鼓文一样的字，说是召唤长吉，长吉不认识那些字，忽然下床磕头说：“我母亲老了，而且生着病，我不愿意去。”红衣人笑着说：“天帝刚刚建成一座白玉楼，召你马上去为楼写记文。天上很快乐，没有痛苦。”长吉独自哭泣，旁边的人都看见了。一会儿，长吉气绝。他平时所住房屋的窗子里，有烟气袅袅升腾，还听到行车的声音和奏乐声。长吉的母亲急忙制止大家哭，等了有煮熟五斗小米那么长的时间，长吉最终死了。嫁入王家的姐姐不是那种捏造故事描述长吉的人，她真的见到那时的情景。

呜呼，天苍苍而高也，上果有帝耶？帝果有苑囿宫室观阁之玩耶？苟信然，则天之高邈，帝之尊严，亦宜有人物文采愈此世者[1]，何独番番于长吉[2]，而使其不寿耶？噫！又岂世所谓才而奇者，不独地上少，即天上亦不多耶？长吉生二十四年，位不过奉礼太常[3]，当世人亦多排摈毁斥之[4]。又岂才而奇者，帝独重之，而人反不重耶？又岂人见会胜帝耶[5]？

注释

[1] 愈：胜过。　[2] 番番：一次又一次，这里指烦扰。[3] 奉礼太常：太常寺的奉礼郎，从九品小官。　[4] 排摈（bìn）：排挤。　[5] 会：恰好。

译文

唉！天空苍茫高远，天上真的有天帝吗？天帝真的有林苑、园圃、宫殿、房屋、亭观、楼阁这些东西吗？如果确实如此，那么上天这么高远，天帝这么尊贵，天上也应该有文学才华胜过世上的人，为什么独独烦扰长吉而使他不长寿呢？唉！又难道是世上所说的有才华而且奇异的人，不仅仅世上少，就是天上也不多吗？长吉活了二十四年，职位不过奉礼太常那样的小官，当时的

人也多排挤诽谤他。难道是有才华而且奇异的人，天帝特别重视他，而世人反倒不重视吗？又难道是人的见识恰好超过天帝吗？

文史链接

庄周梦蝶

庄子在《齐物论》中说："以前，庄周做梦，梦见自己变成了一只蝴蝶，是一只活泼欢畅的蝴蝶，自己感到做一只蝴蝶非常快乐，忘记了自己是庄周。过了一会儿，醒了，慢慢地又意识到自己是庄周了。不知道是庄周做梦变成了蝴蝶？还是蝴蝶做梦变成了庄周？但庄周和蝴蝶必有分别，这称为物化。"

魏晋的玄学家郭象对这段话作了阐释，他认为庄周梦蝶即是说生死为一体，生死就像醒着和睡着一样，谁知道死后一定不比活着的时候快乐呢？在梦为蝴蝶的时候，不知道身为庄周的感觉；

在梦为庄周的时候，不知道身为蝴蝶的感受。因此，人们实在不必过于执著生死，一定认为活着是快乐，死后即为痛苦。解开了在生死上的执著，无论是活着还是死去，都会坦然面对各种事情。

而今人陈鼓应认为，庄周梦蝶由梦觉不分说到“物化”，是为了说明物我的界限可以消解融合。在破除了我见、我执而回归真实的自我后，物我便不再是对立的。蝶化象征着主体和客体的会通交感，两者达到互相泯合的境界。这境界实为最高艺术精神的投射。

思考讨论

1. 你知道李贺的雅号是什么吗？

2. 在李商隐和李贺的诗歌中，请选出你最喜欢的一首，与别人分享一下你的感受。

三闾大夫意[1]

罗　隐[2]

原出自楚[3]，而又仕怀王朝，虽放逐江湖间，未必有腹江湖意[4]。及发憔悴，述《离骚》，非所以顾望逗留，抑由礼乐去楚，不得不悲吟叹息。夫礼乐不在朝廷，则在山野。苟有合乎道者，则楚之政未亡，楚之灵未去[5]。

注释

[1]三闾大夫:战国时楚国的官名,这里指屈原。　[2]罗隐:字昭谏，自号江东生，新城（今浙江富阳）人，唐代文学家。[3]原：屈原。　[4]腹：怀抱。　[5]灵：神灵。

译文

屈原是楚国皇室宗亲，在楚怀王当政时任职，即使被流放到边远的地方，也没有归隐山林的心意。他在流放中太过忧思而面容憔悴，作《离骚》，不是因为被流放而顾念徘徊，而是因为礼乐制度在楚国崩坏，忍不住悲痛吟唱、叹息。朝廷没有了礼乐制度，礼乐制度就保存在民间。如果有继承礼乐制度的人，那么楚国的政权就不会灭亡，楚国的神灵就不会离开。

原在朝有秉忠履直之过[1]，是上无礼矣；在野有扬波歠醨之叹[2]，是下无礼矣。朝无礼乐，则证诸野[3]。野无礼乐，则楚之政不归，楚之灵不食[4]。原，忠臣也，楚存与存，楚亡与亡，于是乎死非所怨时也。呜乎！

注释

[1] 过：过错。 [2] 歠醨(chuò lí)：饮酒。这里指随波逐流。[3] 证：验证。 [4] 食：指神灵享受祭祀。

译文

屈原任职的时候因为忠诚正直而获罪，这是统治者没有礼治；在被流放的地方遇到隐者，叹息他不能随波逐流，这是民间没有礼俗。朝廷礼乐崩坏，就到民间求证礼乐制度。民间没有礼乐风俗，于是楚国的政权衰亡，楚国的神灵不接受祭祀。屈原是忠臣，与楚国共存亡，所以他的离世不是因为怨恨时运。可叹啊！

文史链接

举世皆浊我独清

在《楚辞》中有一篇《渔父》，其中写到屈原被放逐后，遇到一名隐士的故事。当时，屈原虽然已经被流放了，但还是整日为国事忧心。一天，他正在江边漫无目的地走着，脸色憔悴、身形枯瘦。一名渔父看到了他，问："你不是三闾大夫吗？怎么落到这步田地？"

屈原说："举世皆浊我独清，众人皆醉我独醒，所以我被流放到这里。"渔父说："圣明的人不会拘泥于一事一物，而能随着世

间情态的变化而变化。世人皆浊，你为什么不搅动泥水而扬起水波呢？众人皆醉，你为什么不跟着吃点酒糟、喝点薄酒呢？为什么这样忧思，显得清高，使自己遭到放逐呢？”屈原说："我听说，刚洗过头的人一定会弹弹帽子上的灰尘，刚洗过澡的人一定会抖一抖衣服上的尘土。怎么能让清洁的身体，蒙受尘垢的污染呢？我宁愿自投湘水，葬身在鱼腹之中。怎么能让洁白的情操，蒙受世俗的玷污呢？”

渔父听了，微微一笑，不再与屈原交谈。他摇着橹远去，口中唱着："沧浪的水是清澈的，可以洗洗我的帽缨子。沧浪的水是浑浊的，可以洗洗我的脚。"

屈子行吟图

思考讨论

1. 你知道屈原与我国传统的端午节有什么关系吗？

2. 你认为屈原是一个什么样的人？

郢州孟亭记[1]

皮日休[2]

明皇世[3]，章句之风，大得建安体。论者推李翰林、杜工部为之尤[4]。介其间能不愧者，唯吾乡之孟先生也[5]。先生之作，遇景入咏，不拘奇抉异[6]，令龌龊束人口者[7]，涵涵然有干霄之兴[8]，若公输氏当巧而不巧者也[9]。

注释

[1] 郢（yǐng）州：州名，在今湖北武昌。 [2] 皮日休：字逸少，又字袭美，襄阳（今湖北襄阳）人，隐居在鹿门山，自称鹿门子，晚唐诗人。 [3] 明皇：唐玄宗。 [4] 李翰林、杜工部：李白、杜甫。 [5] 孟先生：孟浩然。先生，年长有学问的人。 [6] 拘奇抉异：以奇巧取胜。拘，取。 [7] 龌龊（wò chuò）：局促。 [8] 涵涵然：雄浑自然的样子。 [9] 公输氏：公输般，春秋时鲁国人，古代著名的工匠。

译文

唐玄宗时期，写诗继承了建安体的风格。评论者认为李白和杜甫是当时最优秀的诗人。和他们并肩而没有愧色的人，只有我的同乡孟浩然先生。孟先生的作品，随手拈来，不刻意追求奇巧而局促于矫揉造作的形式，雄浑自然的气势直达云霄，好像公输般做的器物，浑然天成，没有雕琢的痕迹。

北齐美萧悫[1]，有"芙蓉露下落，杨柳月中疏"。先生则有"微云淡河汉，疏雨滴梧桐"。乐府美王融"日霁沙屿明，风动甘泉浊"[2]。先生则有"气蒸云梦泽，波撼岳阳城"。谢朓之诗句[3]，精者有"露湿寒塘草，月映清淮流"。先生则有"荷风送香气，竹露滴清响"。此与古人争胜于毫厘也。他称是者众，不可悉数。呜呼！先生之道，复何言耶？谓乎贫，则天爵于身[4]；谓乎死，则不朽于文。为士之道，亦已至矣。

注释

[1] 萧悫（què）：字仁祖，北朝诗人。 [2] 王融：字元长，南齐诗人。 [3] 谢朓：字玄晖，南齐诗人。 [4] 天爵：指仁义忠信等道德。语出《孟子·告子上》："仁义忠信，乐此不倦，此天爵也。公卿大夫，此人爵也。"

译文

北齐人称赏萧悫，他有诗句："芙蓉露下落，杨柳月中疏"。而孟先生有这样的诗句："微云淡河汉，疏雨滴梧桐"。乐府诗中称赏王融的诗句："日霁沙屿明，风动甘泉浊"。而孟先生有这样的诗句："气蒸云梦泽，波撼岳阳城"。谢朓的诗句中，上乘的诗句有："露湿寒塘草，月映清淮流"。而孟先生有这样的诗句："荷风送香气，竹露滴清响"。这些诗句和古人的诗句不相上下。其他可称道的诗句还有很多，不能一一列举。啊！对于孟先生的学问，还能说什么呢？认为他贫穷，然而身怀仁义道德；认为他已经去世了，然而诗文使他不朽。在为士之道方面，孟先生也已经达到极致了。

先生，襄阳人也，日休，襄阳人也。既慕其名，亦睹其貌，盖仲尼思文王，则嗜昌歜[1]；七十子思仲尼[2]，则师有若[3]。吾于先生见之矣。说者曰："王右丞笔先生貌于郢之亭[4]。"每有观型之志。四年，荥阳郑公诚刺是州[5]，余将抵江南，舣舟而诣之[6]。果以文见贵，则先生之貌纵视矣。

注释

[1] 昌歜（chù）：用菖蒲根做成的腌菜。 [2] 七十子：孔子的七十二位弟子。 [3] 有若：孔子的弟子，相貌与孔子相像。 [4] 王右丞：唐朝诗人王维，官至尚书右丞，所以世称王右丞。 [5] 刺：担任州刺史。 [6] 舣（yǐ）舟：停船靠岸。

译文

孟先生是襄阳人，我也是襄阳人。既然仰慕他，就想见到他的样貌，这好比孔子怀想文王，则喜爱文王喜欢的菖蒲腌菜；孔子的弟子怀想孔子，则把与孔子相像的有若奉为老师。我对于孟先生的仰慕之情也是如此。有人说："王维把孟先生的样貌画在了郢州的亭子里。"我常常有去看画像的心愿。咸通四年，荥阳人郑公诚在郢州做刺史，我将要抵达江南时，停船上岸去拜访他。果然因文才受到了款待，得以尽情瞻仰先生的画像。

先是，亭之名，取先生之讳[1]。公曰："焉有贤者之名，为趋厮走养[2]，朝夕言于刺史前耶？"命易之以先生姓。日休时在宴，因曰："《春秋》书纪季公子友，仲孙湫字者[3]，贵之也。故书名曰'贬'，书字曰'贵'。况以贤者名署于亭乎？君子是以知公乐善之深也。百祀之弊，一朝而去，则民之弊也去之可知矣。"见善不书，非圣人之志。宴豆既彻[4]，立而为文。咸通四年四月三日记。

注释

[1]讳：名讳。指对君主、尊长的名字避开不称。　[2]趋厮走养：供驱使奔走的奴仆。　[3]字：古代男子二十而冠，冠时在本名之外另起一个名，称字。称呼字表示尊敬。　[4]宴豆：古代宴会时盛食品的器具。

译文

以前，亭子的名称用孟先生的名字。郑刺史说："哪里有贤人的名字，像供驱使奔走的奴仆一样，终日被称呼在刺史的面前呢？"命令改用孟先生的姓作为亭子的名，当时我正好在宴席上，就说："《春秋》书上，以公子友的字季称呼他，以齐大夫湫的字仲孙称呼他，这表示尊敬他们。所以称呼人的名是贬义，称呼人的字是尊重。何况把贤者的名当做亭子的名称呢？君子由此知晓您是多么的乐于为善。多年的弊端，一朝就被消除，则知道民风的弊病也能够被去除。”见了善事不记录下来，不符合圣贤的意愿。宴席已经撤去，我立即撰写了这篇短文。咸通四年四月三日记。

文史链接

姓氏和名字

上古的姓氏都是表示宗族血亲的关系符号，《通鉴·外纪》说：“姓者统其族考之所自出，氏者别其子孙之所自分。”姓是族号，氏是一族若干分支的称号。一般只有贵族才有姓氏，普通人没有姓氏。同时，姓氏还有别婚姻、别贵贱的作用。据《通志·氏族志》记载，三代以前，姓的功能是别婚姻，同姓不婚；氏的功能是别贵贱。而男子称氏，女子称姓，姓表示母系的血亲关系，氏表示父系的血亲关系。同姓不婚即指同母系血亲关系的人不能结婚。但姓氏的区分在使用中逐渐模糊。明末清初思想家顾炎武在《日知录》中认为，战国以后，姓氏逐渐合一，汉代通称姓，而且普通人也都有了姓。

除了姓氏，古人一般都有名和字。据《礼记·内则》记载，婴儿出生后，在第三个月月底，选择吉日举行仪式，由父亲为孩子起名。《礼记·曲礼》曰：“男子二十冠而字”，“女子许嫁笄而字”。男孩二十岁时，举行成人礼，结发加冠，取字。女孩十五岁时，举行成人礼，结发加笄，取字。

一般，名和字有一定的联系，如孔子的弟子宰予，名予，字子我，予和我是同义词。名字在连说的时候，通常先称字，后称名，如皮日休，字逸少，名字连说时，即为皮逸少日休。古代尊对卑称名，卑自称也称名，对平辈或尊长则称呼他们的字以表示尊敬。所以皮日休在《郢州孟亭记》中说："书名曰'贬'，书字曰'贵'。"

姓、氏、名、字在不同的历史时期有着相当复杂的区分和使用，以上只是略说一二。随着历史的发展，如今这些区别已经大都消失了。

思考讨论

1. 你最喜欢孟浩然的哪首诗？与朋友分享一下。

2. 你的名字是谁取的？有什么样的含义？

野庙碑

陆龟蒙[1]

碑者，悲也。古者悬而窆[2]，用木[3]。后人书之以表其功德，因留之不忍去，碑之名由是而得。自秦汉以降，生而有功德政事者，亦碑之，而又易之以石，失其称矣。余之碑野庙也，非有政事功德可纪，直悲夫甿竭其力[4]，以奉无名之土木而已矣。

注释

[1]陆龟蒙：字鲁望，吴郡（今江苏苏州）人，自号江湖散

人，也称甫里先生，晚唐文学家。　[2] 窆（biǎn）：古代下葬时，用以牵引棺椁下入墓穴的东西。　[3] 用木：下葬时，把棺材放在木板上，用绳子系住木板，从上放下去，放进墓穴。　[4] 直：只是。　甿（méng）：农民。

译文

碑，是悲哀的意思。古时候用木板把棺材吊起来，再放进墓穴。后世人在这块木板上写字，用来表彰墓主的功德，因此就把这块木板留下来，不忍丢掉，碑的名称由此而来。自秦、汉以来，活着而有功德政绩的人，也给他立碑，而且又把木板改为石块，这就不符合它名称的原意了。我给这座乡野神庙立碑，不是由于庙里的神祇有什么功德政绩可以颂扬，只是因为悲哀那些农民竭尽力气来供奉一些没有姓名的泥塑木雕罢了。

瓯、越间好事鬼[1]，山椒水滨多淫祀[2]。其庙貌有雄而毅、黝而硕者[3]，则曰将军。有温而愿[4]、晰而少者[5]，则曰某郎。有媪而尊严者[6]，则曰姥。有妇而容艳者，则曰姑。其居处则敞之以庭堂，峻之以陛级[7]，左右老木，攒植森拱，萝茑翳于上[8]，鸱鸮室其间[9]。车马徒隶，丛杂怪状。甿作之，甿怖之，走畏恐后，大者椎牛[10]，次者击豕[11]，小不下犬鸡，鱼菽之荐[12]，牲酒之奠，缺于家可也，缺于神不可也。一日懈怠，祸亦随作，耄孺畜牧

栗栗然[13]，疾病死丧，不曰适丁[14]其时也，而自惑其生，悉归之于神。

注释

[1]瓯、越：广东、广西到浙江一带。 [2]椒：山顶。 淫祀：不合礼制的祭祀。 [3]黝：黑。 [4]愿：老实。 [5]晰：白。 [6]媪：老妇。 [7]陛级：阶梯。 [8]萝茑（niǎo）：女萝和茑，寄生的蔓生植物。 [9]鸱鸮（chī xiāo）：猫头鹰。[10]椎：杀。 [11]击：杀。 [12]荐：献，呈。[13]耄：老人。 栗栗：害怕的样子。 [14]适丁：恰好碰到。

译文

浙东一带的百姓喜好祭祀鬼神，山上水边有很多不合礼制的祭祀。那些庙里的神鬼相貌，有的雄壮而刚毅、黝黑而魁梧，就叫他将军。有的温和而忠厚，白皙而年青，就叫他某某郎官。有的老妇人，神情肃穆，就叫她姥姥。有的少妇人，容貌艳丽，就叫她姑姑。他们的庙，厅堂宽敞，台阶高峻，两旁是高大的古老树木，树干密集，枝条如拱，萝茑藤条覆盖其上，猫头鹰在上面筑巢。还有许多木雕泥塑的车马仆从，杂乱而且奇形怪状。农民制作了这一切，农民又害怕这一切，争相献祭，唯恐落在后面。大祭杀牛，次等宰猪，小祭起码要用鸡狗作供品，像鱼、豆、肉、酒这类供品，家里可以缺少，但在供奉鬼神方面不能缺少。他们相信，一旦祭神有所松懈怠慢，灾祸就立刻降临，所以老人小孩都提心吊胆地喂养着祭祀用的牲畜，有人生了病，或者去世，他们不认为这是时命，而迷惑于生死，认为自己的命运都是由神主宰。

虽然，若以古言之，则戾[1]；以今言之，则庶乎神之不足过也[2]。何者？岂不以生能御大灾，捍大患[3]，其死也，则血食于生人[4]。无名之土木不当与御灾捍患者为比，是戾于古也明矣。今之雄毅而硕者有之，温愿而少者有之，升阶级，坐堂筵，耳弦匏[5]，口粱肉，载车马，拥徒隶者皆是也。解民之悬[6]，清民之暍[7]，未尝贮于胸中。民之当奉者，一日懈怠，则发悍吏，肆淫刑[8]，驱之以就事，较神之祸福，孰为轻重哉？！平居无事，指为贤良，一旦有天下之忧，当报国之日，则恛挠脆怯[9]，颠踬窜踣[10]，乞为囚虏之不暇。此乃缨弁言语之土木尔[11]，又何责其真土木也！故曰：以今言之，则庶乎神之不足过也。

注释

[1]戾：不合道理。 [2]庶乎：也许。 [3]捍：抵挡。 [4]血食：享受后代的牺牲祭祀。 [5]弦匏（páo）：指音乐。弦，有弦的乐器；匏，笙竽的总称。 [6]悬：倒挂，形容痛苦很重。 [7]暍（yē）：受暴热。 [8]肆：滥用。 [9]恛（huí）挠脆怯：昏乱害怕。 [10]颠踬（zhì）窜踣（bó）：逃避跌倒。 [11]缨弁（biàn）：缨，帽带；弁，帽子。

译文

即便如此，假如按照古时候祭祀神鬼的礼俗来说，则不合事理；以当今的情况来看，那么这些无名的土木偶像就几乎不值得怪罪了。为什么呢？古时候祭祀，难道不是因为死者生前帮民众抵御大灾，对抗大祸患，所以死后人们用牲畜祭祀他？那些无名的土木偶像，不配与抵御灾难、对抗祸患的人相比，这不合古时候祭祀的事理是显然的事。当今，有雄壮刚毅而魁梧的人，有温和忠厚而年轻的人，他们登上台阶，坐在高堂的筵宴上，听着音乐，吃着美食，出门坐车马，随从一大群，都和野庙里的泥塑木雕一样。对解除人民的痛苦，医治人民的病痛这些事，他们从来不曾放在心上。百姓应当供奉的东西，一旦有所懈怠，就派遣凶狠的差吏来，滥用刑罚，逼迫百姓纳贡，这和那些鬼神对百姓的祸害相比，孰轻孰重呢？！平常在国家没有发生动乱的时候，这些武将文官被看作贤良，一旦发生变乱，该报效国家的时候，他们却脆弱胆怯，狼狈逃窜，争着乞求成为囚犯俘虏。这些人真是戴着官帽、说着官话的土木偶像，又何必指责那些真的土木偶像呢！所以说：按照当今的情况来说，也许没必要怪罪土木偶像了。

既而为诗，以乱其末[1]：土木其形，窃吾民之酒牲，固无以名；土木其智，窃吾君之禄位，如何可议？禄位颀颀[2]，酒牲甚微，神之飨也，孰云其非！视吾之碑，知斯文之孔悲[3]！

注释

[1] 乱：古代乐曲诗歌的最后一章叫做“乱”。这里指作最后

的总结。 [2] 颀颀（qí qí）：高厚。 [3] 孔：很。

译文

于是题诗一首作为碑文的结尾：泥捏木刻的鬼神，偷吃我百姓的酒浆和牲畜，这固然不合理；像土木鬼神一般的官吏，窃取我国君的俸禄和爵位，又当如何非议？达官贵人的俸禄厚、爵位高，土木鬼神的祭酒薄、供品少，谁能说神像享受祭品不对！看看我立的野庙碑，就知道这篇文章包含着极大的悲痛！

文史链接

碑

《现代汉语大辞典》中将“碑”解释为：“书刻图案或文字，记死者生平功德，作为纪念物或标记的石头。也用以刻文告。秦称刻石，汉以后称碑。”这是从碑的功用来界定碑的概念。其实，在古代，碑的功用不止于此。

《礼记·檀弓》曰：“公室视丰碑，三家视桓楹。”郑玄注云：“丰碑，斫大木为之，形如石碑，于椁前后四角树之，穿中于间为鹿卢，下棺以綍绕。天子六綍四碑，前后各重鹿卢也。”“诸侯四綍二碑，碑如桓矣。大夫二綍二碑，士二綍无碑。”这种木制的碑有礼制等级，是用来引棺的，大概可以视作后来碑的雏形。东汉刘熙载《释名·释典艺》中说：“碑，被也。本王莽时所设也，施其鹿卢，以绳被其上，以引棺也。臣子追述君父之功美，以书其上，后人因焉，无故建于道陌之头，显见之处，名其文就，谓之碑也。”这里，引棺用的碑，演变为专门纪念死者的墓碑。

《礼记·祭义》曰：“祭之日，君牵牲……既入庙门，丽于碑。”

郑玄注云："丽，犹系也。"《仪礼·士昏礼》："宾入庙门乡饮酒，宾入庠门乡射，宾入序门，皆有当碑揖，则诸侯大夫士之宫皆有碑。"郑玄注云："凡碑引物者，宗庙则丽牲焉，以取毛血。"显然，这里的庙中之碑用来拴祭祀的牲口。

《仪礼·聘礼》曰："陪鼎当内廉，东面北上，上当碑南陈。"郑玄注云："宫必有碑，所以识日景，引阴阳也。"这里明确记载了测日影而计时的碑。

从以上文献记载，我们可以看出，古代的碑大致有三种，各有功用。总的来说，在秦汉以前，碑主要是祭祀礼仪中的一个重要组成部分，到了东汉以后，记颂事迹逐渐成为碑的主要功用，碑也逐渐有了确定的形制。

思考讨论

调查一下，现在还有立碑撰文的现象吗？

第五章　古道新声——北宋

录海人书[1]

王禹偁[2]

秦末有海岛夷人上书诸阙者[3]，曰："月日[4]，东海岛夷人臣某谨昧死再拜上书皇帝阙下[5]：臣世居海上，盗鱼盐之利以自给[6]。今秋乘潮放舟，下岸渐远[7]。无何，疾飙忽作[8]，怒浪四起，飘然不自知其何往也。

注释

[1] 海人：生活在海上的居民。　[2] 王禹偁：字元之，济州巨野（今山东巨野）人，北宋文学家。　[3] 诸阙：这里指皇帝。阙，宫门前的观楼。　[4] 月日：某月某日。　[5] 昧死：冒死。[6] 盗：私取。谦词。　[7] 下岸：离岸。　[8] 疾飙（biāo）：狂风。

译文

秦朝末年，有个在海岛居住的人向皇帝上书，说："某月某日，东海岛上的我冒死叩拜，向皇帝陛下上书：我家世代生活在海上，私取一些鱼盐作为收入维持生活。今年秋天我趁着大海涨潮驾舟下海，离岸越来越远。没过多久，突然狂风大作，巨浪滔天，船随着巨浪漂流，不知道会漂到什么地方。

经信宿[1]，风恬浪平，天色晴霁，倚桡而望[2]，似闻洲岛间有语笑声，乃叠棹而趋之[3]。至则有居人百余家，垣篱庐舍，具体而微，亦小有耕垦处。有曝背而偃者[4]，有濯足而坐者[5]，有男子网钓鱼鳖者，有妇人采撷药草者，熙熙然殆非人世之所能及也[6]。

注释

[1] 信宿：连宿两夜。再宿为信。 [2] 桡（ráo）：船桨。
[3] 棹：船桨。 [4] 偃：倒下，躺着。 [5] 濯：洗。
[6] 熙熙：和乐的样子。

译文

过了两天两夜，风平浪静，天气晴好，我倚着船桨远望，好像听到洲岛上有说笑声，于是收拾船桨，前去察看。到了那里，看到有百余户人家，墙垣、篱笆、屋舍，什么都有，但规模很小，也有少量耕地。有的人躺着晒背，有的人坐着洗脚，有些男人在用网捉鱼鳖，有些妇人在采摘药草，一派和乐的景象，绝非人间能比得上。

臣因问之，有前揖而对臣者[1]，则曰：‘吾族本中国人也。天子使徐福求仙[2]，载而至此，童男丱女[3]，即吾辈也。夫徐福，妖诞之人也，知神仙之不可求也，蓬莱之不可寻也[4]，至是而作终焉之计。舟中之粮，吾族播之，岁亦得其利；水中之物，吾族捕之，日亦充其腹。又取洲中葩卉以芼之[5]，由是吾族延命而未死焉。死则葬于此水矣，生则育于此洲矣，怀王之情亦已断矣！且不闻五岭之戍[6]，长城之役，阿房之劳也，虽太半之赋[7]，三夷之刑[8]，其若我何？’且出食以饷臣[9]。

注释

[1]前揖：上前拱手施礼。 [2]天子：这里指秦始皇。徐福：秦朝的方士。 [3]丱（guàn）女：幼女。丱，儿童束发为两角的样子。 [4]蓬莱：传说中的仙山。 [5]芼（mào）：择取。[6]五岭之戍：秦始皇为了西南方的国防安全，派遣五十万人守卫五岭。五岭，指越城、都庞、萌渚、骑田、大庾。 [7]太半：过半数，多半。 [8]三夷之刑：秦朝有一人犯罪，处死三族的刑罚。 [9]饷（xiǎng）：供给食物。

译文

于是我问他们，有人上前拱手施礼，然后对我说：‘我们原本都是中原人。始皇帝派徐福出海求仙，他用船载着我们来到这里，

船上的童男童女就是我们。徐福是邪恶的骗子，他知道不可能找到神仙，不可能找到蓬莱仙山，到了这里就作了停下来定居的打算。船中的粮食，我们拿来播种，每年也能收获；水中的鱼虾，我们捕捉起来，每天也能填饱肚子。还采摘小岛上的花卉，择取有用的作为药材，因此我们得以延续生命而没有死在这里。有人死了就葬在海水里，活着的人就生活在这岛上，怀念皇帝的感情也已经断绝了！况且在这里没有到五岭戍边、修筑长城、建造阿房宫的苦役，即使中原有征取大半收入的赋税，有一人犯罪、诛杀三族的刑罚，那和我们有什么关系呢？’然后，他们拿出食物招待我。

明日，臣登舟而回，复谓臣曰：‘子能以吾族之事闻于天子乎？使薄天下之赋，休天下之兵，息天下之役，则万民怡怡如吾族之所居也，又何仙之求，何寿之祷邪？’臣因漂遐方[1]，传此异说，非敢隐匿，谨录以闻，惟陛下详览焉。”此书献时，盖秦已乱，而不得上达，故《史记》缺焉。今因收而录之，以示于后。

注释

[1] 遐方：远方。

译文

第二天，我要登舟返回，他们又对我说：‘您能把我们的情形报告给皇帝吗？如果皇帝能减轻人民的赋税，停止各地的战争，撤除各种劳役，那么百姓都高高兴兴，如同我们一样生活，又哪里需要求仙，哪里需要祈祷长生呢？’我因为漂流到远处的海岛，所以有了这个奇异的见闻，不敢隐匿，详细地记录下来，希望陛下仔细查看。”这封信献上朝廷时，秦朝大概已经乱亡，因此没有能呈报给皇帝，所以《史记》对此没有记载。现在我见到这道上书并记录下来，让后人看到。

文史链接

徐福求仙

在《史记·秦始皇本纪》、《史记·封禅书》和《史记·淮南衡山列传》中，记载了徐福为秦始皇东渡求仙这一史实。秦始皇统一六国后，偏好方术，妄求长生不死。在他供养的方士中，有一位名叫徐福的方士，称海中有蓬莱、方丈、瀛洲三座仙山，山上有仙人居住，可以带领童男童女，出海求仙，请仙人赐给仙药，为始皇延年。在始皇的授意下，徐福在数十年内多次带领童男童女出海求仙，但一直没有找到仙山。他害怕始皇怀疑求仙的真实性，于是对始皇说，没有找到仙山是因为被海中的大鱼所阻，于是始皇派人建造捕巨鱼的工具，用连弩射杀了一条巨鱼，然后徐福再次率队出海。这次出海回来后，徐福诈称找到了蓬莱山，但山上的仙人要求献上童男童女、各种工匠以及财物，才会赐给长生的仙药。始皇求仙心切，相信了徐福的话，非常高兴地赐给徐福三千童男童女、五谷和各种工匠，让他带队再次出海。这次，徐福东渡到了一处海岛，带领船员定居下来，再也没有返回。

关于徐福东渡求仙这一史实，《史记》之后的正史、野史都有一些零散的记载。到了20世纪，关于徐福的研究逐渐引起中、日、

韩三国学者的极大兴趣。有学者认为，徐福东渡最初到了韩国，然后又到了日本，在日本定居下来。洪淳晚认为：“在韩国关于徐福的传说从很早就传了下来，并可以找到很多相关的记录”，“徐福集团不是全部去了日本，其中一部分应该到了济州岛或者是韩半岛南部地区，特别是马韩地区，并在那里生活和定居。”卫挺生在《徐福入日本建国考》中考证认为徐福即神武天皇。在日本各地，徐福作为不同的神被供奉，因此日本民间对徐福的信仰有很多。日本学界对徐福东渡的看法有较大分歧，有人认为徐福是日本的国父，有人认为徐福东渡是不可能的事情，还有人认为徐福率队来到日本，定居后，融入了日本。总之，大多数学者认为徐福东渡求仙在历史上确有其事，徐福是中、日、韩文化交流史上的重要人物。

思考讨论

你如何看待历史上的出海求仙事件？

岳阳楼记 [1]

范仲淹 [2]

庆历四年春 [3]，滕子京谪守巴陵郡 [4]。越明年 [5]，政通人和，百废具兴，乃重修岳阳楼，增其旧制 [6]，刻唐贤、今人诗赋于其上，嘱予作文以记之。

注释

[1]岳阳楼：在今湖南岳阳市城西，临洞庭湖。 [2]范仲淹：字希文，苏州吴县（今江苏苏州）人，北宋政治家。 [3]庆历四年：公元1044年。庆历，宋仁宗赵祯的年号。 [4]滕子京：欧阳修的朋友。 [5]越：到，及。 [6]增：扩建。

译文

庆历四年春天，滕子京被贬到巴陵郡任职。到了第二年，政务通达、百姓和乐，许多被废弛的事情都兴办起来。于是重新修建岳阳楼，扩大它旧有的规模，在楼上刻了唐代名人和当代人的诗赋，滕子京嘱托我写一篇文章来记述这件事。

予观夫巴陵胜状[1]，在洞庭一湖。衔远山，吞长江，浩浩汤汤[2]，横无际涯；朝辉夕阴，气象万千。此则岳阳楼之大观也，前人之述备矣[3]。然则北通巫峡[4]，南极潇、湘[5]，迁客骚人[6]，多会于此，览物之情，得无异乎？

注释

[1]胜状：美景，佳境。 [2]浩浩汤（shāng）汤：水势浩大的样子。 [3]备：详尽。 [4]巫峡：长江三峡之一。[5]潇、湘：潇水和湘水。 [6]迁客骚人：迁客，被贬职的人；骚人，诗人。

译文

我认为巴陵郡的美景，都在洞庭湖。它迎着远山，吸纳长江，水势浩大，无边无际；在早晨阳光照耀、傍晚阴气凝结的变化中，景象千变万化。这是岳阳楼的壮观景象，前人的记述已经很详尽了。然而，这里北面通到巫峡，南面直到潇水和湘江，降职的官吏和来往的诗人，大多在这里聚会，游览景物的观感能没有不同吗？

若夫霪雨霏霏[1]，连月不开[2]，阴风怒号，浊浪排空；日星隐耀，山岳潜形；商旅不行，樯倾楫摧[3]；薄暮冥冥，虎啸猿啼。登斯楼也，则有去国怀乡，忧谗畏讥，满目萧然[4]，感极而悲者矣。

注释

[1]若夫：发语词。　霪(yín)雨：连绵不断的雨。　[2]不开：不晴。　[3]樯(qiáng)：船桅。　[4]萧然：萧条凄凉的样子。

译文

如果是连绵阴雨不停，连续多日不放晴，阴惨的风狂吼，浑浊的浪头直冲天空；太阳和星星失去光辉，高山隐藏形迹；商人和旅客不能上路，桅杆倾倒，船桨折断；傍晚时天色昏暗，老虎怒吼，猿猴悲啼。这时登上楼，就会有离开国都怀念家乡，忧心受到诽谤，满眼都是萧条凄凉，极度感慨而悲伤等种种情绪。

至若春和景明，波澜不惊，上下天光，一碧万顷；

沙鸥翔集，锦鳞游泳；岸芷汀兰[1]，郁郁青青。而或长烟一空，皓月千里，浮光跃金，静影沉璧；渔歌互答，此乐何极！登斯楼也，则有心旷神怡，宠辱皆忘，把酒临风，其喜洋洋者矣。

注释

[1] 汀（tīng）：水边平地。

译文

如果是春日晴和，阳光明媚，水波微澜，水天一色，一片碧青，广阔无边；沙滩上的鸥鸟，时而飞翔，时而停落，美丽的鱼儿，时而浮游，时而潜游；岸边的香草、小洲上的兰花，生机勃勃，颜色青葱。有时大片的烟云完全消散了，明月照耀着大地，浮动的波光像金子一样耀眼，静静的月影像沉入水中的白璧；渔夫们互相唱和，快乐无穷！这时登上楼，就会心胸开阔，精神愉快，忘记了荣辱，举起酒杯，临风畅饮，喜不自禁了。

嗟夫，予尝求古仁人之心，或异二者之为。何哉？不以物喜，不以己悲。居庙堂之高[1]，则忧其民；处江湖之远[2]，则忧其君；是进亦忧，退亦忧。然则何时而乐耶？其必曰先天下之忧而忧，后天下之乐而乐欤！噫！微斯人[3]，吾谁与归！时六年九月十五日[4]。

注释

[1]庙堂：朝廷。　[2]江湖：民间。　[3]微：没有。[4]六年：庆历六年。

译文

唉，我曾经探求古代品德高尚的人的思想，或有不同于以上两种精神状态。为什么呢？他们不会为外物和自己的遭遇时喜时悲。在朝廷里做官就忧心百姓；处在民间就担忧他的君王。这是进入朝廷做官也担忧，辞官隐居也担忧。那么什么时候觉得快乐呢？他们一定会说在天下人忧愁之前而忧愁，在天下人快乐之后才快乐！唉！若没有这样的人，我同谁一道呢？此时是庆历六年九月十五日。

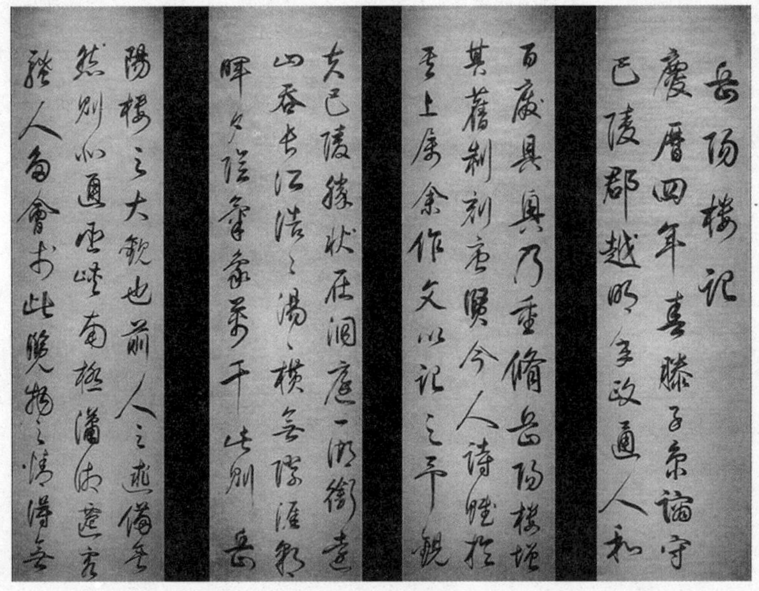

董其昌书法《岳阳楼记》之一

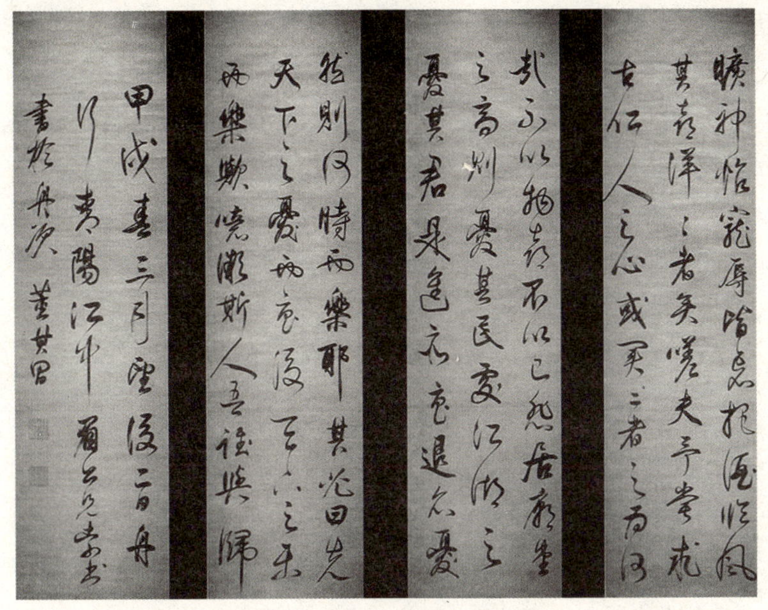

董其昌书法《岳阳楼记》之二

文史链接

庆历新政

北宋中期，宋朝的统治由盛转衰，内忧外患并起，屡遭贬谪的范仲淹在抵御西夏的入侵中，表现出非凡的才能，名重当时。于是在改革的呼声中，宋仁宗于庆历三年七月任命范仲淹为参知政事，由此范仲淹进入中央政府的核心权力圈，并开始谋划改革。同年九月，范仲淹上疏《答手诏条陈十事》，陈述改革的必要性，并提出明黜陟、抑侥幸、精贡举、择长官、均公田、厚农桑、修武备、减徭役、覃恩信、重命令等十条新政纲领。这十条纲领的重心在于改革吏治。在范仲淹看来，当时的冗官现象是导致国家衰颓的根本原因，“欲正其末，必端其本；欲清其流，必澄其源”。只有先把吏治整顿好了，解决了政治制度的问题，才能从根本上救治宋朝的顽疾。

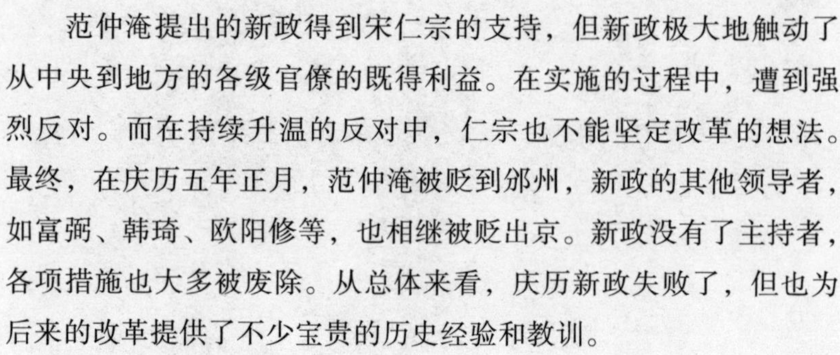

范仲淹提出的新政得到宋仁宗的支持，但新政极大地触动了从中央到地方的各级官僚的既得利益。在实施的过程中，遭到强烈反对。而在持续升温的反对中，仁宗也不能坚定改革的想法。最终，在庆历五年正月，范仲淹被贬到邠州，新政的其他领导者，如富弼、韩琦、欧阳修等，也相继被贬出京。新政没有了主持者，各项措施也大多被废除。从总体来看，庆历新政失败了，但也为后来的改革提供了不少宝贵的历史经验和教训。

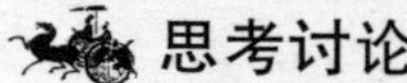

思考讨论

你如何理解“不以物喜，不以己悲”？

秋声赋

欧阳修[1]

欧阳子方夜读书[2]，闻有声自西南来者，悚然而听之[3]，曰：异哉！初淅沥以萧飒，忽奔腾而砰湃，如波涛夜惊，风雨骤至。其触于物也，𨱏𨱏铮铮[4]，金铁皆鸣。又如赴敌之兵，衔枚疾走[5]，不闻号令，但闻人马之行声。余谓童子：“此何声也？汝出视之。”童子曰：“星月皎洁，明河在天[6]，四无人声，声在树间。”

注释

[1]欧阳修:字永叔，自号醉翁，又号六一居士，吉州永丰（今江西永丰）人，北宋文学家，政治家。 [2]欧阳子：欧阳修。[3]悚然:惊惧的样子。 [4]鏦(cōng)鏦铮铮:金属相击的声音。[5]衔枚：横衔枚于口中，以禁喧哗。枚，形似竹筷，衔于口中，两端有带，可系于脖上。 [6]明河：银河。

译文

欧阳先生夜里读书的时候，听到有声音从西南方向传来，吃了一惊，仔细探听，心想：奇怪啊！初听这声音，像淅淅沥沥的风雨声，忽然变得汹涌澎湃起来，像是波涛在夜里突然涌起，暴风雨马上就要到来。碰到物体，发出好像金属相撞击的声音，又像去袭击敌人的军队，衔枚快走，没有听到有号令，只有人马行进的声音。我对书童说：“这是什么声音？你出去看看。”书童说：“星空中月色皎洁，明亮的银河悬在天上，四下里没有人声，声音从树林间传来。”

余曰：“噫嘻悲哉！此秋声也。胡为而来哉？盖夫秋之为状也：其色惨淡，烟霏云敛；其容清明，天高日晶[1]；其气慄冽[2]，砭人肌骨；其意萧条，山川寂寥。故其为声也，凄凄切切，呼号愤发。丰草绿缛而争茂[3]，佳木葱茏而可悦，草拂之而色变，木遭之而叶脱。其所以摧败零落者，乃一气之余烈。”

注释

[1] 日晶：日光明亮。　[2] 慄洌（liè）：寒冷。　[3] 缛：繁密。

译文

我说："唉，可叹啊！这是秋声。它怎么来了呢？秋天的情景是这样的：它的色调惨淡，烟雾弥漫、云气聚集；它的容貌清澈明朗，天空高远，阳光明亮；它的气候寒冷，刺人肌骨；它的意境萧条，山川寂静寥落。所以它发出的声音，凄凄切切，又呼啸激昂。秋未到的时候，绿草争相生长而茂盛，树木葱茏，令人心情舒畅，而秋风拂过，绿草立刻变了颜色，吹过树木，树叶落下。使花草凋败、树叶零落的是秋天肃杀之气的威能。"

"夫秋，刑官也，于时为阴；又兵象也，于行为金[1]。是谓天地之义气，常以肃杀而为心。天之于物，春生秋实。故其在乐也，商声主西方之音，夷则为七月之律。商[2]，伤也，物既老而悲伤；夷，戮也，物过盛而当杀。"

注释

[1] 行：金、木、水、火、土五行。　[2] 商：宫商角徵羽五音之一，五音与四时、五行相配，商属秋，属金，主西方之音。

译文

秋是刑官，在时气上属于阴；秋又是兵器和用兵的象征，在五行上属于金。这是天地间肃杀之气达到极盛，常常以肃杀为意志。自然对于万物来说，就是春天生长，秋天结实。所以，秋天在五音中对应商声，商声是西方之声，夷则是七月的曲律名。商，即为伤，万物衰老而悲伤；夷，即是杀戮，事物繁盛过后即为衰亡。”

“嗟乎！草木无情，有时飘零。人为动物，惟物之灵，百忧感其心，万物劳其形，有动于中，必摇其精。而况思其力之所不及，忧其智之所不能，宜其渥然丹者为槁木[1]，黟然黑者为星星[2]。奈何以非金石之质，欲与草木而争荣？念谁为之戕贼[3]，亦何恨乎秋声！”童子莫对，垂头而睡。但闻四壁虫声唧唧，如助余之叹息。

注释

[1] 渥（wò）然：润泽的样子。　[2] 黟（yǒu）然：黑色。[3] 戕（qiāng）贼：摧残，伤害。

译文

唉！草木无情，有衰败零落的时候。人为动物，在万物中最有灵性，各种忧虑煎熬他的心，各种事劳累他的身体，内心为外物触动，必定会摇荡他的神志。何况思考自己能力之外的事，忧虑自己智力不能解决的问题，自然会使红润的面色变得枯槁，乌黑的头发变得花白。没有如同金石那样的身体，为什么要和草木比荣盛呢？想一想是谁给自己的伤害，又何必怨恨秋天呢！”书童没有应答，低着头睡着了。只听见四周虫鸣唧唧，好像在附和我的叹息。

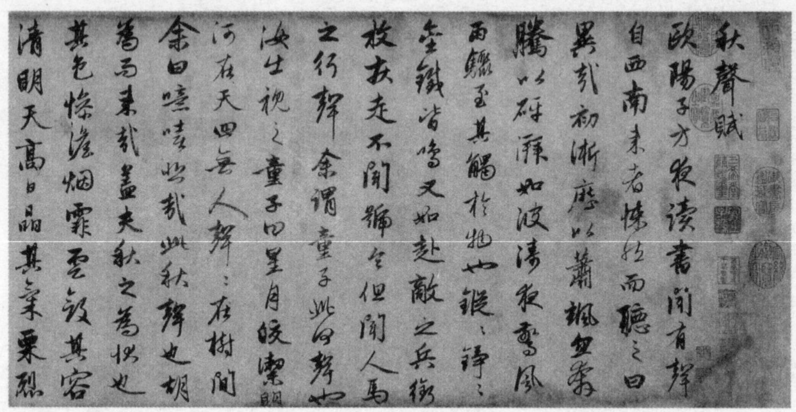

欧阳修《秋声赋》

文史链接

五　行

关于五行，在《尚书》中有两处代表性的记载，一处是在《尚书·甘誓》，禹的儿子启和有扈氏在甘这个地方交战。战前，启召集将领，作战前动员，他说：“有扈氏威侮五行，怠弃三正，天用剿绝其命，今予惟恭行天之罚。”另一处是在《尚书·洪范》，周武王向商朝的遗老箕子询问治国之道，于是箕子对武王讲解了治理天下的洪范九畴，即九类大法。第一类就是五行，他说：“一、五行：一曰水，二曰火，三曰木，四曰金，五曰土。水曰润下，火曰炎上，木曰曲直，金曰从革，土爰稼穑。润下作咸，炎上作苦，曲直作酸，从革作辛，稼穑作甘。”一般认为，这两处五行的意思是一致的，先民从生活经验中总结出五种最通用的资材，并根据它们的性质和特点，发挥它们的功用，同时以五行比附人事，指导实践活动。但庞朴先生认为，这两处的五行不是一回事。他认为五行有两种意思和读音，“威侮五行”的“行”应该读“háng”，五行指的是仁、义、礼、智、圣五种德行，而“洪范九畴”中五行的“行”读“xíng”，五行从五材发展而来，是关于宇宙观的一套理论。古人总是从宇宙的形成、万物的自然生长中来观察体悟如何治理国家、安定社会。在西汉以前，这两种区分非常清楚。后来仁、义、礼、智、圣五行演变为仁、义、礼、智、信五常，水、火、木、金、土五行则与四时、五方、五音等相搭配，形成一套复杂的系统。

仁、义、礼、智、圣五行是儒家思孟学派的学说主张，在出土的马王堆帛书和郭店楚简中都发现了《五行》篇，主要讲修养身心的问题。而水、火、木、金、土五行是一套宇宙论，它有多种不同的排序，庞朴先生认为在历史上出现过十几种排列顺序，比较有意义的就是经典序——水、火、木、金、土，也即《尚书·洪范》中的排序。

另外，五行有相克序和相生序，相克序又称相胜序，代表性的排序为土、木、金、火、水。战国时期邹衍用五行的相胜序建构了“五德终始说”，以此来解释朝代的更替。如按照这一理论，秦朝是水德，相应地数字尚六，颜色尚黑，《史记》中对此多有记载，出土的文物也证明了秦朝确实自认为是水德。相生序主要见于《管子·五行》、《礼记·月令》、《春秋繁露》。庞朴先生认为相生序的出现是历史观的一个大变化。相胜序是一个革命的顺序，而相生序更强调历史的传承性和延续性。两者相比，相生序体现了中国在实现大一统以后出现的侧重继承与发展的历史观。

思考讨论

你喜欢秋天吗？如何看待伤春悲秋？

苏氏文集序

欧阳修

予友苏子美之亡后四年[1]，始得其平生文章遗稿于太子太傅杜公之家[2]，而集录之以为十卷。子美，杜氏婿也，遂以其集归之，而告于公曰："斯文，金玉也，弃掷埋没粪土，不能销蚀。其见遗于一时，必有收而宝之于后世者。虽其埋没而未出，其精气光怪已能常自发见，而物亦不能掩也。故方其摈斥摧挫[3]、流离穷厄之时，文章已自行于天下，虽其怨家仇人，及尝能出力而挤之死者[4]，至其文章，则不能少毁而掩蔽之也。凡人之情忽近而贵远，子美屈于今世犹若此[5]，其申于后世宜如何也！公其可无恨。"

注释

[1] 苏子美：苏舜钦，字子美，开封（今属河南）人，北宋诗人。[2] 杜公：杜衍，字世昌，北宋大臣，苏舜钦的岳父。　[3] 摈（bìn）斥：丢弃。　[4] 挤：排挤。　[5] 屈：受委屈，困窘。

译文

我的朋友苏子美去世后四年，我才在太子太傅杜公的家中，得到他生平的文章遗稿，收集抄录编为十卷。子美是杜家的女婿，我便把这部文集送给杜家，并告诉杜公说："这些文章是金玉，即使被丢弃埋没在粪土中，也不会被消磨腐蚀。虽然一时被遗忘，但一定有人收藏并珍爱它，让它留于后世。虽然它被埋没没有被人发现，但它带灵气的奇异光芒已经常常自动地显现出来，外物也不能掩盖。所以当子美遭排挤挫折、流落困窘的时候，他的文章已经传于天下，即便他的冤家仇人，以及曾经出力排挤、把他置于绝境的人，对他的文章也不能贬低、遮蔽。一般人都是轻视近代，看重古代，子美在当世这样地受委屈正是如此，将来他的文章该会多么受到人们的喜爱啊！杜公您不必为子美感到遗憾了。"

予尝考前世文章政理之盛衰，而怪唐太宗致治几乎三王之盛[1]，而文章不能革五代之余习。后百有余年，韩、李之徒出[2]，然后元和之文始复于古[3]。唐衰兵乱，又百余年而圣宋兴，天下一定，晏然无事[4]。又几百年，而古文始盛于今。自古治时少而乱时多，幸时治矣，文章或不能纯粹[5]，或迟久而不相及，何其难之若是欤？岂非难得其人欤？苟一有其人，又幸而及出于治世，世其可不为之贵重而爱惜之欤？嗟吾子美，以一酒食之过，至废为民而流落以死。此其可以叹息流涕，而为当世仁人君子之职位，宜与国家乐育贤材者惜也。

注释

[1] 三王：夏禹、商汤、周文王。 [2] 韩、李：韩愈、李翱。 [3] 元和：唐宪宗李纯的年号。 [4] 晏：安宁，安定。 [5] 纯粹：纯正。

译文

我曾经考察前代文学、政治的兴盛衰落，很奇怪唐太宗将国家治理得兴盛太平，接近三代圣王的时代，在文章方面却不能革除五代浮靡文风的残余习气。此后一百多年，韩愈、李翱这些人出现，到了元和时期，文章写作才恢复了古代传统。唐朝衰亡，战事纷乱，又过了一百多年，大宋兴起，天下统一，太平无事。又过了许多年，古文才在今天兴盛起来。自古太平的时候少而动乱的时候多，正值太平的时候，文章或不能纯正，或过了很久还赶不上时代的步伐，为什么如此困难呢？难道不是因为难以得到能够振兴文风的人才吗？如果出现了那样的人才，又幸好出生在太平年代，世人难道不该推重而爱惜他吗？可叹我的朋友子美，因为一顿酒饭的过失，以致罢官为民，流落异乡而死。这真是令人叹息流泪，而为当世的在位者和国家爱惜贤才的人所叹惜。

子美之齿少于予[1]，而予学古文反在其后。天圣之间[2]，予举进士于有司，见时学者务以言语声偶擿裂[3]，号为时文，以相夸尚。而子美独与其兄才翁及穆参军伯长[4]，作古歌诗杂文，时人颇共非笑之，而子美不顾也。其后天子患时文之弊，下诏书讽勉学者以近古，由是其风渐息，而学者稍趋于古焉。独子美为于举世不为之时，其始终自守，不牵世俗趋舍，可谓特立之士也。

注释

[1]齿：年龄。　[2]天圣：宋仁宗赵祯的年号。　[3]务：追求。　擿（tī）裂：割裂。擿，选取。　[4]才翁：苏舜元，字才翁，苏舜钦的哥哥。　穆参军伯长：穆修，字伯长。因任职参军，所以世称“穆参军”。

译文

子美的年龄比我小，可我学习古文反在他之后。天圣年间，我考中进士，见到当时学习写文章的人，追求文辞声调对偶和引用古人文句，称之为“时文”，以此相互夸耀推崇。而唯独子美和兄长才翁，以及穆参军伯长，写作古体诗歌和散文，当时的人都非议讥笑他们，而子美不理睬这些讥笑。后来，天子担忧时文的弊端，发布诏书勉励写文章的人学习古文写作，从此那种推崇时文的风气渐渐停止，而学写文章的人也逐渐趋向古文写作了。只有子美在全社会都不写古文的时候写作古文，始终坚持自己的做法，不随世俗的好恶而改变，可以称得上是独立的人。

子美官至大理评事、集贤校理而废[1]，后为湖州长史以卒，享年四十有一。其状貌奇伟，望之昂然，而即之温温[2]，久而愈可爱慕。其才虽高，而人亦不甚嫉忌，其击而去之者，意不在子美也。赖天子聪明仁圣，凡当时所指名而排斥，二三大臣而下，欲以子美为根而累之者，皆蒙保全，今并列于荣宠。虽与子美同时饮酒得罪之人，多一时之豪俊，亦被收采，进显于朝廷。而子美独不幸死矣，岂非其命也？悲夫！庐陵欧阳修序[3]。

注释

[1] 废：废黜。　[2] 温温：柔和的样子。　[3] 庐陵：今江西吉安市。

译文

子美做官到大理评事、集贤校理而被贬职，后来在湖州长史任上去世，享年四十一岁。他的形貌奇特魁伟，看上去很高傲，而接近他却感到和蔼可亲，时间长了更加令人仰慕。他的才能虽然很高，但是别人对他也不怎么嫉恨，他们攻击他、把他排挤走，用意不在打击子美本人。全靠皇上聪明仁圣，凡是当时被指名受排斥，从两三个大臣往下、有人欲借苏子美对他们进行株连陷害的人，都被保全下来了，现在都得到了荣耀恩宠。当年跟子美一起饮酒获罪的人，很多都是当世的杰出人物，现在也都被收录选用，在朝廷上担任显要职位。而唯独子美不幸去世了，难道不是他的命运吗？痛心啊！庐陵欧阳修序。

文史链接

苏子美嗜酒

宋代龚明之在《中吴纪闻》中记载，苏子美性格豪放，喝酒没有上限，他在岳父杜衍家中每晚读书时都要喝上一斗酒。杜衍对此感到很疑惑，于是派人去察看。派去的人听到子美正在读《汉书·张子房传》，读到“良与客狙击秦皇帝，误中副车”的时候，子美拍了一下桌子，感叹道：“可惜！没有击中！”说着饮了一大杯酒，然后接着读，读到“良曰：‘始臣起下邳，与上会于留，此天以臣授陛下。’”又拍桌子说：“君臣相知遇，是这么难啊！”说着又喝了一大杯酒。仆人把子美的读书情形讲给杜衍听，杜衍听了大笑，说：“有《汉书》下酒，喝上一斗也不算多！”

酒能助兴，亦能坏事，苏子美正是因为嗜酒而招来了祸端。据《宋史》记载，杜衍参与了范仲淹主持的新政改革，引起政治保守派的不满，而苏子美作为杜衍的女婿，自然也受到政敌的密切关注。按当时不成文的规定，各衙门都会在一年一度的赛神会来临之时清理破旧的东西，卖了钱，大家聚餐，所以赛神会的时候，苏子美也和同事刘巽清理出单位的废纸，卖了钱，置办酒席，还请了乐妓，在晚上聚餐玩乐。政治保守派得到这次宴会的消息，马上上疏弹劾苏子美以及其他参加宴会的官员，皇帝在得到确有其事的汇报后，把苏子美以及参加酒宴的十几个人都流放外地。贬职第二年，苏子美就去世了。

思考讨论

在《苏氏文集序》中，欧阳修讲到苏子美坚持作古文，不顾时人的讥讽，你对此怎么看？

六一居士传[1]

欧阳修

六一居士初谪滁山[2]，自号醉翁。既老而衰且病，将退休于颍水之上，则又更号六一居士。客有问曰："六一，何谓也？"居士曰："吾家藏书一万卷，集录三代以来金石遗文一千卷，有琴一张，有棋一局，而常置酒一壶。"客曰："是为五一尔，奈何？"居士曰："以吾一翁，老于此五物之间，是岂不为六一乎？"客笑曰："子欲逃名者乎，而屡易其号，此庄生所诮畏影而走乎日中者也[3]。余将见子疾走大喘渴死，而名不得逃也。"居士曰："吾固知名之不可逃，然亦知夫不必逃也。吾为此名，聊以志吾之乐尔。”

注释

[1]六一居士：欧阳修晚年自号。 [2]谪：贬官降职。[3]庄生：庄子，战国时期思想家。 诮：讥讽。

译文

六一居士最初被降职到滁州的时候，自称醉翁。年老体弱，又多病，将要辞别官场，到颍水去养老，则又改变名号为六一居士。有客人问："六一，是什么意义？"居士说："我家里藏了一万卷书，收集了三代以来的金石遗文一千卷，有琴一张，有棋一盘，又经常备酒一壶。"客人说："这只是五个一，怎么说'六一'呢？"居士说："加上我一个老头，在这五种物品中老去，这难道不是'六一'吗？"客人笑着说："你是想逃避名声吧，因而屡次改换名号，这正像庄子所讥讽的那个害怕影子却跑到阳光中去的人。我将会看见你像那个人一样，迅速奔跑，大口喘气，干渴而死，然而不能逃脱名声。"居士说："我本就知道不可能逃脱名声，也知道没有必要逃避。我取这个名号，不过是用来记下我的乐趣罢了。"

客曰："其乐如何？"居士曰："吾之乐可胜道哉！方其得意于五物也，太山在前而不见，疾雷破柱而不惊。虽响九奏于洞庭之野[1]，阅大战于涿鹿之原，未足喻其乐且适也。然常患不得极吾乐于其间者，世事之为吾累者众也。其大者有二焉，轩裳

珪组劳吾形于外[2]，忧患思虑劳吾心于内，使吾形不病而已悴，心未老而先衰，尚何暇于五物哉？虽然，吾自乞其身于朝者三年矣。一日天子恻然哀之，赐其骸骨，使得与此五物皆返于田庐，庶几偿其夙愿焉。此吾之所以志也。”

注释

[1]九奏：即“九韶”，虞舜时的音乐。 [2]轩裳珪组：分指古代大臣所乘车驾、所着服饰、所执玉板、所佩印绶，代指官场事物。

译文

客人说：“你的乐趣是什么呢？”居士说：“我的乐趣可以说得尽吗？当自己在这五种物品中得到快乐时，泰山在面前也看不见，迅雷劈破柱子也不惊慌。即使在洞庭湖的原野上奏响《九韶》，在涿鹿大地观看大战役，也不足以形容自己的快乐和舒适。然而常常忧虑不能在这五种物品中尽情享乐，世事给我的拖累太多了。其中大的方面有两个，官车、官服、符信、印绶使我的身体感到劳累，忧患思虑使我的内心感到疲惫，使我没有生病却已经显得憔悴，人没有老而精神已衰竭，还有什么空闲投注在那五种事物上呢？即便如此，我向朝廷请求告老还乡已有三年了。某一天天子动了恻隐之心哀怜我，让我告老还乡，使我能够和这五种事物一起回到田园，差不多就有希望实现自己的愿望了。这便是我记述乐趣的原因。”

客复笑曰："子知轩裳珪组之累其形，而不知五物之累其心乎？"居士曰："不然。累于彼者已劳矣，又多忧；累于此者既佚矣[1]，幸无患。吾其何择哉。"于是与客俱起，握手大笑曰："置之，区区不足较也。"

注释

[1] 佚：快乐。

译文

客人又笑着说："你知道官车、官服、符信、印绶等劳累自己的身体，却不知道那五种事物也会劳累心力吗？"居士说："不是这样。我在官场劳累，不仅劳苦，还有很多忧愁；而用心用力在这些事物上，既快乐，又庆幸没有祸患。这两者，我怎么选择呢？"于是和客人一同站起来，握着手大笑，说："停止辩论吧，区区小事不值得辩论。"

已而叹曰："夫士少而仕，老而休，盖有不待七十者矣[1]。吾素慕之，宜去一也。吾尝用于时矣，而讫无称焉[2]，宜去二也。壮犹如此，今既老且病矣，乃以难强之筋骸贪过分之荣禄，是将违其素志而自食其言，宜去三也。吾负三宜去，虽无五物，其去

宜矣，复何道哉！”熙宁三年九月七日[3]，六一居士自传。

注释

[1]不待七十：古代规定官员七十岁退休。　[2]讫(qì)：竟，终。　[3]熙宁：宋神宗赵顼的年号。

译文

过后，居士叹息说：“读书人从年轻时开始做官，到年老时退休，往往有不到七十岁就退休的人。我素来羡慕他们，这是我想离职的第一个原因。我曾经被重用，但最终没有值得称道的政绩，这是我想离职的第二个原因。壮年时尚且如此，现在既老又多病，凭着难以支撑的身体贪恋不应贪恋的职位俸禄，这将会违背自己平素的意愿，自食其言，这是我想离职的第三个原因。我有这三个离职的原因，即使没有那五种事物，离职也是应当的，还要说什么呢！”熙宁三年九月七日，六一居士自传。

文史链接

名者，实之宾也

在《庄子·逍遥游》中有一则尧和许由的对话，对名和实的关系讲述得非常透彻。尧想把君主的位置禅让给许由，说：“日月都出来了，烛火还不熄灭，烛火和日月比光芒，不是很难吗？下了及时雨，却还在浇水灌溉，这不是白费力气吗？您在位，天下就会太平，而我却占着这个位子。我觉得很惭愧，请允许我把君主的位子让给您。”许由说：“您在位治理天下，天下已经安定下来了。然而我却要取代您，我是为了名吗？名，只是从属于实，是实的宾位。难道我要追求虚名吗？小鸟在深林里筑巢，所需要的不过是一枝树干，偃鼠到河边饮水，只不过喝饱肚子。您请回吧，我要您的君主位子干什么呢？这好比厨师不去做祭品，祭祀的主持者也不会离开自己的位置，而去代替他作厨师的工作。”陈鼓应先生认为，这则故事是在解释“圣人无名”，连带说到“无功”。庄子借助许由说出名和实的关系：名是实的影子。而许由不接受尧的禅让，即是说“无功”。小鸟和偃鼠的比喻都是为了说明世人汲汲于功名，究其根源，在于不知道节制自己的贪欲。如果世人只是热衷于追名逐利，不知道加强自己的修养、锻炼自己的能力，那么，即使出了名，也不过是浮光泡影，很快就会消失。

思考讨论

你读过《醉翁亭记》吗？请找来读一读，和《六一居士传》比较一下，谈谈欧阳修是一位什么样的人。

明　论

苏　洵[1]

天下有大知[2]，有小知。人之智虑有所及，有所不及。圣人以其大知而兼其小知之功，贤人以其所及而济其所不及；愚者不知大知，而以其所不及丧其所及。故圣人之治天下也以常[3]，而贤人之治天下也以时[4]。既不能常，又不能时，悲夫殆哉[5]！夫惟大知，而后可以常；以其所及，济其所不及，而后可以时。常也者，无治而不治者也；时也者，无乱而不治者也。

注释

[1] 苏洵：字明允，眉山（今属四川）人，宋代文学家。

[2] 知：通“智”，智慧。　[3] 常：常道。　[4] 时：时势，时宜。

[5] 殆：危险。

译文

天下有大智慧的人，有小智慧的人。人的智虑，有思虑到的东西，有思虑不到的东西。圣人用他的大智慧来兼顾他小智慧的功效，贤人用他思虑得到的东西来补助他思虑不到的东西；愚人不知道大智慧，用他思虑不到的东西使他丧失思虑得到的东西。所以圣人用常道治理天下，贤人察变时宜来治理天下。既不能用常道，又不能察变时宜，可悲啊，危险！只有大智慧的人，才可以用常道；用他知道的，补救他不知道的，然后可以察变时宜。常道，没有哪种治理情况不可以用此来治理；察变时宜，没有什么乱不可以用此治理。

日月经乎中天[1]，大可以被四海[2]，而小或不能入一室之下，彼固无用此区区小明也[3]。故天下视日月之光，俨然其若君父之威。故自有天地而有日月，以至于今，而未尝可以一日无焉。天下尝有言曰：叛父母，亵神明[4]，则雷霆下击之。雷霆固不能为天下尽击此等辈也，而天下之所以兢兢然不敢犯者[5]，有时而不测也。使雷霆日轰轰焉绕天下以求夫叛父母[6]、亵神明之人而击之，则其人未必能尽，而雷霆之威无乃亵乎！故夫知日月雷霆之分者[7]，可以用其明矣。

注释

[1]经：运行。　[2]被（pī）：遍及。　[3]区区：小，少。[4]亵：亵渎。　[5]兢兢：恐惧的样子。　[6]轰轰：声势浩大。[7]分：职分。

译文

日月在天空运行，它们的光大到可以遍及四海，小到或许不能进入一室之内，它们确实不用这小小的光明。所以天下人看待日月的光明，庄重地好像君主父亲的威严。所以自从有了天地就有日月，直到现在从来没有一天可以没有。民间有俗话说：叛离父母，亵渎神明，雷电就击杀他。雷电固然不能把这样的人都击杀了，但天下之所以有因害怕而不敢触犯的人，是因为有时真的有雷电击杀人而不能预测什么时候发生。假使雷电天天轰隆隆地到处寻找天下背叛父母、亵渎神明的人并击杀他，这些人也不一定都能被击杀，而雷电的威严不是被亵渎了吗？所以知道日月雷电的这一用处，可以明白地利用它。

圣人之明，吾不得而知也。吾独爱夫贤者之用其心约而成功博也，吾独怪夫愚者之用其心劳而功不成也[1]。是无他也，专于其所及而及之，则其及必精；兼于其所不及而及之，则其及必粗。及之而精，人将曰是惟无及，及则精矣。不然，吾恐奸雄之窃笑也[2]。

注释

[1]怪：责难。 [2]奸雄：奸诈出众的人。

译文

圣人的明智，我不能知道。我独爱贤人用心专一而取得大的成功，我独责难愚人用心劳苦却不成功。这没有别的原因，专心于能力所及而谋划，一定能做到很好；对于办不到的事情也想办到，结果一定粗陋。谋划并且成功了，人们将说这只是没有谋划，谋划就会成功。不是这样的话，我恐怕奸雄也会对此暗笑。

齐威王即位[1]，大乱三载，威王一奋而诸侯震惧二十年，是何修何营邪？夫齐国之贤者，非独一即墨大夫[2]，明矣；乱齐国者非独一阿大夫[3]，与左右誉阿而毁即墨者几人，亦明矣。一即墨大夫易知也，一阿大夫易知也，左右誉阿而毁即墨者几人易知也，从其易知而精之，故用心甚约而成功博也。天下之事，譬如有物十焉，吾举其一，而人不知吾之不知其九也。历数之至于九，而不知其一，不如举一之不可测也，而况乎不至于九也。

注释

[1]齐威王：战国时期齐国国君。妫姓，田氏，名因齐，齐桓公田午之子。 [2]即墨大夫：齐威王时齐国的贤臣。[3]阿大夫：齐威王时齐国的佞臣。

译文

齐威王继承王位，齐国大乱三年。威王奋起，诸侯震惊害怕了二十年。这如何整治如何经营啊？齐国的贤人，不是只有一个即墨大夫，这是明显的事情；扰乱齐国的人，不是只有一个阿大夫，大臣中赞美阿大夫而诋毁即墨大夫的有几个人，也是明显的事情。有一个即墨大夫这容易知道，有一个阿大夫这容易知道，左右赞美阿大夫而毁坏即墨大夫的有几个人这容易知道。从容易知道的事情入手而研究得很详细，可见用心很专一就能获得很大成功。天下的事，比如有十件事物，我举出其中的一件，人家不知道我并不知道其他的九件。我一一举出九件，而不知剩下的一件，还不如举出一件而使人不可猜测，何况天下的事不尽于九件。

文史链接

齐威王奋起

据《史记·田敬仲完世家》记载，齐威王即位后，并不用心管理朝政，他把政务都委托给卿大夫办理，自他即位起的九年中，其他诸侯国都认为齐国弱小可欺，纷纷前来攻城略地。如齐威王元年，韩、赵、魏趁着齐国办理丧事，攻打了灵丘；六年，鲁国举兵入侵，攻入阳关；七年，卫国入侵，攻占了薛陵；九年，赵国发兵，攻占了甄地。连年的战火致使齐国社会动荡，人民无法安事生产。见到齐国的社会矛盾都暴露了出来，齐威王便召见即墨大夫，对他说："自从你到即墨主政，我天天听到诋毁你的言论，然而我派人去即墨察看，知道即墨的田野得到开垦，民众丰衣足食，官吏勤勤恳恳，政府没有延误的公务，整个即墨地区都很太平。你遭到诋毁，只不过是因为不向我身边的人行贿。"说完，齐威王赏赐即墨大夫食邑万户。然后，威王又召见阿大夫，说："自从你到阿地主政，我每天都能听到赞美你的话，但我派人去阿地视察，田野荒芜，民众穷困潦倒。从前赵国攻打甄城，你不能救援。卫国已经攻占了薛陵，你还不知道。我常听到身边的人称赞你，这只是因为你贿赂了我身边的人。"当天，威王就下令把阿地的主政大夫烹杀了，同时也把身边曾经向他称赞阿大夫的人一起处罚了。

随后齐威王整顿军务，率军讨伐赵国、卫国，又在浊泽打败了魏军，并且包围了魏惠王的军队。魏惠王割地求和，赵国也归还了齐国的长城。经过这些举措，齐国上下震惊，没有人敢掩饰自己的过错，各自在岗位上尽心竭力地工作，齐国很快就安定下来，日益强盛。自此以后二十多年，其他诸侯国都不敢对齐国用兵。

思考讨论

读了苏洵的《明论》，你认为什么样的人才有大智慧？

学舍记

曾 巩[1]

予幼则从先生受书，然是时，方乐与家人童子嬉戏上下，未知好也。十六七时，窥六经之言与古今文章，有过人者，知好之，则于是锐意欲与之并[2]。而是时，家事亦滋出。自斯以来，西北则行陈、蔡、谯、苦、睢、汴、淮、泗，出于京师；东方则绝江舟漕河之渠，逾五湖，并封禺会稽之山，出于东海上；南方则载大江，临夏口而望洞庭，转彭蠡，上庾岭，由浈阳之泷，至南海上。此予之所涉世而奔走也[3]。

注释

[1] 曾巩：字子固，建昌南丰（今属江西南丰）人，北宋文学家。[2] 锐意：专心致志。 [3] 涉世：经历世事。

译文

我年幼时跟随老师读书，然而那时正乐于和家里的小孩子们

四处嬉戏玩耍，不知道爱好读书。十六七岁时，注意到六经的言论和古今的文章，其中有过人的见解，这时才知道爱好读书，于是专心致志地想要达到古今学者的水平。然而这时，家里不断地有事发生。从此以后，西北方我到过陈州、蔡州、谯县、苦县、睢县、汴水、淮水、泗水流域，到达京师开封；在东方我渡过大江，乘船行走运河，越过五湖，翻过封山、禺山、会稽山，到过东海；在南方我乘船沿江而上，路过洞庭湖，转过彭蠡，翻过庾岭，从浈阳到泷水，抵达南海。这是我进入社会而四处奔走的情形。

蛟鱼汹涌湍石之川，巅崖莽林貙虺之聚[1]，与夫雨旸寒燠风波雾毒不测之危[2]，此予之所单游远寓，而冒犯以勤也。衣食药物，庐舍器用，箕筥碎细之间[3]，此予之所经营以养也。天倾地坏，殊州独哭，数千里之远，抱丧而南，积时之劳，乃毕大事，此予之所遘祸而忧艰也。太夫人所志，与夫弟婚妹嫁，四时之祠，属人外亲之问，王事之输[4]，此予之所皇皇而不足也[5]。

注释

[1] 貙虺（chū huǐ）：貙，猛兽。虺，毒蛇。 [2] 旸（yáng）：天晴。 燠（yù）：热，暖。 [3] 筥（jǔ）：圆底竹筐。 [4] 输：交纳，献纳。这里指赋税。 [5] 皇皇：匆忙的样子。

译文

蛟鱼潜游、波涛汹涌、急流暗礁的大河，险峻的山岩、苍莽的野林、猛兽毒蛇聚居的地方，又有雨淋日晒、严寒酷暑、大风大浪、浓雾毒瘴，到处都有不可预测的危险，这是我独在异乡，遇到的各种艰难困苦。衣食药品、房屋器物，以及簸箕、竹筐等琐碎细小的事物，都是我要为生活操心的事情。那年，父亲忽然去世，一下子犹如天崩地裂一般，我远在他乡独自痛哭，从数千里之外，扶着父亲的灵柩南归。经过很长时间的操劳，才完成父亲安葬的大事，这是我家中遭遇大祸而忧愁艰辛的情形。母亲的愿望，弟弟妹妹的婚事，四时的祭祀，内外亲友之间的庆吊，向官府缴纳各种赋税，这些是我天天忙碌而不能完全办好的事情。

予于是力疲意耗，而又多疾，言之所序[1]，盖其一二之粗也。得其闲时，挟书以学，于夫为身治人，世用之损益，考观讲解[2]，有不能至者。故不得专力尽思，琢雕文章，以载私心难见之情，而追古今之作者为并，以足予之所好慕，此予之所自视而嗟也。

注释

[1]序：叙说。　　[2]考观：研究审察。

译文

为了这些事，我筋疲力尽，而又常有病痛，能言说的艰难，

不过是粗略的一两点罢了。得到一点空闲，我就捧书学习，对于修身治民，社会历史的损益，很多方面我都没有好好地考察分析。因此，我不能够专心地思考，雕琢文章，抒发个人内心中难以表达的感想，追赶古今学者，达到他们的水平，以满足对他们的喜好仰慕，这是我反观自己而叹息的事情。

今天子至和之初[1]，予之侵扰多事故益甚，予之力无以为，乃休于家，而即其旁之草舍以学。或疾其卑，或议其隘者，予顾而笑曰："是予之宜也。予之劳心困形，以役于事者，有以为之矣。予之卑巷穷庐，冗衣砻饭[2]，芑苋之羹[3]，隐约而安者[4]，固予之所以遂其志而有待也。予之疾则有之，可以进于道者，学之有不至。至于文章，平生所好慕，为之有不暇也。若夫土坚木好高大之观，固世之聪明豪隽挟长而有恃者所得为，若予之拙，岂能易而志彼哉？"遂历道其少长出处，与夫好慕之心，以为《学舍记》。

注释

[1] 至和：宋仁宗赵祯的年号。 [2] 砻（lóng）：磨去稻壳。
[3] 芑苋（qǐ xiàn）：野菜。 [4] 隐约：穷困。

译文

当今皇帝的至和初年，我遭遇的侵扰和事故更多了，我的能力无法应对，于是回家休息，在屋外的茅草舍读书。有人嫌茅屋低矮，有人认为太狭小，我看看茅屋，笑着说："这很适合我。我劳心劳力，奔走于事，是有原因的。我住在小巷陋室，粗衣淡饭，喝野菜汤，虽然穷困，但感到心安，正是为了达成心愿而等待时机。我的遗憾是，本可掌握圣贤的大道，可是学问还达不到。至于文章，是我平生的爱好，常常写作没有空闲过。至于那些建筑坚固、木材良好、高大壮观的房屋，本是世上那些聪明豪俊、有优越条件和强大势力依靠的人才能修得起的，像我这么愚拙的人，哪能改变自己的志向而去想那些事呢？"于是我详细地叙述了自己从小到大的成长经历，以及个人的爱好和向往，写成这篇《学舍记》。

文史链接

学而时习之

"学而时习之"是《论语》的第一句话，其中告诉我们学习的方法在于"时习"。习即为练习，包括理论知识的温习和实践。而对于"时"，一般遵从宋代理学家朱熹的解释，他认为"时"是"时常"。但魏晋经学家王肃说："时者，学者以时诵习之。"显然，"时"不仅仅有时常的意思，它还指"一定的时候"（杨伯峻语）。

南梁经学家皇侃认为，学有三时。第一，身中时，即人在不同的阶段有不同的学习，如果在某一阶段错过了，再想补学就会感到很困难了，所以《礼记·学记》上说："时过然后学，则勤苦而难成。"这一点在古代文献中有明确的记载，如《礼记·内则》曰："十有三年，学《乐》，诵《诗》，舞《勺》。十五成童，舞《象》，

学射御。”孔子也曾描述过他在不同年龄阶段的不同学习状态，他说：“吾十有五志于学，三十而立，四十而不惑，五十而知天命，六十而耳顺，七十而从心所欲，不逾矩。”第二，年中时，即一年四季有不同的学习内容。《礼记·王制》曰：“春秋教以《礼》、《乐》，冬夏教以《诗》、《书》。”《礼记·文王世子》曰：“春诵，夏弦，秋学礼，冬读书。”这两处文献都记载了春天学《乐经》、夏天学《诗经》、秋天学《礼经》、冬天学《书经》，为什么如此说呢？郑玄解释说：“春夏，阳也。《诗》、《乐》者声，声亦阳也。秋冬，阴也。《书》、《礼》者事，事亦阴也。”“阳用事则学之以声，阴用事则学之以事，因时顺气，于功易也。”第三，日中时，即每天如何学习。《礼记·学记》曰：“君子之于学也，藏焉，修焉，息焉，游焉。”钱穆先生认为这是说每天温习、进修、休息、游散，都依时为之。

思考讨论

谈谈你对曾巩“得其闲时，挟书以学”的看法。

洪渥传

曾　巩

洪渥，抚州临川人[1]。为人和平。与人游，初不甚欢，久而有味。家贫，以进士从乡举，有能赋名。初进于有司，辄连黜。久之乃得官。官不自驰骋[2]，

又久不进[3]，卒监黄州麻城之茶场以死[4]。死不能归葬，亦不能还其孥[5]。渥里中人闻渥死[6]，无贤愚皆恨失之。

注释

[1] 抚州临川：今江西临川。　[2] 驰骋：奔走。这里指得意。[3] 进：晋升。　[4] 黄州麻城：今湖北麻城。　[5] 孥（nú）：妻子儿女。　[6] 里中人：同乡同里的人。

译文

洪渥是抚州临川人。为人平易和气。和别人交游，开始时不很讨喜，交往久了就感觉他很有人格魅力。他家里贫穷，由乡里贡举，参加进士科考试，有擅长作赋的才名。他多次参加考试，都是起初被考官选中，但又立即被除名。很久才得到官职。做官后又不得意，很久不能升职，最后死于黄州麻城茶场的监任上。他死后，家人没有能力使他归葬，也没有余财使他的妻子儿女返回家乡。洪渥的乡里人听说他死了，无论贤愚，人人都为之遗憾。

予少与渥相识，而不深知其为人。渥死，乃闻有兄年七十余，渥得官时，兄已老，不可与俱行。渥至官，量口用俸[1]，掇其余以归，买田百亩居其兄，复去而之官，则心安焉。渥既死，兄无子，数使人至麻城抚其孥，欲返之而居以其田，其孥盖弱

力不能自致，其兄益已老矣，无可奈何，则念辄悲之。其经营之犹不已，忘其老也。渥兄弟如此无愧矣。渥平居若不可任以事，及至赴人之急，早夜不少懈[2]，其与人真有恩者也。

注释

[1]口：人口。　　[2]少：稍，略微。

译文

我小时候和洪渥相识，但不是很了解他的为人。洪渥去世后，才听说他有一个哥哥年纪已七十多了，洪渥得到官职时，他哥哥已经老了，不能和他一起去做官的地方。洪渥到任后，尽量节用俸禄，把余下的钱拿回故乡，买了百亩田，安顿他哥哥，然后回到任上，才感到安心。洪渥去世后，他哥哥没有儿子，多次派人到麻城，安抚他的妻儿，想要让他们返回家乡，用那些田产使他们安顿下来，他的妻儿因为贫弱不能回到故乡，他的哥哥也已经更加老迈了，没有办法，一想起她们就悲痛不已。但他的哥哥仍勉力经营田产，好像忘记自己已老了。洪渥兄弟之间能做到这样，可以相互没有愧疚了。洪渥平时看起来好像是不能担当事情的人，等到别人有急难需要他帮忙时，他不论早晚都不会稍有懈怠。他对别人有真正的恩情。

予观古今豪杰士传，论人行义，不列于史者，往往务摭奇以动俗[1]，亦或事高而不可为继，或伸一人之善而诬天下以不及，虽归之辅教警世，然考之中庸或过矣[2]。如渥所存，盖人之所易到，故载之云。

注释

[1] 摭(zhí):拾取,选取。　[2] 中庸:儒家的一种道德标准,指做人处事要守正不偏，无过不及。

译文

我读古今杰出人物的传记，其中论说他们的侠义行为，不能被写进正史的人，往往一定要选取他们奇特的事感动世俗，或者所写的事迹太高尚，使人无法效仿，或者夸大一个人的善行而污蔑天下的人都赶不上他，这样写虽然是为了辅助教化、警醒世人，然而以中庸的标准来看，未免过分了。像洪渥这样为人处世，是人人容易做到的，所以我记下了他的事迹。

文史链接

中　庸

《中庸》是西汉戴圣所编的《礼记》中的一篇文章。唐代孔颖达修订官方的《礼记正义》,把《中庸》定为第三十一篇,编为两卷,不分章。到了宋代，“二程”对《中庸》非常欣赏，对它多有新的阐释。“二程”之后，朱熹把《中庸》和《大学》从《礼记》中单独抽出，与《论语》、《孟子》合编为《四书章句集注》，其中《中庸》首次被分为三十三章，朱熹对《中庸》的推崇和阐释逐渐引

起学者对《中庸》的广泛注意。元仁宗皇庆二年（1313），皇帝下诏把《四书章句集注》定为科举考试的标准教科书。从此以后,《中庸》成为读书人的必读书,《中庸》的思想也逐渐被世人所认同。

关于《中庸》的作者，司马迁在《史记·孔子世家》中说:“子思作《中庸》。”子思是孔子的孙子。东汉郑玄在《三礼目录》中也认为《中庸》是“孔子之孙子思作之，以昭明圣祖之德也”。唐代陆德明、孔颖达都采用这一说法。到了宋代，二程、朱熹仍然肯定《中庸》是子思所作，但欧阳修、吕祖谦等学者开始从思想内容、作者年龄、篇数等方面怀疑这个判断。现代新儒家冯友兰先生分析认为：“《中庸》实际上是生活在秦代或汉代的孟子学派的儒家著作。”出土材料为这一问题提供了新的论断，郭店楚简中有不少可以视为儒学的内容，其中“《五行》篇以道德主题为核心而展开的道德形上学和伦理道德论，与《中庸》的思想内容基本吻合。它所达到的理论高度，旁证了《中庸》并非不可能出现于孟子之前。”（胡治洪的《中庸新诠》）

《中庸》集中论述了儒家的道德理想。孔子曰:“中庸之为德也，其至矣乎，民鲜久矣。”可见，中庸是至高的德行。郑玄云：“庸，常也，用中为常道也。”《论语·尧曰》曰：“咨！尔舜，天之历数在尔躬，允执其中，四海困穷，天禄永终。”“用中”、“执中”是达到中庸的方法。那么什么是“用中”、“执中”呢？对此，孔子有非常精妙的论说，他说:“吾有知乎哉？无知也。有鄙夫问于我，空空如也，我叩其两端而竭焉。” 执中即为“叩其两端而竭”。从这里可以看出，中庸不是耍滑头、和稀泥，而是恰当地处理事情，在这种恰如其分的行为中达到一种高明的人生境界。

思考讨论

读了《洪渥传》，你是否同意平凡人也能有不平凡的境界？

训俭示康[1]

司马光[2]

吾本寒家，世以清白相承。吾性不喜华靡，自为乳儿，长者加以金银华美之服，辄羞赧弃去之[3]。二十忝科名[4]，闻喜宴独不戴花[5]，同年曰[6]：“君赐，不可违也。”乃簪一花。

注释

[1]康：司马光的儿子。 [2]司马光：字君实，陕州夏县（今山西夏县）人，北宋政治家。 [3]辄：总，就。 [4]忝：谦词，有愧于。 [5]闻喜宴：皇帝赐予新科进士宴会的代称，参加者要簪花。 [6]同年：同榜考取的人。

译文

我原本出生在贫寒的家庭，代代传承清白的家风。我生性不喜欢豪华奢侈，从婴儿时起，长辈给我穿饰有金银的华美衣服，我总是脸红地扔掉它。我二十岁忝列在进士的科名中，参加闻喜宴时，只有我不戴花，同年说：“花是君王所赐，不能不戴。”我才在帽檐上插了一朵花。

平生衣取蔽寒，食取充腹，亦不敢服垢弊以矫俗干名[1]，但顺吾性而已。众人皆以奢靡为荣，吾心独以俭素为美。人皆嗤吾固陋，吾不以为病，应之曰："孔子称与其不逊也宁固。"又曰："以约失之者鲜矣！"又曰："士志于道而耻恶衣恶食者，未足与议也！"古人以俭为美德，今人乃以俭相诟病。嘻！异哉！

注释

[1] 垢弊：脏烂的衣服。　干（gān）：求取。

译文

我平时穿衣服只求能抵御寒冷，吃东西只求填饱肚子，也不敢故意穿脏烂的衣服，故意用不同流俗的姿态来求取功名，只是顺着我的本性行事罢了。许多人都把奢侈看作光荣，独我把节俭朴素看作美德。别人都讥笑我固执、不大方，我不认为这是缺点，回答他们说："孔子说：'与其骄纵，毋宁固陋。'"又说："因为俭约而犯过失的很少。"又说："有志于探求真理但却以吃得不好、穿得不好为羞耻的读书人，不值得和他交谈。"古人把节俭视作美德，现在的人却因节俭而相讥讽，嘻！奇怪呀！

近岁风俗尤为侈靡，走卒类士服，农夫蹑丝履[1]。

吾记天圣中[2]，先公为群牧判官[3]，客至未尝不置酒，或三行五行[4]，多不过七行。酒沽于市，果止于梨栗枣柿之类，肴止于脯醢菜羹[5]，器用瓷漆，当时士大夫家皆然，人不相非也。会数而礼勤[6]，物薄而情厚。

注释

[1]蹑：穿。　[2]天圣：宋仁宗赵祯的年号。　[3]先公：这里指司马光去世的父亲司马池。　[4]行：斟酒一遍。　[5]脯醢（hǎi）：干肉和肉酱。　[6]会数：会晤频繁。

译文

近年风气尤其奢侈浪费，当差的人大都穿士人的衣服，农夫穿丝织品做的鞋。我记得天圣年间，我的父亲作群牧司判官时，客人来了，未尝不摆设酒席，有时斟酒三遍，有时斟五遍，最多不超过七遍。在市场上买酒，水果限于梨、栗子、枣、柿子之类，酒菜限于干肉、肉酱、菜汤，食具用瓷器和漆器，当时士大夫家家如此，人们不相互讥笑非议。聚会次数多而礼仪殷勤，食物少而感情深厚。

近日士大夫家，酒非内法[1]，果肴非远方珍异，食非多品，器皿非满案，不敢会宾友，常数月营聚[2]，然后敢发书[3]，苟或不然，人争非之，以为鄙吝，故不随俗靡者盖鲜矣[4]。嗟乎！风俗颓弊如是，居位者虽不能禁，忍助之乎？

注释

[1] 内法：宫廷秘法。 [2] 营聚：经营聚集。 [3] 书：请柬。 [4] 鲜（xiǎn）：少。

译文

近来士大夫家，酒不是用宫内酿酒的方法酿造，水果、酒菜不是远方的奇异珍品，食物不是品类丰富，食具不是摆满桌子，就不敢招待客人朋友，常常准备几个月，然后才敢发请柬，如果有人不这样做，人们就争相非议他，认为他小气，因此不跟着习俗奢侈的人，就很少了。唉！风气败坏成这个样子，执政者即使不能禁止，难道忍心助长这种风气吗？

又闻昔李文靖公为相[1]，治居第于封邱门内[2]。厅事前仅容旋马[3]，或言其太隘，公笑曰："居第当传子孙，此为宰相厅事诚隘，为太祝、奉礼厅事已宽矣。"参政鲁公为谏官[4]，真宗遣使急召之，得于酒家，既入，问其所来，以实对。上曰："卿为清望官，奈何饮于酒肆？"对曰："臣家贫，客至，无器皿肴果，故就酒家觞之[5]。"上以无隐，益重之。

注释

[1]李文靖公：李沆，宋太宗、真宗时的宰相，文靖是谥号。[2]居第：住宅。 [3]旋马：牵马掉头转身。 [4]参政鲁公：鲁宗道，北宋贤臣。 [5]觞之：备酒招待客人。

译文

又听说从前李文靖公做宰相时，在封邱门内修筑住宅。厅堂前面仅仅能够牵马转个身，有人说太狭窄了，他笑说："住宅是要传给子孙的，这里作为宰相的厅堂，确实狭窄，但用作太祝、奉礼的厅堂已经够宽敞了。"参政鲁公做谏官时，真宗皇帝派人紧急召见他，在酒馆里找到他，鲁公入宫后，真宗皇帝问他从哪里来，他如实地回答。皇上说："您是清望官，为什么在酒馆里喝酒？"他回答说："臣家里贫寒，客人来了，没有食具、酒菜、水果，所以就到酒馆招待客人。"皇上因为他说话坦率，更加器重他。

张文节为相[1]，自奉养如为河阳掌书记时[2]。所亲或规之，曰："公今受俸不少，而自奉若此，公虽自信清约，外人颇有公孙布被之讥[3]，公宜少从众[4]。"公叹曰："吾今日之俸，虽举家锦衣玉食，何患不能！顾人之常情，由俭入奢易，由奢入俭难。吾今日之俸，岂能常存？一旦异于今日，家人习奢已久，不能顿俭[5]，必致失所。岂若吾居位去位、身存身亡常如一日乎？"呜呼！大贤

之深谋远虑，岂庸人所及哉！

注释

[1] 张文节：张知白，宋真宗、仁宗时的宰相，文节是谥号。[2] 河阳：今河南孟县西。　[3] 公孙布被之讥：汉代的公孙弘把俸禄给宾客花费，自己用的被子是布制的，有人讥讽他这是奸诈。[4] 少：稍，略微。　[5] 顿：立刻。

译文

张文节当宰相时，自定生活水平如同做河阳节度判官时一样。有朋友劝他说："您现在领取的俸禄不少，却过得这样节俭，您虽然自信清廉节俭，但外人会有讥评，说您如同公孙弘盖布被子那样矫情。您应该稍稍顺从众人的做法。"他感叹道："我如今的俸禄，即使全家穿绸缎的衣服，吃珍贵的饮食，又有什么做不到的！但考虑到人之常情，由节俭到奢侈容易，由奢侈到节俭困难。我今天的俸禄，哪能长期享有？一旦与现在不一样了，家里的人习惯于奢侈生活久了，不能立刻节俭，一定会饥寒无依。哪里比得上我做官或不做官、活着或死亡，生活都固定一个标准呢？"唉！大贤之人的深谋远虑，哪里是一般人能比得上的！

御孙曰[1]："俭，德之共也；侈，恶之大也。"共，同也，言有德者皆由俭来也。夫俭则寡欲，君子寡欲，则不役于物，可以直道而行；小人寡欲[2]，则能谨身节用，远罪丰家。故曰："俭，德之共也。"侈则

多欲，君子多欲则贪慕富贵，枉道速祸[3]；小人多欲则多求妄用，败家丧身，是以居官必贿，居乡必盗。故曰："侈，恶之大也。"

注释

[1] 御孙：春秋时鲁国人。　[2] 小人：地位低下的人。　[3] 速：很快招致。

译文

御孙说："节俭，是各种品德的共有特点；奢侈，是各种罪恶中的大罪。"共，即同，是说有德的人都是由节俭做起。节俭就少贪欲，地位高的人少贪欲，就不为外物所役使，可以走正直的道路；地位低下的人少贪欲，就能约束自己，节约用度，避免犯罪，丰裕家室。所以说："节俭是各种品德的共有特点。"奢侈就会多贪欲，地位高的人多贪欲就会贪图富贵，不走正路，招致祸患；地位低下的人多贪欲，就会多方营求，随意浪费，败家丧身，因此做官必定贪赃受贿，在乡间必定盗窃。所以说："奢侈是各种罪恶中的大罪。"

昔正考父饘粥以糊口[1]，孟僖子知其后必有达人[2]；季文子相三君[3]，妾不衣帛，马不食粟，君子以为忠；管仲镂簋朱纮[4]，山楶藻棁[5]，孔子鄙其小器；公叔文子享卫灵公[6]，史鳅知其及祸[7]，

及戌[8]，果以富得罪出亡；何曾日食万钱[9]，至孙以骄溢倾家；石崇以奢靡夸人[10]，卒以此死东市；近世寇莱公豪侈冠一时[11]，然以功业大，人莫之非，子孙习其家风，今多穷困。其余以俭立名、以侈自败者多矣！不可遍数，聊举数人以训汝，汝非徒身当服行，当以训汝子孙，使知前辈之风俗云。

注释

[1] 正考父：春秋时宋国人，地位越高行为越检点。 [2] 孟僖子：春秋时鲁国大夫。 [3] 季文子：季孙行父，春秋时鲁国大夫。 相：辅佐。 [4] 管仲：春秋时政治家，辅佐齐桓公称霸。 镂簋（guǐ）朱纮（hóng）：镂，刻上花纹。簋，古代盛食物的圆形器物。朱，涂上红色。纮，古代帽子的系带。 [5] 山楶（jié）藻棁（zhuó）：山楶，将柱子顶端横梁的方形木块刻成山形。藻棁，在大梁的短柱子上画水藻。 [6] 公叔文子：公叔发，春秋时卫国大夫。 享：宴请。 [7] 史鳍（qiū）：春秋时卫国大夫。 [8] 戌：公叔文子的儿子。 [9] 何曾：西晋时的宰相，生活奢侈。 [10] 石崇：西晋人，当时的富豪，曾与贵族王恺、羊琇斗富。 [11] 寇莱公：寇准，宋朝名相，封莱国公。

译文

古时候正考父用稀粥维持生活，孟僖子推知正考父的后代必定有显达的人；季文子辅佐了三任国君，他的妻子不穿丝绸，马不喂小米，有君子认为他忠于公室；管仲使用刻有花纹的食具、红色的帽带，房屋上有刻着山岳的斗栱，梁上画有水藻的短柱，孔子批评他见识不高；公叔文子宴请卫灵公，史鳍知道他要遭到灾祸，到了他的儿子公孙戌，因为富裕获罪，出国逃亡；何曾一天吃喝要花费上万钱，到了孙子这一代因为傲慢奢侈而倾尽家产；石崇以奢侈向人夸耀，终于因此而死在刑场上；近世寇莱公的豪华奢侈，堪称第一，但是因为他功业大，所以人们不批评他，他的子孙习染家风，现在多数穷困。其他因为节俭而立下好名声，因为奢侈而自招祸患的事例很多，不能一一列举，姑且举几个人的例子来教诲你，你不但要自身履行节俭，还应当以节俭教诲你的子孙，使他们了解前辈的作风习惯。

文史链接

资治通鉴

《资治通鉴》是司马光主持编写的一部编年史巨著。为什么编修这部书呢？司马光认为有两个原因。其一，为读书人读历史提供便利，他认为："从《春秋》之后，迄今千余年，《史记》至《五代史》，一千五百卷，诸生历年莫能竟其篇第，毕世不暇举其大略，厌烦趋易，行将泯绝。"其二，为皇帝提供治国的历史经验。他说："每患迁、固以来，文字繁多，自布衣之士，读之不遍，况于人主，日有万机，何暇周览！臣常不自揆，欲删削冗长，举撮机要，专取关国家盛衰，系生民休戚，善可为法，恶可为戒者，为编年一书，使先后有伦，精粗不杂。"

司马光在主持编写《资治通鉴》前，已经有编写类似史书的经验。英宗在位时，司马光就依照《左传》的体例，把从周威烈

王二十三年到秦二世三年之间的历史编成《通志》，并在治平三年四月，将这部书献给了英宗。英宗对这部书称赞有加，下令成立专门的机构，由司马光主持编撰工作。神宗即位后，司马光把新编写的稿子献给神宗。神宗认为《通志》一名，不是很好，于是改名为《资治通鉴》，意思是“以鉴于往事，有资于治道”。自此，司马光带领刘恕、刘放、范祖禹等，殚精竭虑于编撰工作，直到神宗元丰七年十二月，前后耗时近十九年才全部完稿。

《资治通鉴》在史料的选取上非常广泛，清代胡元常仅根据《通鉴考异》所载的书名，就录出《资治通鉴》引用了二百七十二种书籍。清代钱大昕评价说："读十七史，不可不兼读《通鉴》。《通鉴》之取材，多有出于正史之外者，又能考诸史之异同而裁正之。昔人所言，事增于前，文省于旧，唯《通鉴》可以当之。”但《通鉴》并不是完美无缺：首先它仍是一部卷帙浩繁的巨著，很难读完，而且不容易查找到某一历史事件，为此，司马光另外编修了《通鉴目录》；其次，它主要是为皇帝提供历史借鉴而编，所以过于偏重政治方面，而在政治方面又偏重于皇帝的统治经验和方法。

《资治通鉴》的影响非常大。在南宋，就已经有司马康的海陵本释文、史炤的《资治通鉴释文》、蜀费氏本《通鉴音释》。还有许多关于《资治通鉴》的补正研究著作，如宋代袁枢的《通鉴纪事本末》、朱熹的《通鉴纲目》、明代严衍的《资治通鉴补》等等。在诸多的研究注本中，胡三省的注本最有价值。

思考讨论

《训俭示康》中说："由俭入奢易，由奢入俭难。”你如何理解这句话？

西　铭[1]

张　载[2]

乾称父，坤称母[3]；予兹藐焉，乃混然中处。故天地之塞[4]，吾其体；天地之帅[5]，吾其性。民吾同胞，物吾与也[6]。大君者[7]，吾父母宗子[8]；其大臣，宗子之家相也。尊高年，所以长其长；慈孤弱，所以幼吾幼。圣其合德，贤其秀也。

注释

[1]《西铭》本为《正蒙·乾称》的首段，又被张载称为《订顽》。后来二程十分欣赏，将之改名为《西铭》，朱熹为《西铭》作注，成为独立的一篇文章。　[2]张载：字子厚，大梁（今河南开封）人，因居于陕西凤翔郿县横渠镇，所以人称“横渠先生”。[3]乾称父，坤称母：引自《周易·说卦》“乾，天也，故称乎父；坤，地也，故称乎母”。　[4]塞：充塞。　[5]帅：统帅。[6]与：同伴。　[7]大君：君主。　[8]宗子：嫡长子。

译文

天是父亲，地是母亲，我这么渺小，和天地相合而位于天地之中。充满天地间的气，构成我的身体；天地的意志，形成我的性情。所有的人都是我的同胞，万物都是我的朋友。君主是我父母的嫡长子；大臣是帮助嫡长子治理的人。尊敬年长的人，如同侍奉自己的长辈；照顾年幼的人，如同爱护自己的子弟。合乎道德的人为圣人，有优异才能的人为贤人。

凡天下疲癃残疾[1]、茕独鳏寡，皆吾兄弟之颠连而无告者也[2]。于时保之[3]，子之翼也；乐且不忧，纯乎孝者也。违曰悖德，害仁曰贼；济恶者不才，其践形，唯肖者也。知化则善述其事，穷神则善继其志。不愧屋漏为无忝[4]，存心养性为匪懈[5]。

注释

[1] 疲癃（lóng）：衰老多病。 [2] 颠连：狼狈困苦的样子。 [3] 时：是。 [4] 屋漏：室内隐僻处。 忝：羞愧。 [5] 匪懈：不懈怠。

译文

凡是天下衰老多病、残疾、孤儿、鳏夫、寡妇等，都是我困苦而无人照管的兄弟。照顾他们，是你对天地父母的扶助和尊敬；乐于帮助他人而不以为忧，才是真正的孝顺。不顺从父母之命，就是悖德，伤害仁爱，就是贼人；助长做坏事就不是有用之才，能把本性呈现出来，才像父母的儿子。知道天地自然化育，才能很好地赞助天地的功业，穷究天地自然的神妙作用，才能很好继承天地的意志。独自在室内没有为某事感到羞愧，才对得起天地父母，持守本心、修养性情，便是不懈怠。

恶旨酒[1]，崇伯子之顾养[2]；育英才，颍封人

之锡类[3]。不弛劳而厎豫[4]，舜其功也；无所逃而待烹，申生其恭也[5]。体其受而归全者，参乎[6]！勇于从而顺令者，伯奇也[7]。富贵福泽，将厚吾之生也；贫贱忧戚，庸玉女于成也[8]。存，吾顺事，没，吾宁也。

注释

[1] 旨酒：美酒。 [2] 崇伯子：禹，古代的圣王。 [3] 颍封人：颍考叔，郑国大夫。 锡：通"赐"。 [4] 不弛劳：竭尽全力。 厎豫：厎，致，达到。豫，安乐。 [5] 申生：晋献公的世子。据《礼记·檀弓》记载，晋献公要杀他，他不逃跑而就死。 [6] 参：孔子的弟子曾参。 [7] 伯奇：周大夫尹吉甫的儿子，因为后母的离间，被父亲逐出家门。 [8] 庸玉女：庸，用。女，汝。

译文

厌恶美酒，是大禹保养本心的方法；教育贤才，是颍考叔对人民的贡献。竭尽全力侍奉父亲，使他感到快乐，是舜的孝行；不逃走而等死，是申生对父亲的恭敬。保全受之于父母的身体，直到死去，这是曾参！勇敢地顺从父亲而听从父命离开家，这是伯奇。富贵、福气、恩泽，是上天厚待我的生命；贫贱愁苦，是上天用来锻炼我、成就我。活着，我顺着天理行事，死了，我得到安宁。

文史链接

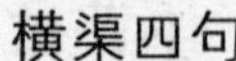

横渠四句

张载，人称横渠先生。是宋明理学的主要奠基人之一。《张子语录》记载他说过这样四句话："为天地立心，为生民立道，为往圣继绝学，为万世开太平。"后来，这四句话被朱熹收录在《近思录·为学》中。黄宗羲的《宋元学案·横渠学案》中引述为："为天地立心，为生民立命，为往圣继绝学，为万世开太平。"此后，这四句广为流传，不仅是张载一生为学的宗旨，也被士人视为读书的目的。

现代新儒家冯友兰先生曾多次引述这四句话，并称之为"横渠四句"。他在《新原人·自序》中说："为天地立心，为生民立命，为往圣继绝学，为万世开太平，此哲学家所应自期许者也。"在《中国哲学史新编》的总结部分，冯先生对横渠四句进行了详细解释。他认为，这四句简明地说出了人的特点，即说明了人之所以为人，人与禽兽的本质区别是什么。第一句"为天地立心"是说虽然地球上的万物是自然的产物，但历史文化是人的创造，人在创造历史文化的时候，就是为天地立心。第二句"为生民立命"，是说人在世上会遭遇到各种幸与不幸，但这不是人所能控制的，立命即是人在认识到这一点之后，能够做到顺其自然，只做个人该做的事。第三、四句都是进一步在讲人之所以为人，对人的本质理解得最透彻，并且最能在实践中将人的本质体现出来，这样的人是圣人，圣人最宜于为王，能够带领民众达到太平。

冯友兰先生对横渠四句的解释很有道理，而另一位现代儒宗马一浮先生的解释更有精彩之处。在《泰和会语·横渠四句教》中，马先生说："昔者张横渠先生有四句话，今教诸生立志，特为拈出。希望竖起脊梁，猛著精彩，依此立志，方能堂堂地做一个人。须知人人有此责任，人人具此力量。切莫自己诿卸，自己菲薄。此便是仁以为己任的榜样，亦是今日讲学的宗旨，慎勿以为空言而忽视之。”对于第一句，马先生认为天地以生物为心，人心以恻隐为本，人如果能够做到仁民爱物，便是为天地立心。第二句“为生民立命。”他认为儒者成不独成，不仅能存养自己的本心、本性，而且能使其他人也保全各自的天性。第三句“为往圣继绝学”，是说我们每个人都具有和圣人一样的本性，但圣人比我们先觉知本性、本心，一般人不知道“圣贤分上事，即吾性分内事。”因此，我们要有担当，要努力修养自身，和以往的圣人一样觉醒到自己的本心。第四句“为万世开太平。”太平不是乌托邦，如果人人都能够努力依本心而行，王道政治终究有实现的那一天。

综观之，冯友兰先生和马一浮先生都极为推崇横渠四句，认为这是讲人之所以为人的道理。横渠四句不仅是孔孟以来儒学思想的集中表达，也是中国人所追求的最高人生境界。

思考讨论

你知道“民胞物与”是什么意思吗？

君子斋记

王安石[1]

天子诸侯谓之君，卿大夫谓之子，古之为此名也，所以命天下之有德。故天下之有德，通谓之君子[2]。有天子、诸侯、卿大夫之位，而无其德，可以谓之君子，盖称其位也；有天子、诸侯、卿大夫之德而无其位，可以谓之君子，盖称其德也。

注释

[1] 王安石，字介甫，抚州临川（今江西抚州）人，宋代思想家、政治家。 [2] 通：皆。

译文

天子和诸侯称为君，卿大夫称为子，古代用这些名词称呼天下有德行的人。所以天下有德行的人，都称为君子。有天子、诸侯、卿大夫的权位而没有与权位匹配的德行，可以称为君子，这是称呼他的地位；有与天子、诸侯、卿大夫的权位相匹配的德行而没有那些权位，也可以称为君子，这是称呼他的德行。

位在外也，遇而有之，则人以其名予之，而以貌事之[1]；德在我也，求而有之，则人以其实予之，而心服之。夫人服之以貌而不以心，与之以名而不以实，能以其位终身而无谪者，盖亦幸而已矣[2]。故古之人以名为羞，以实为慊[3]，不务服人之貌[4]，而思有以服人之心。非独如此也，以为求在外者，不可以力得也。故虽穷困屈辱，乐之而弗去，非以夫穷困屈辱为人之乐者在是也，以夫穷困屈辱不足以概吾心为可乐也已。

注释

[1]貌：容貌，表面。 [2]幸：侥幸。 [3]慊（qiè）：满足。 [4]务：致力于。

译文

权位是外在的东西，凭借机遇而得到，人们把君子的称呼给予在位者，礼貌地对待他；德行是自我的东西，追求了才能得到，人们把君子的内涵赋予有德者，内心敬服他。如果有这样的人，人们对他表面上服从而内心不敬，以君子的虚名称呼他而不承认他具有君子的内涵，那么即使他能够终身都处在权位上而不遭贬黜，也只是侥幸罢了。所以古人把徒有虚名视为羞耻，名副其实才满足，不致力于使人表面恭敬，而考虑如何让别人从内心敬服。不仅如此，他们认为追求外在的东西，不能凭外力强求。所以虽然穷困受屈辱，但乐在其中而不摆脱，这不是把穷困屈辱当做快乐，而是认为穷困屈辱不足以妨碍我心中有可以快乐的东西。

河南裴君主簿于洛阳[1]，治斋于其官，而命之曰“君子”。裴君岂慕夫在外者，而欲有之乎？岂以为世之小人众，而躬行君子者独我乎？由前则失己，由后则失人。吾知裴君不为是也，亦曰勉于德而已。盖所以榜于其前[2]，朝夕出入观焉，思古之人所以为君子，而务及之也。

注释

[1]主簿：官名。这里指任职主簿。 [2]榜：告示。这里指挂起来。

译文

河南人裴君在洛阳任主簿的时候，在住处修建了一处书斋，命名为“君子”。裴先生难道是羡慕外在的权位而想要得到吗？难道是以为世上有很多小人，而身体力行的君子只有自己吗？如果是因为前者就失去了自我，如果是因为后者就失去他人。我知道裴先生是不会这样想的，只是在德行方面勉励自己罢了。之所以把“君子”两字挂在书斋前，是为了早晚进出都能看到，思虑古代君子之所以为君子的原因，而努力达到它。

独仁不足以为君子，独智不足以为君子，仁足以尽性，智足以穷理，而又通乎命，此古之人所以为君子也。虽然，古之人不云乎“德輶如毛，毛犹有伦[1]。”未有欲之而不得也。然则裴君之为君子也，孰御焉[2]。故余嘉其志，而乐为道之。

注释

[1]语出《礼记·中庸》。 [2]御：阻止。

译文

只有仁爱，不足以称为君子，只有智慧，也不足以称为君子，仁爱能够尽显人的天性，智慧能够穷尽事物的道理，而且还能通达天命，这是古代君子之所以称为君子的原因。虽然如此，但古人不是说："德行像毛一样，毛尚且有条理。"没有想成为君子而做不到的。况且裴先生成为君子的志向，谁能阻止？所以我嘉赏他的志向，并且高兴地写下了这些话。

文史链接

王安石变法

北宋仁宗嘉祐三年，王安石从地方被召回京师，任三司度支判官，预示变法的开始。王安石在调回京师前，曾转任各地，对下层民众的穷苦和社会风俗的败坏有极为清晰的认识，于是在调回京师后，他向仁宗呈上《上仁宗皇帝言事书》，主张变法改革。仁宗没有采纳他的变法主张，但这次上书后，王安石的声誉随着改革声浪的高涨越来越高。到宋神宗即位的时候，王安石被任命为翰林学士兼侍讲。熙宁元年四月，王安石呈上《本朝百年无事札子》，向神宗陈述变法的必要性。熙宁二年二月，神宗锐意改革，升王安石为参知政事，设立制置三司条例司作为变法的专门机构，任命知枢密院事陈升之和王安石共同领导变法。王安石提拔真州推官吕惠卿为助手，负责主要事务。于是，一系列的新法开始制定和推行。

与庆历新政偏重于整顿吏治不同，王安石的变法内容主要在财政、军队和科举三个方面。财政方面，主要实行均输法、青苗法、农田水利法、募役法、市易法、方田均税法等。军队方面，主要

实行置将法、保甲法，保马法、设置军器监等。科举方面，王安石积极兴办学校，废除诗赋和明经诸科，以经义、策论取士。他还亲自编写《三经新义》，即《诗义》、《书义》、《周礼义》，对经典作出新的解释，并把《三经新义》作为太学和州县学校的教科书，科举考试也以它为标准。

王安石推行的新法收到部分预期的成效，比如各地共兴修上万处农田水利设施；在河北、河南推行的淤田法，使贫瘠的土地变成了良田；青苗法打压了豪强兼并和高利贷对农民的盘剥。但新法遭到了王公大臣们的强烈反对，不仅豪强富商反对新法，原来曾经参与仁宗朝改革的大臣，如富弼、韩琦、欧阳修等，也都不认同王安石的变法理念而反对新法。同时，新法在推行过程中也出现了问题。如在熙宁四年，河北出现异常的大风，百姓恐慌，神宗下令减少扰民的政务，遣散已经征调的农夫。但为了继续推行新法，这些政令被王安石压下，不准下发。在开封，一些百姓为了逃避保甲法，故意自残。对于这些情况，王安石并没有重视。而从熙宁六年起，全国大旱，后来又有彗星出现，于是反对新法的人趁机上书，说推行新法是这些异变的原因。同时，在皇室内部，太皇太后曹氏、皇太后高氏和神宗的弟弟岐王等都劝说神宗罢免王安石。于是，熙宁七年四月，王安石被迫停止主持变法的工作。

王安石离职后，变法派陷入内部纷争中，吕惠卿企图取代王安石的地位，即便王安石于熙宁八年二月又重新回朝，依然无法使变法派统一起来。变法在内外的压力之下异常艰难。这时，又有王安石的儿子王雱病故，王安石心灰意冷，于熙宁九年九月再次辞去相职，从此闲居江宁。元丰八年三月，神宗去世，哲宗即位，五月，司马光被召回京师任门下侍郎，开始废除新法，到了哲宗元祐元年四月，新法大都被废除。

思考讨论

1. 你知道天爵是什么意思吗?

2. 你认为什么样的人可以称为君子?

后杞菊赋[1]

苏　轼[2]

天随生自言常食杞菊[3]。及夏五月，枝叶老硬，气味苦涩，犹食不已。因作赋以自广[4]。始余尝疑之，以为士不遇，穷约可也[5]，至于饥饿嚼啮草木，则过矣[6]。而余仕宦十有九年，家日益贫，衣食之奉[7]，殆不如昔者。及移守胶西[8]，意且一饱。而斋厨索然，不堪其忧。日与通守刘君廷式[9]，循古城废圃，求杞菊食之，扪腹而笑[10]。然后知天随生之言，可信不缪。作《后杞菊赋》以自嘲，且解之云。

注释

[1]杞菊：枸杞和菊花。　[2]苏轼：字子瞻，号东坡，眉山(今四川眉山)人，与父亲苏洵、弟弟苏辙合称“三苏”。[3]天随生：陆龟蒙，自号天随子，作有《杞菊赋》。　[4]广：宽解，宽慰。　[5]穷约：穷困。　[6]过：过分。　[7]奉：奉养。

[8] 胶西：即密州。 [9] 通守刘君廷式：通守，即通判。刘廷式，字得之，齐州人，苏轼的朋友。 [10] 扪（mén）：摸。

译文

天随生曾说他经常以杞菊为食。到了夏天五月，枝叶又老又硬，味道苦涩，仍拿它做食物。因此他写了《杞菊赋》来宽慰自己。起先我怀疑他的说法，觉得士人在事业上不顺心，生活穷困一些罢了，至于饿到吃草木，也太夸张了。我做官有十九年了，家里日益贫困，衣食用度，还不如以前。这次来到密州做官，想想总能吃饱。然而厨房里冷冷清清，几乎不能忍受饥饿。每天和通守刘廷式，沿着城墙，在荒废的菜园里找杞菊来吃，捂着肚子大笑。这才相信陆龟蒙先生说的话是真的。于是写这篇《后杞菊赋》来抒发感慨，宽慰自己。

“吁嗟先生，谁使汝坐堂上称太守？前宾客之造请，后掾属之趋走[1]。朝衙达午，夕坐过酉[2]。曾杯酒之不设，揽草木以诳口。对案颦蹙[3]，举箸噎呕。昔阴将军设麦饭与葱叶[4]，井丹推去而不嗅[5]。怪先生之眷眷[6]，岂故山之无有？”

注释

[1] 掾（yuàn）属：下属官员。 [2] 酉：十二时辰之一，相当于午后五点到七点。 [3] 颦蹙（pín cù）：皱着眉头。[4] 阴将军：阴就，东汉人，光烈皇后阴丽华的弟弟，封信阳侯。

[5] 井丹：井丹，字大春，东汉郿地（今陕西眉县）人，经学家。
[6] 眷眷：心中牵挂的样子。

译文

“唉，先生，谁让你坐在堂上称太守？前有宾客请吃饭，后有下属官员供差遣。早上到衙门一直到中午，傍晚一直到酉时以后才下班。这么长的时间里，没有喝过一杯酒，拿草木将就着吃。对着饭桌，皱着眉头，拿起筷子，难以下咽。以前阴就将军拿麦饭与葱叶来招待井大春，井大春把饭菜推到一边，看也不看。奇怪的是您好像很喜欢草木之食，难道你们家乡没有吗？”

先生听然而笑曰[1]：“人生一世，如屈伸肘。何者为贫？何者为富？何者为美？何者为陋？或糠覈而瓠肥[2]，或粱肉而墨瘦[3]。何侯方丈[4]，庾郎三九[5]。较丰约于梦寐，卒同归于一朽。吾方以杞为粮，以菊为糗[6]。春食苗，夏食叶，秋食花实而冬食根，庶几乎西河[7]、南阳之寿[8]。”

注释

[1] 听（yín）然：张口笑的样子。 [2] 糠覈（hé）：粗劣的食物。《汉书·陈平传》：“人或谓平贫，何食而肥若是？其嫂疾平之不亲家产，曰：‘亦食糠覈耳。’” 瓠（hù）肥：比喻胖而壮。[3] 粱肉：精美的食物。 墨瘦：魏明帝手诏与陈思王曹植曰：“王颜色瘦弱，何意耶？……今者食几许米？又啖肉多少？见王瘦，

吾甚惊。宜当节水加餐。” [4]何侯方丈：何侯，何曾，字颖考，西晋大臣。方丈，一丈见方的地方。 [5]庾郎三九：庾郎，庾杲之，字景行，南朝人。三九，二十七。《南史·庾杲之传》：“清贫自业，食唯有韭葅、瀹韭、生韭杂菜。任昉尝戏之曰：‘谁谓庾郎贫，食鲑常有二十七种。’” [6]糗：炒熟的米麦等干粮。[7]西河：卜商，字子夏，卫国人，孔子的弟子，他晚年居住西河，魏文侯以师礼相待，据说生年有百岁。 [8]南阳：这里引用《风俗通》：“南阳郦县有甘谷，谷水甘美。云其山上大有菊。水从山上流下，得其滋液。谷中有三十余家，不复穿井，悉饮此水。上寿百二三十；中百余，下七八十者，名之大夭。”

译文

我笑着说：“人活一生，就像弯曲、伸直手肘。什么是贫穷？什么是富有？什么叫是美艳？什么是丑陋？有的人吃粗糠而长得白胖，有的人吃精美的食物却长得黑瘦。何曾每天饭菜摆满面前一丈见方的地方，庾杲之的食物只有韭菜。就像在梦里比较丰盛和贫寒，到头来还是一死。我现在以杞为粮食，以菊为食物。春天吃它的苗，夏天吃它的叶子，秋天吃它的花和果实，冬天吃它的根，说不定我能有西河和南阳地方的人那样长寿。”

文史链接

阴将军设麦饭，井丹推去不嗅

井丹是东汉时著名的经学家，通晓五经，非常善于辩论，当时人称“五经纷纶井大春。”大春是井丹的字。他为人清高，很有节操，不屑于攀附权贵。

在光武帝建武末年，沛王刘辅等五王住在北宫，都喜欢招揽宾客，轮番派人请井丹，井丹都推辞不去。这时，皇后阴丽华的弟弟，信阳侯阴就骗说五王，求用千万钱，相约能把井丹请来，同时另外派人在半路上抢劫他。井丹不得已前来赴宴，阴就故意给井丹准备麦饭葱叶等粗劣的食物。井丹看也不看，说："我以为君侯有精美的食物招待，所以来赴宴，怎么这样看不起我？"于是换上丰盛的饮食，井丹才吃。等到阴就起身的时候，仆人们推进来一架辇车，供阴就乘坐。井丹笑着说："我只听说夏桀用人驾车，没有见过，今天一见，原来就是这样啊！"听到这话，席间的其他人都变了脸色。阴就见状，不得不让仆人把辇车推走。自从这次赴宴之后，井丹就闭门隐居，再不与权贵有什么来往，直到去世。

井丹不食麦饭的故事被记录在《后汉书·逸民传》中，被后人视为高士守节的象征。井姓的人也以此为荣，他们宗祠常用对联"明经著节，绍事称贤"中的上联"明经著节"，来纪念井丹不食麦饭的故事。

思考讨论

你认为应当如何看待人生的穷达？

文与可画筼筜谷偃竹记[1]

苏　轼

竹之始生，一寸之萌耳，而节叶具焉。自蜩腹

蛇蚹以至于剑拔十寻者，生而有之也。今画者乃节节而为之，叶叶而累之，岂复有竹乎！故画竹必先得成竹于胸中，执笔熟视，乃见其所欲画者，急起从之，振笔直遂，以追其所见，如兔起鹘落，少纵则逝矣。与可之教予如此。予不能然也，而心识其所以然。夫既心识其所以然而不能然者，内外不一，心手不相应，不学之过也。故凡有见于中而操之不熟者，平居自视了然，而临事忽焉丧之，岂独竹乎！

注释

[1] 文与可：文同，字与可。苏轼的表哥，擅诗文书画，湖州墨竹画派的创始人。　筼筜(yún dāng)谷：地名，今陕西洋县一带。筼筜，一种生长在水边，皮薄、节长而竿高的竹子。　偃竹：倒竹。

译文

竹子开始生出时，只一寸高的萌芽，但节、叶都具备了。从破土而出，生长至剑拔十寻，都是自然生长的结果。如今画竹的人却是一节节地画，一叶叶地堆积勾勒，哪里还有竹子呢！所以画竹必定要先在心中有完整的竹子形象，拿起笔仔细观察，当看到了想画的对象，急速起笔顺从它的态势动手作画，一气呵成，以此追摹他所见到的对象，如兔子跃起奔跑、鹰隼俯冲下搏一样，稍一放松就消失了。与可教我如此绘画。我不能做到，但心里明白这样做的道理。既然心里明白这样做的道理，但不能做到这样，是内外不一，手不称心，这是没有练习的过错。所以凡是在心中有了构思而做起来不熟练，平常自己认为很清楚而事到临头忽然忘记了，这难道是画竹时独有的事吗！

子由为《墨竹赋》以遗与可曰[1]：“庖丁[2]，解牛者也，而养生者取之。轮扁[3]，斫轮者也，而读书者与之。今夫夫子之托于斯竹也，而予以为有道者，则非耶？”子由未尝画也，故得其意而已。若予者，岂独得其意，并得其法。

注释

[1]子由：苏辙，字子由。　遗（wèi）：馈赠。　[2]庖丁：魏国的厨师。庖丁解牛，语出《庄子·养生主》，指技艺纯熟，得心应手。　[3]轮扁：春秋时齐国著名的木工。轮扁斫轮，语出《庄子·天道》，指精湛的技艺。

译文

子由写了篇《墨竹赋》，送给与可，说：“庖丁，是杀牛的，但养生的人从他杀牛中悟出了道理。轮匠扁，是造车轮的，但读书人赞成他讲的道理。如今您寄托意蕴在画竹上，我认为您是深知道理的人，难道不是吗？”子由没有作过画，所以只懂得了他的意蕴。像我，不仅懂得他的意蕴，并且得到了他的方法。

与可画竹，初不自贵重，四方之人持缣素而请者[1]，足相蹑于其门。与可厌之，投诸地而骂曰：“吾

将以为袜材[2]。”士大夫传之，以为口实[3]。及与可自洋州还，而余为徐州。与可以书遗余曰：“近语士大夫，吾墨竹一派，近在彭城，可往求之。袜材当萃于子矣。”书尾复写一诗，其略曰：“拟将一段鹅溪绢[4]，扫取寒梢万尺长。”予谓与可：“竹长万尺，当用绢二百五十匹，知公倦于笔砚，愿得此绢而已。”与可无以答，则曰：“吾言妄矣，世岂有万尺竹哉。”余因而实之，答其诗曰：“世间亦有千寻竹，月落庭空影许长。”与可笑曰：“苏子辩则辩矣。然二百五十匹，吾将买田而归老焉。”因以所画筼筜谷偃竹遗予，曰：“此竹数尺耳，而有万尺之势。”

注释

[1] 缣（jiān）素：供写字、画画用的白绢。　[2] 袜材：做袜子的布料。　[3] 口实：谈话的资料。　[4] 鹅溪绢：产于四川省盐亭县鹅溪的绢帛，是宋人喜爱的书画材料。

译文

与可画竹，起初并不看重自己的画，后来四方的人们带着白绢来请他作画，拥挤在他的门口。与可讨厌他们，把白绢丢在地上骂道：“我将用这些白绢做袜子。”士大夫传说这件事，以为笑谈。等到与可从洋州太守任上回来，我正任徐州太守。与可寄信给我说：

“近来告诉士大夫，我们墨竹画派的人，近在彭城，可去求他作画。袜材应该聚集到您那里去了。”信末又写了一首诗，它的大概意思是：“打算用一段鹅溪绢，画一幅万尺长的寒竹。”我对与可说：“万尺长的竹子，应当用二百五十匹长的绢来画，知道您懒得动笔，只是希望得到这些绢。”与可无话可答，就说：“我的话错了，世上哪有万尺长的竹子呢！”我就给出证据，回答他的诗说：“世上也有千尺长的竹子，月光洒落庭院，照出这么长短的竹影。”与可笑说：“苏先生真会辩驳，如果有二百五十匹的绢，我将用它们买些田回家养老。”故而把画的筼筜谷偃竹图送给我，说：“这竹子只有几尺高，但有万尺的气势。”

筼筜谷在洋州，与可尝令予作《洋州三十咏》，筼筜谷其一也。予诗云：“汉川修竹贱如蓬，斤斧何曾赦箨龙[1]。料得清贫馋太守，渭滨千亩在胸中。”与可是日与其妻游谷中，烧笋晚食，发函得诗，失笑喷饭满案。元丰二年正月二十日[2]，与可没于陈州[3]。是岁七月七日，予在湖州曝书画，见此竹，废卷而哭失声。昔曹孟德《祭桥公文》[4]，有车过、腹痛之语。而予亦载与可畴昔戏笑之言者[5]，以见与可于予亲厚无间如此也。

注释

[1]箨（tuò）龙：竹笋。　[2]元丰：宋神宗赵顼的年号。

[3] 没（mò）：去世。　　[4] 曹孟德：曹操，字孟德，汉末政治家。
[5] 畴昔：往日，过去。

译文

筼筜谷在洋州，与可曾让我作《洋州三十咏》，筼筜谷是其中之一。我的诗说："汉水的高竹贱如蓬草，斤斧什么时候放过竹笋？估计太守清贫贪馋，把渭水边上千亩竹林都吃进了肚里。"与可当天与妻子在筼筜谷游玩，晚上煮笋吃，打开信看到这首诗，忍不住笑起来，喷饭满桌。元丰二年正月二十日，与可在陈州去世。这年七月七日，我在湖州晒书画，看到这幅竹画，放下画卷，痛哭失声。从前曹孟德作《祭桥玄文》，有不祭祀坟墓、车过腹痛的话。我的文章也记载了与可往日和我戏笑的话，可见与可和我是多么亲密无间啊。

文史链接

文湖州竹派

文湖州竹派是我国绘画流派之一，以墨竹画著称。文同是这一画派的创始人，他不仅精通墨竹画法，而且有一套画墨竹的绘画理论。苏轼曾在《文与可画筼筜谷偃竹记》中提到文与可的画竹理论："画竹必先得成竹于胸中"。当时，时人对文与可的墨竹非常推崇，不仅苏轼学他画竹，也有许多人学习他的画法。至元代画竹成风，赵孟頫、李衎、吴镇、柯九思等都属于文湖州竹派，其中吴镇编成《文湖州竹派》一书，介绍文湖州竹派中有成就的25位画家。

在文湖州竹派中，元初李衎发展了文湖州竹派的理论主张，时人称他“尽得文湖州不传之秘”。在文与可的画竹经验理论的基础上，他编写了《竹谱详录》一书，不仅对竹子的根、枝、叶作详尽而系统的研究，而且以画和谱相结合的方式，讲述竹子在风、晴、雨、露、霜、雪等条件下的各种神态。他还特别提出“若不由规矩，徒费工夫，终不能成画矣”，“须一笔笔有生意，一面面得自然”。强调主观感受和客观事物的统一是画好画的基础。

元代之后，明代的宋克、王绂，清代的鲁得之、郑燮、诸升等，都在不同程度上汲取了文与可的画竹理论。文湖州竹派提出的画竹理论不唯在绘画史上有重要影响，对于今天学习画竹者来说，仍然具有指导意义。

思考讨论

《文与可画筼筜谷偃竹记》中，有一个成语，你知道是什么成语吗？

与谢民师推官书[1]

苏 轼

轼启。近奉违[2]，亟辱问讯[3]，具审起居佳胜[4]，感慰深矣。轼受性刚简[5]，学迂材下，坐废累年[6]，不敢复齿缙绅[7]。自还海北，见平生亲旧，惘然如隔世人，况与左右无一日之雅而敢求交乎[8]？数赐见临[9]，倾盖如故[10]，幸甚过望，不可言也。

注释

[1]谢民师：名举廉，曾携带诗文拜访苏轼，受到苏轼的欣赏。推官，官名。《与谢民师推官书》又名《答谢民师书》。 [2]奉违：违于奉侍，即没有问候。 [3]亟（qì）辱：亟，屡次。辱，谦词。[4]具审：详细了解。 [5]受性：天性。 [6]坐：由于。[7]齿：并列。 缙（jìn）绅：把笏板插在带间，旧时官宦的装束。指士大夫。 [8]左右：对对方的尊称。 雅：交往。 [9]见临：访问。 [10]倾盖如故：指在路上相遇，停车交谈，车盖靠在一起。形容初交相得，一见如故。

译文

轼启。最近不曾问候，承蒙您多次来信问候，详细了解了您的日常生活很好，深感安慰。我生性刚直，待人简慢，学识迂腐，才智低下，因遭罪而被废弃多年，不敢再居于士大夫之列。自从回到海北，见到以往的亲戚朋友，惘然好像不是一个时代的人，何况与您没有一天的交往，哪敢希求结交呢？几次承蒙您光临，一见如故，让我喜出望外，无法用言语表达。

所示书教及诗赋杂文[1]，观之熟矣。大略如行云流水，初无定质，但常行于所当行，常止于所不可不止，文理自然，姿态横生。孔子曰：“言之不文，行而不远[2]。”又曰：“辞达而已矣[3]。”夫言止于达意，即疑若不文，是大不然。求物之妙，如系风捕影，能使是物了然于心者，盖千万人而不一遇也，而况

能使了然于口与手者乎？是之谓辞达。辞至于能达，则文不可胜用矣。

注释

[1] 书教：书信。　[2] 语出《左传·襄公二十五年》。[3] 语出《论语·卫灵公》。

译文

你给我看的文章、诗赋和杂文，我看了很多遍。大体上像行云流水，原本没有固定的形体，而常常起于所当起的地方，常常停于所不可不停的地方，文理自然，富于变化。孔子说："语言没有文采，流传就不会很久远。"又说："文辞能够达意就可以了。"语言能达意即可，但如果理解为不用讲究文采，这就很不对了。探求事物的奥妙，就像拴住风捉住影子那么难，能够把事物在心里彻底弄清楚的人，大概千万人中遇不到一个，更何况能够使它在口头和笔头清楚明白地表达出来的人呢？这就叫做辞达。如果言辞到了能把意思表达清楚的地步，文采就很好了。

扬雄好为艰深之辞，以文浅易之说[1]，若正言之[2]，则人人知之矣。此正所谓雕虫篆刻者[3]，其《太玄》、《法言》皆是类也[4]。而独悔于赋，何哉？终身雕虫而独变其音节，便谓之经，可乎？屈原作《离骚经》，盖风雅之再变者，虽与日月争光可

也。可以其似赋而谓之雕虫乎？使贾谊见孔子[5]，升堂有余矣，而乃以赋鄙之，至与司马相如同科[6]！雄之陋[7]，如此比者甚众。可与知者道，难与俗人言也。因论文偶及之耳。

注释

[1]文：文饰。 [2]正言：直言。 [3]雕虫篆刻：指文人雕琢词句。虫、刻，指秦书八体中的虫书、刻符。 [4]《太玄》、《法言》：扬雄的著作。 [5]贾谊：西汉政治家、文学家。[6]司马相如：字长卿，西汉文学家。 [7]雄：扬雄。

译文

扬雄好用艰深的辞藻，来文饰浅显的道理，如果直截了当地说出来，那就人人都明白了。这正是所谓会雕虫小技的人，他的《太玄》、《法言》都属于这一类。而他只后悔作赋，为什么呢？他一生雕琢字句，只变更了文句的辞藻，便称之为“经”，可以吗？屈原作《离骚》，是风、雅传统的再发展，即使与日月争光也是可以的。能够因为它像赋而称它为雕虫小技吗？假使贾谊能见到孔子，他的道德学问也是“升堂”有余了，而扬雄却因为贾谊写过赋就轻视他，以至于将他与司马相如相提并论！扬雄的浅陋，像这样的看法有很多。这些话只能同有见识的人讲，很难同一般人说明白。这不过是因为谈论文章偶然谈及罢了。

欧阳文忠公言文章如精金美玉[1]，市有定价，非人所能以口舌定贵贱也。纷纷多言，岂能有益于左右。愧悚不已。所须惠力法雨堂字[2]。轼本不善作大字，强作终不佳，又舟中局迫难写[3]，未能如教。然轼方过临江，当往游焉。或僧欲有所记录，当为作数句留院中，慰左右念亲之意。今日至峡山寺[4]，少留即去。愈远。惟万万以时自爱。不宣。

注释

[1]欧阳文忠公：欧阳修。 [2]惠力：惠力寺，在江西清江南。[3]局迫：局促狭小。 [4]峡山寺：在今广东清远峡山上。

译文

欧阳文忠公认为文章就像精金美玉，在市场上自有价格，不是什么人能够凭借一句话就可以确定它的贵贱。啰嗦这么多，未必对您有益处。实在惭愧。您要我为惠力寺法雨堂题字。我本来不善于写大字，勉强写也写不好，加上船中地方狭小，难以动笔，未能完成您的嘱托。但我正要路过临江，一定到惠力寺去游览。如果僧人要我留字，定会为他们写几句留在寺院，以抚慰你对我的朋友之情。今天我到了峡山寺，稍稍逗留就离开。我们相距越来越远。希望您千万随时保重身体。不一一细说了。

文史链接

得意忘言

早在先秦时期，在《墨子·经下》、《庄子·天道》、《易传·系辞》、《吕氏春秋·离谓》等文章中就有关于言和意关系的精妙讨论。到了魏晋时期，言意之辨成为玄学家们讨论的热点，代表有荀粲的“言不尽意”论，欧阳建的“言尽意”论。而王弼集以往讨论之大成，提出了“得意忘言”的观点。

在《周易略例·明象》中，王弼说：“夫象者，出意者也；言者，所以明象也。尽意莫若象，尽象莫若言。言生于象，故可寻言以观象；象生于意，故可寻象以观意。意以尽象，象以言著。故言者所以明象，得象而忘言；象者所以存意，得意而忘象。犹蹄者所以在兔，得兔而忘蹄；筌者所以在鱼，得鱼而忘筌也。”这里，王弼从《庄子》的言意论得到启发，庄子认为：“言者所以在意，得意而忘言。”言语只是表达意义的工具，“忘”是说人们不要拘泥于言辞和形象。王弼也认同这一点，同时他又认为要想真正把握意义，就不能完全抛开言和象，所以他说：“尽意莫若象，尽象莫若言。”在王弼的理论体系中，道体是无言、无名、无象的。如果人们只在言辞、概念上追求把握道体，不可能达到对道体有所体认，所以必须突破言辞、概念的局限性，在精神境界上与道体达到浑然一体。

王弼的得意忘言论对后来的影响很大，成为一种具有普遍意义的认识论和方法论。

思考讨论

读了《与谢民师推官书》，你如何理解“辞达而已矣”？

墨竹赋

苏　辙[1]

与可以墨为竹[2]，视之良竹也。客见而惊焉，曰："今夫受命于天，赋形于地。涵濡雨露[3]，振荡风气。春而萌芽，夏而解驰[4]。散柯布叶，逮冬而遂[5]。性刚洁而疏直，姿婵娟以闲媚[6]。涉寒暑之徂变[7]，傲冰雪之凌厉。均一气于草木，嗟壤同而性异。信物生之自然[8]，虽造化其能使。今子研青松之煤，运脱兔之毫。睥睨墙堵[9]，振洒缯绡[10]。须臾而成，郁乎萧骚[11]。曲直横斜，秾纤庳高[12]，窃造物之潜思，赋生意于崇朝[13]。子岂诚有道者邪？"

注释

[1]苏辙：字子由，眉州眉山（今四川眉山）人，北宋文学家，与父亲苏洵、哥哥苏轼，合称"三苏"。　[2]与可：文同，字与可，苏辙的表哥，擅诗文书画，湖州墨竹画派的创始人。　[3]涵濡：滋润。　[4]解驰：分开枝条，生长迅速。　[5]逮：及至。遂：完成。　[6]闲媚：娴雅妩媚。　[7]徂（cú）变：寒来暑往的变化。　[8]信：诚然，确实。　[9]睥睨：斜视，这里指聚精会神。　[10]振洒：挥洒。　缯（zēng）绡：缯帛丝绢。[11]萧骚：风吹竹叶的声音。　[12]秾（nóng）纤庳（bēi）高：粗细高矮。　[13]崇朝：终朝，从天亮到早饭之间。比喻时间短促。

译文

文同擅长画墨竹，画的竹子看起来和真的一样。客人见到他画的竹子非常惊讶，说："大自然赋予了竹子生命，它在大地上生长成形。受到雨露滋润，听凭风露振荡。春天开始萌芽，夏天脱离笋壳，迅速生长。枝叶舒展散布开来，到了冬天就长成了。竹子品性刚直，姿态娴雅妩媚。历经寒暑的变化，笑傲冰雪的严寒。和草木一样生长在同样的天地间，嗟叹它们生长的土壤一样，但是性情却不一样。万物的确各有天性，也只有大自然能让它们如此。如今您研制松烟成墨，挥动兔毛制成的笔，或在墙壁上凝神运笔，或在绢帛上尽情挥洒。不一会儿就画好了竹子，枝叶纷繁茂盛，仿佛能听到风吹竹叶的声音。画出的竹子曲直横斜，粗细高低，形态各异。好像是窃取了造物主的神妙构思，很快就赋予画中竹子以生机。您难道就是得道的人吗？"

与可听然而笑曰[1]："夫予之所好者道也，放乎竹矣[2]。始予隐乎崇山之阳[3]，庐乎修竹之林[4]。视听漠然[5]，无概乎予心[6]。朝与竹乎为游，莫与竹乎为朋[7]，饮食乎竹间，偃息乎竹阴。观竹之变也多矣。"

注释

[1] 听（yín）然：张口笑的样子。 [2] 放：不局限。 [3] 隐：隐居。 [4] 庐：搭建茅庐。 [5] 漠然：冷淡的样子。 [6] 概：感慨。 [7] 莫（mù）：通"暮"，傍晚。

译文

与可笑着说："我所追求的是道，不局限于竹子。原来我隐居在高山的南面，在竹林中结庐而居。不论眼睛看到的，还是耳朵听到的，都觉得和我无关，一点也不关心。白天与竹子结为游伴，晚上把竹子当做朋友，在竹林中饮食，在竹荫下休息。我观察到竹子有很多变化。"

"若夫风止雨霁[1]，山空日出。猗猗其长[2]，森乎满谷。叶如翠羽，筠如苍玉[3]。澹乎自持，凄兮欲滴[4]。蝉鸣鸟噪，人响寂历[5]。忽依风而长啸，眇掩冉以终日[6]。笋含箨而将坠[7]，根得土而横逸。绝涧谷而蔓延[8]，散子孙乎千忆。"

注释

[1] 霁（jì）：天晴。 [2] 猗（yī）猗：美盛的样子。 [3] 筠（yún）：竹皮。 [4] 凄：沾湿的样子。 [5] 寂历：寂静。 [6] 掩冉：同"掩苒"，草丛被风吹拂的样子。 [7] 箨（tuò）：笋壳。 [8] 绝：横穿。

译文

"比如在风停雨住的时候，太阳出来，山色空明。竹子生长旺盛，满山谷都是繁密的竹子。竹叶如同翠色的羽毛，竹皮就像青色的玉。竹子淡泊恬静，独立不倚，竹叶上带有寒意的露珠，仿佛就要滴落。蝉鸣鸟叫，没有一点人声。忽然风起，竹子随风发出悠长的啸声，辽阔的竹林一整天都被风吹佛着。竹笋从笋壳里往外长，好像就要掉出来的样子，竹根只要有土，就向四周生长。它们横穿山谷，四下蔓延，成千上亿的子孙散布在山野里。”

“至若丛薄之馀[1]，斤斧所施。山石荦埆[2]，荆棘生之。蹇将抽而莫达[3]，纷既折而犹持[4]。气虽伤而益壮，身已病而增奇。凄风号怒乎隙穴，飞雪凝冱乎陂池[5]。悲众木之无赖[6]，虽百围而莫支[7]。犹复苍然于既寒之后，凛乎无可怜之姿。追松柏以自偶[8]，窃仁人之所为，此则竹之所以为竹也。始也余见而悦之，今也悦之而不自知也。忽乎忘笔之在手与纸之在前[9]，勃然而兴，而修竹森然。虽天造之无朕[10]，亦何以异于兹焉？”

注释

[1]丛薄：丛生的草木。　[2]荦埆（luò què）：山石大而多的样子。　[3]蹇（jiǎn）：艰难。　达：幼苗出土。　[4]持：相持，抗衡。　[5]冱（hù）：寒冷凝结。　[6]无赖：无所依凭，无奈。　[7]支：支撑。　[8]追：追随。　自偶：自比。[9]忽乎：恍若。　[10]朕：征兆。

译文

“至于草木丛生的地带，有人来持斧砍伐。散乱的山石之间，荆棘丛生。在这样的环境里，竹子艰难地生长，大多还没长成就被折断了，但还直立不倒。它们的生机虽然受到了损害，但显得更加健壮，竹身有了伤残却增添了一种奇特的魅力。凄厉的寒风怒号着吹过缝隙洞穴，大雪纷飞中池沼都凝固冻结了。让人悲伤的是，众多树木都无可奈何，即便是百围粗的大树也忍受不了这样的寒冷。而竹子却在寒冷到来之后，还能有青翠的颜色，凛然没有可怜的姿态。可以和松柏相比，如同仁人的行为，这就是竹子之所以是竹子的原因。原来，我见到竹子就喜爱上了它，现在，我喜爱竹子，已经到了忘我的境地。恍若忘记了笔在手中，纸在面前，兴致所到，运笔挥洒，茂美的墨竹就画成了。即使上天创造竹子的时候没有痕迹，又与我画墨竹有什么不同呢？”

客曰：“盖予闻之，庖丁解牛者也[1]，而养生者取之。轮扁斫轮者也[2]，而读书者与之。万物一理也，其所从为之者异尔。况夫夫子之托于斯竹也，而予以为有道者则非耶？”与可曰：“唯唯[3]。”

注释

[1]庖丁：厨子。语出《庄子·养生主》。 [2]轮扁：春秋时齐国著名造车工。语出《庄子·天道》。 [3]唯唯：应答之声。

译文

客人说：“我听说，庖丁是个杀牛的厨师，但养生的人从他那里学到了养生的道理。轮扁是制造车轮的木匠，读书的人却从中学到了读书的道理。万事万物的道理都是相通的，只不过具体的情况不一样罢了。而您从画竹中探求道理，我认为您是得道的人，不是吗？”与可说：“是的，是的。”

文史链接

庖丁解牛

据《庄子·养生主》记载，战国时期梁惠王有一个很会宰牛的厨师，他运刀时发出的声音有音乐的旋律，手足屈伸好像在跳舞。

梁惠王听说了这件事，就把他找来，问：“您的宰牛技术怎么会如此高超？”

厨师回答说：“我所追求的是道，已经超越了技术。刚开始宰牛的时候，我看到的无非是牛。三年之后，眼中不再有整头的牛了。现在，我宰牛时不用眼睛看，而是依照牛的生理结构，在筋骨之间自然地运刀。筋骨之间自有缝隙，而我的刀刃很薄，很薄的刀刃游走在筋骨之间，有宽绰的余地。这样，肉从骨头上剔落下来，如同泥土掉在地上那样自然。每次用完刀，我提着刀站起来，望望四方，从容自得，然后把刀擦干净，小心地收藏起来。一般的厨师用刀是拿刀砍，所以每月要换一把新刀，技术好点的厨师拿刀割，每年换一把新刀，而我运刀时候游刃有余，手中的刀用了十九年，还像一把刚刚开刃的新刀。”

梁惠王听了这番话，感叹道：“您说得太好了，我听了，懂得了该如何养生啊。”

这就是庖丁解牛的故事，陈鼓应先生在《老庄新论》中认为，庖丁解牛的寓言“从宰牛之方喻养生之理，由养生之理喻处世之道”。庄子以牛的复杂生理结构，比喻人事的繁杂。庖丁解牛时“因其固然”，启发我们处世要谨慎地遵循客观规律，不能任意妄为。

思考讨论

孔子曾说“志于道”、“游于艺”，读了《墨竹赋》和庖丁解牛的故事，你如何理解道与技术的关系？

武昌九曲亭记[1]

苏　辙

子瞻迁于齐安[2]，庐于江上。齐安无名山，而江之南武昌诸山，陂陁蔓延[3]，涧谷深密，中有浮图精舍[4]，西曰西山，东曰寒谿，依山临壑，隐蔽松枥，萧然绝俗，车马之迹不至。每风止日出，江水伏息，子瞻杖策载酒，乘渔舟乱流而南。山中有二三子，好客而喜游。闻子瞻至，幅巾迎笑[5]，相携徜徉而上[6]，穷山之深，力极而息，扫叶席草，酌酒相劳[7]，意适忘反，往往留宿于山上。以此居齐安三年，不知其久也。

注释

[1]据《清一统志》记载：“九曲亭在武昌县西九曲岭，为孙吴遗迹，宋苏轼重建，苏辙有记。”武昌，今湖北鄂州市。

[2]子瞻：苏轼的字。　齐安：古郡名，今湖北黄冈。　[3]陂陁(pō tuó)：倾斜不平的样子。　[4]浮图精舍：佛寺。　[5]幅巾：束发的丝巾。古代男子不戴帽子时，用一幅绢束发。　[6]徜徉：安闲自在。　[7]相劳(lào)：相互慰问。

译文

子瞻被贬到齐安，在长江边上建庐居住。齐安没有名山，而长江南岸武昌的群山，高低起伏，连绵不断，山谷幽深寂静，里面有佛寺僧舍，西边的叫西山寺，东边的叫寒谿寺。它们背靠山梁，面对山谷，在茂密的松树枥树丛中隐约可见，显得寂静冷清，与世隔绝，没有车马来往的痕迹。每当风停了，太阳出来了，江面风平浪静，子瞻就拄着拐杖，带上酒，乘坐渔船，横渡长江，奔南山而来。山中有几个人，热情好客，喜欢游玩山水。听说子瞻来了，束着头巾，笑着迎上来，他们一起安闲自在地拾级而上，一直走到深山尽处，大家都筋疲力尽了就停下歇息，扫去落叶，坐在草地上，彼此举起酒杯，互相问候，高兴得都忘记回去，常常留宿在山上。这样子瞻在齐安住了三年，忘记了时间。

然将适西山，行于松柏之间。羊肠九曲而获少平。游者至此必息，倚怪石，荫茂木，俯视大江，仰瞻陵阜[1]，旁瞩溪谷，风云变化，林麓向背，皆效于左右[2]。有废亭焉，其遗址甚狭，不足以席众

客。其旁古木数十，其大皆百围千尺，不可加以斤斧。子瞻每至其下，辄睥睨终日[3]。一旦大风雷雨，拔去其一，斥其所据，亭得以广。子瞻与客入山视之，笑曰："兹欲以成吾亭耶！"遂相与营之。亭成，而西山之胜始具，子瞻于是最乐。

注释

[1]陵阜：高山。　[2]效：呈现。　[3]睥睨：斜视。

译文

而要往西山去，就会经过松柏林。走过弯弯曲曲的羊肠山路，才会来到一处稍微平坦的地方。游览者必定会在此休息，倚靠在怪石上，在茂密的林荫下休息，俯视浩浩江水，仰望巍巍高山，向两旁看看小溪幽谷，风云变幻，山林的向阳、背阴，都在人们眼前呈现出来。那里有一座废弃的亭子，它的遗址非常狭小，不能够容纳太多游客。亭子旁有几十棵古树，每棵都有百围大、千尺高，无法用刀斧来砍伐。子瞻每次到树下，就整天斜视着它们。一天，一阵暴风雨把其中一棵古树连根拔起，老树占据的地方被清理出来，亭子得以扩大。子瞻与朋友进山，看到后，笑说："这是老天想成全我们重修亭子吧！"于是大家一起重修了一座新亭子。亭子建成后，西山的胜景才算完备了，子瞻最高兴的就是这件事。

昔余少年，从子瞻游，有山可登，有水可浮，子瞻未始不褰裳先之[1]。有不得至，为之怅然移

日[2]。至其翩然独往，逍遥泉石之上，撷林卉，拾涧实，酌水而饮之，见者以为仙也。盖天下之乐无穷，而以适意为悦。方其得意，万物无以易之。及其既厌[3]，未有不洒然自笑者也。譬之饮食杂陈于前，要之一饱而同委于臭腐。夫孰知得失之所在？惟其无愧于中，无责于外，而姑寓焉。此子瞻之所以有乐于是也。

注释

[1] 褰（qiān）：提起，撩起。　　[2] 移日：日影移动。形容时间长。　　[3] 厌：满足。

译文

从前我年少时，跟随子瞻游览各地，遇山登山，遇水泛舟，子瞻都是带头提起衣襟走在前面。有不能到的地方，子瞻会为此不高兴很长时间。有时他一个人飘然独游，悠闲自在地走在泉石之间，采摘林中的花草，拾取落在山溪中的果子，舀溪水来喝，看到他的人以为他是神仙。天下的乐事无穷无尽，而符合心意的事最让人喜悦。称心如意的时候，觉得没有什么东西可以换取这种快乐。到了兴尽的时候，都会洒然嘲笑自己一番。好比各种菜肴摆在面前，都是为了吃饱，而吃下去后，同样会变成腐臭的东西。有谁会去计算其中的得失呢？只要心中不觉得愧疚，也不会受到别人的指责，就暂且这样生活吧。这是子瞻游玩山水而感到快乐的原因。

文史链接

乌台诗案

乌台诗案是苏轼被冤，入御史台狱的历史事件。因御史台又称为乌台，且案子的内容多与诗文有关，所以史称“乌台诗案”。

宋神宗元丰二年三月，苏东坡由徐州调任江苏湖州。他作《湖州谢上表》，末尾说到：“陛下知其愚不适时，难以追陪新进；察其老不生事，或能牧养小民。”监察御史何大正认为这句话是攻击变法，于是他和舒亶、李定、李宜之等人上奏弹劾苏轼，检举苏轼在诗文中“谤讪朝政”。七月，苏轼在湖州被除去官职。八月，他被下御史台狱勘问。十二月，结案，苏轼被贬任黄州团练副使。同时，苏轼的弟弟苏辙也因为此事被贬任筠州酒监。

乌台诗案前后牵连甚广，在士林间引起广泛关注。结案后，苏轼的狱中供状和相关诗文被迅速抄录，并刊印成书。南宋周必大在《二老堂诗话·记东坡乌台诗案》云：“元丰己未，东坡坐作诗谤讪，追赴御史狱。当时所供诗案，今已印行，所谓《乌台诗案》是也。”在多种抄本、刊本中，有学者考证乌台诗案的原案见于《函海》和《忏花庵丛书》。

思考讨论

你读过《黄州快哉亭记》吗？请找来读一读，和《武昌九曲亭记》比较一下。

濂溪诗序[1]

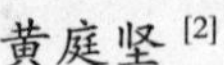

黄庭坚[2]

春陵周茂叔[3]，人品甚高，胸中洒落[4]，如光风霁月[5]。好读书，雅意林壑[6]，初不为人窘束世故[7]。权舆仕籍[8]，不卑小官，职思其忧。论法常欲与民，决讼得情而不喜。其为小吏，在江湖郡县盖十五年，所至辄可传。任司理参军[9]，运使以权利变具狱[10]，茂叔争之不能得，投告身欲去[11]，使者敛手听之。

注释

[1] 濂溪：这里指江西庐山莲花峰下周敦颐以故乡濂溪命名的溪水。　[2] 黄庭坚：字鲁直，自号山谷道人，洪州分宁（今江西修水）人，北宋文学家、书法家，江西诗派的开创者之一。　[3] 春陵周茂叔：春陵，这里指道州（今湖南道县）。周茂叔：周敦颐，字茂叔，号濂溪，宋营道楼田堡（今湖南道县）人，北宋理学家。　[4] 洒落：潇洒，不拘束。　[5] 光风霁月：雨过天晴的明净景象，这里比喻人品高洁、胸襟开阔。　[6] 雅意：爱好。　[7] 窘束：拘谨，约束。　[8] 权舆：草木萌芽。引申为起始。　[9] 司理参军：掌管讼狱的官。　[10] 运使：古代官名。　具狱：定案。　[11] 告身：官告，任命状。

译文

春陵的周茂叔，人品非常高尚，为人洒脱、胸襟开阔。喜爱读书，平时爱好游玩山林，不拘束于人情世故。开始做官时，不以小官为卑微的职位，努力尽到职责。论定法制常以民情为本，判决诉讼不以真相大白而喜悦。他作为一名小官，辗转在各地大概有十五年，每到一处总有事迹被人传颂。他任职司理参军时，运使想要利用手中的权力改变判决的定案，茂叔力争而不能说服他，表示马上要辞职离去，运使才罢手，认可判决结果。

赵公悦道，号称好贤。人有恶茂叔者[1]，赵公以使者临之甚威，茂叔处之超然。其后乃曰寤曰[2]："周茂叔，天下士也。"荐之于朝，论之于士大夫，终其身。其为使者，进退官吏，得罪者自以为不冤。中岁乞身[3]，老于湓城[4]。

注释

[1] 恶（wù）：诽谤，诋毁。　[2] 寤：明白。　[3] 乞身：请求退职。　[4] 湓（pén）城：在今江西九江市。

译文

赵公喜爱道，有好贤的名声。有人诽谤茂叔，赵公派人去严密监察，茂叔对此不以为意。赵公后来才明白，说："周茂叔是才德非凡的人。"向朝廷推荐茂叔，向士大夫们称誉他，终身都是如此。茂叔作钦差时，升降官吏的官职，获罪的官员不认为自己被冤枉。

茂叔中年退休，终老于湓城。

有水发源于莲花峰下[1]，洁清绀寒[2]，下合于湓江[3]。茂叔濯缨而乐之[4]，筑屋于其上，用其平生所安乐，媲水而成[5]，名曰濂溪。与之游者曰："溪名未足以对茂叔之美[6]。"虽然，茂叔短于取名而专于求志，薄于徼福而厚于得民[7]，菲于奉身而燕及茕嫠[8]，陋于希世而尚友[9]。千古闻茂叔之余风，犹足以律贪，则此溪之水，配茂叔以永久，所得多矣。

注释

[1] 莲花峰：在江西庐山。 [2] 绀：天青色。 [3] 湓江：湓水，源出江西瑞昌县清湓山。 [4] 濯缨（zhuó yīng）：洗涤帽子的系带。比喻避世隐居。 [5] 媲（pì）：相比。 [6] 对：匹配。 [7] 徼：求取。 [8] 茕嫠（qióng lí）：寡妇。 [9] 希世：迎合世俗。

译文

有溪水发源于莲花峰下，洁净清凉，流入湓水。隐居的茂叔喜欢这条溪水，在水边建造房屋，命名为濂溪。茂叔的朋友说："濂溪不足以匹配茂叔的美德。"即便如此，茂叔不慕求名誉而专心于志向，不求取福禄而以得民心为重，不注重养生而以自己的钱财抚慰孤寡，不迎合世俗而喜欢交往志同道合的朋友。后世听闻茂叔的一点事迹，就足以约束自己的贪欲，于是这条溪水，因为茂叔的命名而流名久远，所得很多了。

茂叔讳惇实[1]，避厚陵奉朝请名[2]，改惇颐。二子寿、焘，皆好学承家。求余作《濂溪诗》，思咏潜德。茂叔虽仕官三十年，而平生之志终在丘壑。故余诗词不及世故，犹仿佛其音尘。

注释

[1] 讳：指对君主、尊长的名字避开不直称。 [2] 厚陵：这里指宋英宗赵曙，原名宗实。 朝请：古代春季朝见天子为朝，秋季朝见为请。汉代退休大臣和皇室外戚等人，多以奉朝请的名义得以参加朝会。这里指皇帝。

译文

茂叔讳名惇实，为了避英宗皇帝的名讳，改名惇颐。他的两个儿子寿、焘，都努力学习继承家学。请我作一篇《濂溪诗》，思慕咏叹茂叔不为人知的美德。茂叔虽然做了三十年的官，但平生的志趣始终在山水之乐。所以他留下的诗词没有俗气，读了好像看到他的音容笑貌。

文史链接

名字避讳

古代有对名字避讳的礼俗，《礼记·曲礼》中把避讳分为公讳和私讳，公讳即君主讳，私讳即家讳，到了宋代又有避圣贤讳。

避讳的方式主要有改字法、空字法、缺笔法，改读音法等。避君讳，例如，汉高祖刘邦名邦，在《汉书·高帝纪》中荀悦就对刘邦名字的避讳解释说："讳邦，字季。邦之字曰'国'。"《史通》是刘知几的著作，但后人为了避唐玄宗李隆基讳，就改称《史通》是刘子玄所作。而到了清代，又为了避清圣祖爱新觉罗·玄烨的讳，又将刘子玄改称刘子元。这是以改字法避君讳。汉代许慎在《说文解字》中，自光武帝刘秀至安帝刘祜，都采用空字法，避讳不书，写作"上讳"。

避家讳。例如，司马迁的父亲是司马谈，因此司马迁遇到"谈"字时，就会改字，以表示对父亲的尊敬，如《史记·赵世家》中战国的张孟谈，就改称为"张孟同"。苏轼的祖父名序，因此苏洵在文章用到"序"字时，就改用"引"字，苏轼为人作序就改称作叙。

避圣贤讳。例如，清代钱大昕在《十驾斋养新录》中记载，宋大观四年，为了避孔子讳，改瑕丘县为瑕县，龚丘县为龚县。并且引述《至正直记》载："丘字，圣人讳也。子孙读经史，凡云孔丘者，则读作某，以丘字朱笔圈之。凡有丘字，读若区。至如诗以为韵者，皆读作休，同义则如字。"

据《礼记·曲礼》记载，一般在行过卒哭之祭后，就要避讳死者的名字，但并不是在任何情况下都需要避讳。第一，不讳嫌名，即不用避讳同音或近音的字。第二，二名不遍讳，即如果名字有两个字，只用避讳其中的一个字就可以了。第三，如果有父母要侍奉，则要避讳祖父母的名字，如果父母不在了，则可以不避讳祖父母的名字。第四，在国君面前不避家讳，在大夫面不前避国讳。第五，读《诗》、《书》等经典，写文章，以及庙中祝告的祭文不用避讳。第六，妇人的避讳限于家内，所以在国君面前，不必避讳其妇人的名字。其次，大功小功的亲属，不用避讳。

名字避讳的使用在历史上有复杂的变化，但它最主要的用意是表达敬意，所以《礼记·曲礼》上说："入竟而问禁，入国而问俗，入门而问讳。"

思考讨论

1. 你知道周敦颐的哪些作品？

2. 读了《濂溪诗序》你认为周敦颐是一个什么样的人？

新城游北山记[1]

晁补之[2]

去新城之北三十里，山渐深，草木泉石渐幽，初犹骑行石齿间，旁皆大松，曲者如盖[3]，直者如幢[4]，立者如人，卧者如虬[5]。松下草间，有泉，沮洳伏见[6]，堕石井，锵然而鸣。松间藤数十尺，蜿蜒如大蚖[7]。其上有鸟，黑如鸲鹆[8]，赤冠长喙，俯而啄，磔然有声[9]。稍西一峰高绝，有蹊介然[10]，仅可步。系马石嘴[11]，相扶携而上。篁筱仰不见日[12]，如四五里，乃闻鸡声。

注释

[1] 新城：今属浙江富阳。北山：观山，在原新登县北。 [2] 晁补之：字无咎，济州巨野（今山东巨野）人。宋代文学家，“苏门四学士”之一。 [3] 盖：古时车上的伞状车篷。 [4] 幢：古代的一种旗幡。 [5] 虬：传说中的一种龙。 [6] 沮洳（jù rù）：低湿的地方。 [7] 蚖（yuán）：毒蛇。 [8] 鸲鹆（qú yù）：八哥。 [9] 磔（zhé）然：鸟啄木的声音。 [10] 介然：狭窄的样子。 [11] 石嘴：石角，这里指凸出来的石头。 [12] 篁筱（huáng xiǎo）：竹林。

译文

离新城以北三十里，逐渐深入北山，花草树木泉水岩石越来越幽静。开始还可以在乱石中骑马，旁边都是大松树，树干弯曲的像车篷，笔直的像幢幡，直立的像人，横卧的像虬龙。松树下的草丛中有泉水，在低湿的草地里时隐时现，流入石井中，锵锵地响着。松树间的藤蔓长几十尺，弯弯曲曲像大蛇。松树上有鸟，黑色的羽毛像八哥，红冠子长喙，俯着身子啄木，发出磔磔的声音。稍稍往西，有一座非常高的山峰，山下有条非常狭窄的小路，仅可以步行。大家把马拴在石头上，互相搀扶着往上爬。竹林浓密，抬头看不见太阳，走了约四五里，才听见鸡叫声。

有僧布袍蹑履来迎，与之语，愕而顾，如麋鹿不可接[1]。顶有屋数十间，曲折依崖壁为栏楯[2]，如蜗鼠缭绕，乃得出。门牖相值[3]，既坐，山风飒然而至，堂殿铃铎皆鸣，二三子相顾而惊，不知身之在何境也。

注释

[1] 麋（mí）鹿：一种鹿。 [2] 栏楯（shǔn）：栏杆。 [3] 相值：相对。

译文

有僧人穿着布袍鞋子出来迎接，跟他说话，他吃惊地看着，像麋鹿一样没有话说。上面有数十间房屋，曲曲折折地顺着山崖峭壁设有栏杆，像蜗牛和老鼠那样绕来绕去的，才能进出。门窗相对，坐下来，山风飒然吹来，堂殿上的铃铛都响起来，大家吃惊地互相看着，不知道自己处在什么样的地方。

且暮，皆宿。于时九月，天高露清，山空月明，仰视星斗，皆光大，如适在人上。窗间竹数十竿，相摩戛[1]，声切切不已。竹间梅棕，森然如鬼魅离立突鬓之状[2]，二三子又相顾魄动而不得寐[3]。迟明皆去[4]。既还家数日，犹恍惚若有遇，因追忆之。后不复到，然往往想见其事也。

注释

[1] 摩戛：摩擦。 [2] 离立突鬓：离立，对立。突鬓，鬓毛竖起。 [3] 魄动：害怕。 [4] 迟明：黎明。

译文

快要天黑了，大家都留宿在这里。正是九月，天高气爽，露水清凉，山中寂静，月光明亮，抬头看星星，都又亮又大，好像就在人的头上。窗外有数十根竹子，互相摩擦碰撞，声音凄切不止。竹林里的梅树和棕榈，阴森森的像鬼怪对立、鬓毛竖起的样子，大家互相看着害怕而不能入睡。黎明，大家都离开了。回家后好几天，还恍惚好像看到山上的情景，于是回忆着记下。后来没有再去过，但常常想起当时的情景。

文史链接

苏门四学士

苏门四学士指黄庭坚、秦观、晁补之、张耒四人，他们都受到苏轼的培养或提携。而在众多门人中，苏轼也最看重他们四人，他在《答李昭王己书》中说："如黄庭坚鲁直、晁补之无咎、秦观太虚、张耒文潜之流，皆世未之知，而轼独先知之。"《宋史·黄庭坚传》称黄庭坚与张耒、晁补之、秦观俱游苏轼门，天下称为四学士。但苏门四学士只是受教于苏轼，并不是一个文学流派，在文学风格上，他们各自有不同的特点，也有别于苏轼。

苏门四学士中，黄庭坚是江西诗派的开创者，与苏轼并称"苏黄"，他的诗风奇崛瘦硬，主张"词意高胜要从学问中来"。所以他的诗词常翻新前人的诗句。同时，黄庭坚是北宋书坛名家，与苏轼、米芾、蔡襄并称为"宋四家"。他的大字行书用笔曲折顿挫，几乎每一字都有一两笔夸张的长画，尽力送出，形成中宫凝练紧收，四缘发散的新结构，对后世影响很大。

秦观是婉约派的大词人，在题材上偏重于男女恋情和政治上的失意。他的词柔婉妍雅，非常善于利用景色烘托出人物内心深处的细微感触。他的《鹊桥仙》词句“两情若是久长时，又岂在朝朝暮暮？”被清代黄苏在《蓼园词选》中称为“化臭腐为神奇”。

晁补之是四学士中最有苏轼词风的词人，他和苏轼一样喜欢檃栝诗文为词，也有苏轼的豪放气魄。刘熙载在《艺概》中说辛弃疾的《摸鱼儿》即为晁补之《摸鱼儿》的“波澜”。但他的词风也不完全与苏轼相同。相比之下，苏词更清妙旷达，晁词显得沉咽。

张耒在苏门四学士中去世最晚，他的诗风与白居易相近，喜欢用平易浅显的诗句反映百姓的疾苦。他认为：“人生何用读书史，文字未补囊中阙。”诗文的创作要先明理，“如知文而不务理，求文之工，世未尝有也。”但他有时过于偏重追求“理达”而忽视了文辞的藻饰，诗句便失于粗糙。

思考讨论

你有什么特别的旅游经历？请和朋友分享一下。

第六章　偏安悲响——南宋

金石录后序

李清照[1]

右《金石录》三十卷者何[2]？赵侯德父所著书也[3]。取上自三代，下迄五季[4]，钟、鼎、甗、鬲、盘、匜、尊、敦之款识[5]，丰碑、大碣，显人、晦士之事迹，凡见于金石刻者二千卷，皆是正讹谬，去取褒贬，上足以合圣人之道，下足以订史氏之失者皆载之，可谓多矣。呜呼！自王播、元载之祸[6]，书画与胡椒无异；长舆、元凯之病[7]，钱癖与传癖何殊。名虽不同，其惑一也。

注释

[1]李清照：号易安居士，济南（今山东济南）人，宋代词人。　[2]右：这里指以上，古书从右至左直行刻印，这篇序放在全书末尾，所以称“右”。　[3]赵侯德父：赵明诚，字德父。侯，古代士大夫之间的尊称，犹言君。　[4]五季：梁、唐、晋、汉、周等

五代。　[5] 甗（yǎn）：古代的一种炊具，分两层，上层可蒸，下层可煮。　鬲（lì）：一种古代炊具。　匜（yí）：古代舀水、注水的用具。　敦：盛黍稷之器，圆形，有足，有盖。　款识：古代钟鼎彝器上铸刻的文字。　[6] 王播：字明敭，唐文宗时任尚书左仆射，为人贪酷。元载：字公辅，唐代宗时任宰相，后获罪抄家，仅胡椒就有八百多石。　[7] 长舆：和峤，字长舆，晋人，时人称他有钱癖。元凯：杜预，字元凯，晋武帝问他有什么癖好，他答以有《左传》癖。

译文

以上《金石录》三十卷是谁作的？是赵君德父所著。搜集上自三代，下至五代，钟、鼎、甗、鬲、盘、彝、尊、敦上铸刻的文字，大石碑上显要人物和隐士的事迹，这些铸刻在金石上的文字共二千卷，这些文字都校正了错字异文，经过品鉴，加以拣择，把其中足以符合圣人的道理和能够订正史官失误的内容都记载下来，可以说很丰富。唉！从唐代的王播与元载遭到杀身之祸来看，书画跟胡椒没什么不同；而晋人和峤所患的钱癖跟杜预所患的《左传》癖，没有什么区别。名称虽不相同，但受到的迷惑是一样的。

余建中辛巳[1]，始归赵氏[2]。时先君作礼部员外郎[3]，丞相时作吏部侍郎[4]。侯年二十一，在太学作学生。赵、李族寒，素贫俭。每朔望谒告出[5]，质衣取半千钱[6]，步入相国寺，市碑文[7]、果实归，相对展玩咀嚼，自谓葛天氏之民也[8]。后二年，出

仕宦，便有饭蔬、衣练[9]，穷遐方绝域，尽天下古文奇字之志。日就月将[10]，渐益堆积。丞相居政府，亲旧或在馆阁，多有亡诗逸史，鲁壁、汲冢所未见之书[11]。遂尽力传写，浸觉有味，不能自已。后或见古今名人书画、三代奇器，亦复脱衣市易。尝记崇宁间[12]，有人持徐熙《牡丹图》求钱二十万[13]。当时虽贵家子弟，求二十万钱，岂易得耶？留信宿[14]，计无所出而还之，夫妇相向惋怅者数日。

注释

[1]建中辛巳：宋徽宗建中靖国元年。　[2]归：嫁，出嫁。[3]先君：对去世的父亲的敬称。这里指李格非。　[4]丞相：这里指赵挺之，赵明诚的父亲。　[5]谒告：请假。　[6]质：抵押，典当。　[7]市：买。　[8]葛天氏：远古帝王名，传说当时民风纯朴，乐业安居。　[9]练：这里指粗糙的丝帛。[10]日就月将：日有所成，月有所进，指日积月累。　[11]鲁壁：汉武帝时，鲁恭王坏孔子宅，发现《古文尚书》等。　汲冢：晋武帝时，汲郡人盗掘魏襄王墓，发现竹书。　[12]崇宁：宋徽宗赵佶的年号。　[13]徐熙：五代南唐时的著名画家。[14]信宿：连宿两夜。

译文

徽宗建中靖国元年，我嫁到赵家。当时我父亲是礼部员外郎，明诚的父亲是吏部侍郎。明诚年方二十一岁，在太学做学生。赵、李两家本是寒族，向来清贫俭朴。每月初一、十五，明诚都请假出去，把衣服典当，取五百铜钱，走进相国寺，买碑文和果实回来，我们一起欣赏、反复玩味，称自己是古时葛天氏的臣民。两年以后，明诚出仕做官，便立下节衣缩食、游遍天涯海角、把天下的古文奇字全部搜集起来的志愿。日积月累，他搜集到的资料越积越多。明诚的父亲在中书省工作，亲戚故旧中也有人在馆阁任职，常常见到佚诗野史，鲁壁、汲冢等罕见的秘本。于是我们尽力抄写，越来越感到其中的乐趣，不能停止下来。后来有时看到古今名人的书画、某一时代的罕见器物，也变卖衣物把它买下来。曾记得崇宁年间，有人拿来一幅南唐徐熙所画的《牡丹图》，索价二十万钱。当时即使是贵家子弟，筹备二十万钱，哪里是容易的事？留他连宿两夜，没办法筹钱而把画还给了他，我们夫妇俩为此惋惜怅惘了好几天。

后屏居乡里十年[1]，仰取俯拾，衣食有余；连守两郡，竭其俸入以事铅椠[2]。每获一书，即同共勘校，整集签题。得书、画、彝、鼎，亦摩玩舒卷，指摘疵病，夜尽一烛为率[3]。故能纸札精致，字画完整，冠诸收书家。余性偶强记[4]，每饭罢，坐归来堂烹茶，指堆积书史，言某事在某书某卷第几页第几行，以中否角胜负[5]，为饮茶先后。中即举杯大笑，至茶倾覆怀中，反不得饮而起。甘心老是乡矣！故虽处忧患困穷，而志不屈。

注释

[1] 屏：隐退。 [2] 铅椠（qiàn）：铅粉笔与木板。古人记录文字的工具。常用以指著作和校雠。 [3] 率：一定的标准。 [4] 偶：偶然。这里是谦辞。 [5] 角（jué）：较量。

译文

后来我们退隐青州故乡，生活了十年，持家勤俭，生活稍微宽裕；明诚复官后，又接连做了莱州和淄州的太守，尽量把薪俸拿出来，用以收藏古玩、校勘书画。每得一本书，我们就一起校勘，整理作注，记录题要。得到书、画、彝、鼎的时候，或摩挲把玩，或摊开来欣赏，品评其中的毛病，每晚的品评以烧完一支蜡烛为限。因此所收藏的古籍纸札精致、字画完整，超过许多收藏家。我天性博闻强记，每次饭后，和明诚坐在归来堂上烹茶，指着堆积的书籍，说某事在某书某卷的第几页第几行，以猜中与否比赛胜负，作为饮茶的先后。猜中了，便举杯大笑，以至把茶倾在怀中，反而喝不到茶而起身。真希望这样过一辈子！虽然生活很困难，但并没有失去我们的志趣。

收书既成，归来堂起书库大橱，簿甲乙[1]，置书册。如要讲读，即请钥上簿关出[2]。卷帙或少损污，必惩责揩完涂改，不复向时之坦夷也[3]。是欲求适意而反取憀栗[4]。余性不耐，始谋食去重肉，衣去重采，首无明珠、翡翠之饰，室无涂金、刺绣之具，遇书史百家字不刓缺[5]、本不讹谬者，辄市之，储

作副本。自来家传《周易》、《左氏传》，故两家者流，文字最备。于是几案罗列，枕席枕藉[6]，意会心谋，目往神授[7]，乐在声色狗马之上。

注释

[1] 簿甲乙：按甲乙编制分类目录。 [2] 上簿：登记。关出：领出。 [3] 向时：往昔，从前。 [4] 憀（liáo）栗：悲愤。 [5] 刓（wán）缺：磨损残缺。 [6] 枕藉（jiè）：交错地放在一起。 [7] 意会心谋，目往神授：指人对书的极度爱好，达到彼此精神相通的境界。

译文

搜集的书整理好后，在归来堂建起书库大书橱，编上了甲乙等目录，存放书册。如要讲读，就拿来钥匙开橱，登记簿子，取出所要的书籍。有人把书籍稍微污损，定要批评，并责令他揩拭涂改，不能像之前那样随便了。这真是想求得舒心，反招致了烦恼。我不耐烦起来，开始计划使食物中不要有第二道荤菜，衣服中不要有第二件绣有文彩的衣裳，头上不戴镶有明珠、翡翠的首饰，室内没有镀金、刺绣的家具，遇到诸子百家的书籍，只要字不残缺、版本不假，立即买下，作为副本储存。我们自有家传的《周易》和《左氏传》，所以关于这两种经典的书籍，文字最为完备。于是罗列在几案上，堆积在枕席间，我们意会心谋、目往神授，其中的乐趣远远超过声色犬马之乐。

至靖康丙午岁[1]，侯守淄川，闻金人犯京师，

四顾茫然，盈箱溢箧，且恋恋，且怅怅，知其必不为己物矣。建炎丁未春三月[2]，奔太夫人丧南来。既长物不能尽载[3]，乃先去书之重大印本者，又去画之多幅者，又去古器之无款识者，后乃去书之监本者[4]，画之平常者，器之重大者，凡屡减去，尚载书十五车。至东海[5]，连舻渡淮，又渡江，至建康[6]。青州故第，尚锁书册什物，用屋十余间，期明年再具舟载之。十二月，金人陷青州。凡所谓十余屋者，已皆为煨烬矣[7]。

注释

[1] 靖康丙午：宋钦宗靖康元年。 [2] 建炎丁未：宋高宗建炎元年。 [3] 长物：多余的东西。 [4] 监本：国子监所刻印的书籍，官刻本的代表。 [5] 东海：今江苏灌云县。 [6] 建康：今江苏南京。 [7] 煨烬（wēi jìn）：灰烬。

译文

到了钦宗靖康元年，明诚做了淄州太守，听说金军进犯京师汴梁，一时间四顾茫然，满箱满笼都是收藏，一边恋恋不舍，一边怅惘不已，心知这些东西必将不为自己所有了。高宗建炎元年三月间，明诚的母亲去世，我们去建康奔丧。多余的物品不能全部载去，便先把书籍中重且大的印本去掉，又把藏画中重复的画去掉，又把古器中没有款识的去掉，最后又去掉书籍中的国子监刻本，画卷中的平常之作，器皿中又重又大的物件，经过多次挑选，还装了十五车书籍。到了东海，雇了好几艘船渡过淮河，又渡过长江，到达建康。青州的老家里，还锁着书册什物，占用了十多间房屋，希望第二年再备船把它运走。到了十二月，金兵攻下青州。这十几屋的东西，都已经化为灰烬了。

建炎戊申秋九月，侯起复知建康府[1]。己酉春三月罢，具舟上芜湖，入姑孰[2]，将卜居赣水上[3]。夏五月至池阳[4]。被旨知湖州[5]，过阙上殿[6]；遂驻家池阳，独赴召。六月十三日，始负担舍舟，坐岸上，葛衣岸巾[7]，精神如虎，目光烂烂射人，望舟中告别。余意甚恶，呼曰："如传闻城中缓急[8]，奈何？"戟手遥应曰[9]："从众。必不得已，先去辎重，次衣被，次书册卷轴，次古器，独所谓宗器者，可自负抱，与身俱存亡，勿忘也！"遂驰马去。途中奔驰，冒大暑感疾，至行在[10]，病痁[11]。七月末，书报卧病。余惊怛，念侯性素急，奈何病痁；或热必服寒药，疾可忧。遂解舟下，一日夜行三百里。比至[12]，果大服柴胡、黄芩药，疟且痢，病危在膏肓。余悲泣仓皇，不忍问后事。八月十八日，遂不起，取笔作诗，绝笔而终，殊无分香卖屦之意[13]。

注释

[1]知：主持，掌管。 [2]姑孰：溪名。在今安徽当涂县。[3]卜居：择地移居。 [4]池阳：今安徽贵池。 [5]被旨知湖州：被旨，奉旨；湖州，今浙江吴兴县。 [6]过阙上殿：朝见皇帝。 [7]岸巾：把头巾掀起，露出前额。形容豪放洒脱，无拘束。 [8]缓急：危急的事。 [9]戟（jǐ）手：以手指人，形如戟。 [10]行在：皇帝所在的地方。 [11]痁（shān）：疟疾。 [12]比：及，等到。 [13]分香卖屦：分香与人，卖屦为生。此本为曹操临终时的遗嘱，陆机《吊魏武帝文并序》："馀香可分与诸夫人。诸舍中无所为，学作履组卖也。"这里指安排家事的遗嘱。

译文

高宗建炎二年秋九月，明诚再度被起用，任职建康府。三年春三月罢官，乘船过芜湖，到了姑孰，计划择居赣江边。夏五月，到了池阳。这时皇帝有旨命他任职湖州，入朝觐见；于是我们把家暂时安置在池阳，他独自入朝。六月十三日，才背起行李，舍舟登岸，坐在岸上，他穿着葛布衣，掀起前额的头巾，精神如虎，明亮的目光直向人射来，向船上告别。我的情绪很不好，大喊道："假如听说城里局势紧急，怎么办？"他手作戟状，远远地答应道："和大家一样行事。万不得已，先丢掉包裹箱笼，再丢掉衣服被褥，再丢掉书册卷轴，再丢掉古董，只剩下最重要的器物，可以自己抱着背着，与自身共存亡，别忘了！"说罢策马而去。他一路上不停地奔驰，冒着炎暑，感染了疾病，到达皇帝驻跸的地方时，患了疟疾。七月底，有信来，说病倒了。我又惊又怕，想到明诚向来性子很急，怎么偏偏患了疟疾；如果发烧，他一定会服寒性的药，病会更加严重。于是我乘船东下，一昼夜赶了三百里。等到了地方，他果然服了大量的柴胡、黄芩等寒性的药，疟疾加上痢疾，病入膏肓。我悲痛流泪又慌乱，不忍心问后事的安排。八月十八日，他便起不来了，取笔做诗，绝笔而终，没有安排后事的意思。

葬毕，余无所之。朝廷已分遣六宫，又传江当禁渡。时犹有书二万卷，金石刻二千卷，器皿茵褥，可待百客，他长物称是[1]。余又大病，仅存喘息。时势日迫，念侯有妹婿任兵部侍郎，从卫在洪州，遂遣二故吏先部送行李往投之[2]。冬十二月，金人陷洪州，遂尽委弃。所谓连舻渡江之书，又散为云烟矣！独馀少轻小卷轴、书帖，写本李、杜、韩、柳集[3]，《世说》[4]、《盐铁论》，汉、唐石刻副本数十轴，三代鼎鼐十数事[5]，南唐写本书数箧，偶病中把玩，搬在卧内者，岿然独存。

注释

[1]称是：相当于此。称，相当。　[2]部送：护送。[3]李、杜、韩、柳:李白、杜甫、韩愈、柳宗元。　[4]《世说》:即《世说新语》，南北朝人刘义庆著。　[5]事：件，样。

译文

安葬完明诚，我无处可去。朝廷遣散了后宫的嫔妃，又听说禁渡长江。当时还有书二万卷，金石刻二千卷，器皿、垫褥等东西，可接待上百位客人，其他物品的数量与此相当。我又患了大病，只剩喘息的力气了。时局越来越紧张，想到明诚有个妹婿任职兵部侍郎，在洪州随从保卫皇室，于是我派两个老管事，先将行李送到他那里去。冬十二月，金人攻陷洪州，这些东西便都失掉了。那些一艘接着一艘运过长江的书籍，又像云烟一般消失了！只剩下少数分量轻、体积小的卷轴、书帖，李白、杜甫、韩愈、柳宗元的文集写本，《世说新语》、《盐铁论》，汉、唐石刻副本数十轴，三代鼎鼐十几件，南唐写本书几箱，我病中偶尔把玩，把它们搬在卧室内，这些可谓岿然仅存的东西了。

上江既不可往，又虏势叵测，有弟远[1]，任敕局删定官，遂往依之。到台[2]，台守已遁。之剡[3]，出陆，又弃衣被，走黄岩[4]，雇舟入海，奔行朝。时驻跸章安[5]，从御舟海道之温[6]，又之越[7]。庚戌十二月，放散百官，遂之衢[8]。绍兴辛亥春三月[9]，复赴越。壬子，又赴杭。

注释

[1] 远(háng)：李远，李清照的弟弟。 [2] 台：今浙江临海。[3] 之：到，往。剡：浙江嵊州。 [4] 黄岩：今浙江黄岩。[5] 章安：今浙江临海东南。 [6] 温：今浙江温州。 [7] 越：

今浙江绍兴。　[8]衢：今浙江衢。　[9]绍兴辛亥：宋高宗绍兴元年。

译文

长江上游既不能去，敌人的动向又难以预料，我有个弟弟李迒，任职勅局删定官，便去投靠他。我赶到台州，台州太守已经逃走。到剡县，走陆路，又丢掉衣被。急奔黄岩，雇船入海，赶到朝廷行至所在。这时高宗皇帝正驻跸在章安，于是我从御舟的海道往温州，又往越州。建炎四年十二月，百官可以自找地方居住，不必跟随皇帝，我已到了衢州。绍兴元年春三月，再次赴越州。二年，又到杭州。

先，侯疾亟时，有张飞卿学士，携玉壶过视侯，便携去，其实珉也[1]。不知何人传道，遂妄言有颁金之语，或传亦有密论列者。余大惶怖，不敢言，亦不敢遂已，尽将家中所有铜器等物，欲赴外廷投进。到越，已移幸四明[2]。不敢留家中，并写本书寄剡。后官军收叛卒，取去，闻尽入故李将军家。所谓"岿然独存"者，无虑十去五六矣！惟有书画砚墨可五六簏[3]，更不忍置他所，常在卧榻下，手自开阖。

注释

[1]珉（mín）：似玉的美石。　[2]四明：在今浙江宁波。

[3]可：大约。　簏（lù）：竹箱。

译文

先前德父病重时，有一个张飞卿学士，带着玉壶来看望他，随即携去，其实那是用一块似玉的美石雕成的。不知是谁传说了出去，于是有贿赂金人的谣言，还听说有人向朝廷告密。我非常害怕，不敢说什么，也不愿坐以待毙，把家里所有的青铜器等古物全部拿出来，准备捐给掌管国家符宝的外庭。我赶到越州，皇上已移驾四明。我不敢把东西留在身边,连写本书一起寄放在剡县。后来官军搜捕叛逃的士兵时，把它取去，听说全部归入前李将军家中。所谓“岿然独存”的东西，无疑又去掉十之五六了！唯有书画砚墨，大约有五六个竹箱，更舍不得放在别处，常常藏在床榻下，亲手保管。

在会稽[1]，卜居土民钟氏舍。忽一夕，穴壁负五簏去[2]。余悲恸不得活，立重赏收赎。后二日，邻人钟复皓出十八轴求赏，故知其盗不远矣！万计求之，其余遂牢不可出。今知尽为吴说运使贱价得之[3]。所谓“岿然独存”者，乃十去其七八；所有一二残零不成部帙书册，三数种平平书帖，犹复爱惜如护头目，何愚也邪！

注释

[1]会稽：今浙江绍兴。　[2]穴：打洞。　[3]吴说：宋代画家，字傅朋。

译文

在会稽时，我借居在当地居民钟氏家里。忽然一天夜里，有人掘壁洞偷走了五箱。我伤心欲绝，出重金悬赏赎回来。过了两天，邻人钟复皓拿出十八轴书画来求赏，因此知道那盗贼不远！我千方百计求他，再不肯拿出其余的东西。今天我才知道那些东西都被吴说贱价买去了。所谓“岿然独存”的东西，这时已失掉十之七八；剩下一二件残余零碎不成部帙的书册，三五种平庸的书帖，我还像保护头和眼睛一样爱惜，多么愚笨呀！

今日忽开此书，如见故人。因忆侯在东莱静治堂[1]，装卷初就，芸签缥带[2]，束十卷作一帙。每日晚吏散，辄校勘二卷，跋题一卷。此二千卷，有题跋者五百二十卷耳。今手泽如新[3]，而墓木已拱[4]，悲夫！

注释

[1]东莱:今山东掖县。　　[2]芸签:书签。芸，有强烈气味，古时用以驱虫蠹。　　[3]手泽：手汗。多借指先人或前辈的遗物或遗墨。　　[4]拱：两手合围，表示大小粗细。

译文

今天无意中翻阅这本《金石录》，好像见到了死去的亲人。因此想起明诚在莱州静治堂上，把它刚刚装订成册，插以芸签，束以缥带，每十卷作一帙。每天晚上属吏散了，便校勘两卷，题跋一卷。

这二千卷中，有题跋的就有五百二十卷。如今他的手迹还像新的一样，而他墓前的树木已经有拱把粗了，悲痛啊！

昔萧绎江陵陷没[1]，不惜国亡，而毁裂书画；杨广江都倾覆[2]，不悲身死，而复取图书，岂人性之所著[3]，死生不能忘之欤？或者天意以余菲薄，不足以享此尤物耶？抑亦死者有知，犹斤斤爱惜，不肯留在人间耶？何得之艰而失之易也？呜呼！余自少陆机作赋之二年[4]，至过蘧瑗知非之两岁[5]，三十四年之间，忧患得失，何其多也？然有有必有无，有聚必有散，乃理之常。人亡弓，人得之[6]，又胡足道？所以区区记其终始者[7]，亦欲为后世好古博雅者之戒云。绍兴二年玄黓岁壮月朔甲寅易安室题[8]。

注释

[1] 萧绎：梁元帝，北魏攻陷江陵时，他烧毁书画十四万卷。 [2] 杨广：隋炀帝。他出游江都时，随身携带许多文物。临死时，烧毁书画三十七万卷。 [3] 著：附着。 [4] 陆机：陆机，字士衡，西晋文学家、书法家。二十岁写成《文赋》。这里指作者十八岁嫁给赵明诚。 [5] 蘧瑗：蘧瑗，字伯玉，春秋卫国大夫，五十岁时，自知四十九年之非。这里指作者五十二岁写成《金石

录后序》。 [6]人亡弓，人得之：语出《孔子家语》。楚恭王遗失了一张良弓说："楚人失之，楚人得之，又何求焉。"便不去寻找。孔子听闻此事，说："惜乎其不大也。亦曰人遗弓，人得之而已，何必楚也。" [7]区区：自谦的称辞。 [8]玄黓（yì）：古代用干支纪年，太岁在壬称为玄黓。

译文

从前梁元帝萧绎在都城江陵陷落的时候，不痛惜国家灭亡，而烧毁十四万卷书画；隋炀帝杨广在江都遭到覆灭，不悲身死，而烧毁三十七万卷书画作陪葬，难道人天生对所喜爱的东西，不论生死都会念念不忘吗？或者老天认为我浅薄，不配享有这些珍奇的物件吗？抑或明诚死而有知，对这些东西也非常爱惜，不肯让它们留在人间吗？为什么得来艰难而失去容易啊？唉！陆机二十岁作《文赋》，我在比陆机小两岁的时候嫁到赵家，蘧瑗行年五十而知四十九岁之非，现在我已比蘧瑗大两岁了，在这三十四年的时间里，忧患得失，是那么多！然而有有必有无，有聚必有散，这是常理。有人丢了弓，总有人拾得弓，又何必计较？因此我记述这本书的始末，也想为后世的好古博雅之士留下鉴戒。绍兴二年，太岁在壬，八月初一甲寅，易安室题。

文史链接

易安体

易安是李清照的雅号，易安体指李清照自成一体的词作风格。易安体对后世产生了巨大的影响，宋代就有许多词人推重李清照的词，如朱敦儒的《鹊桥仙》称"和李易安金鱼池莲"，南宋侯寘的《眼儿媚》称“效易安体”，辛弃疾也在《丑奴儿近》的题序中提到“效易安体”。在宋代词人看来，易安能够用寻常语言，表达出新奇、高雅的情趣，如“绿肥红瘦”、“人比黄花瘦”等。而在她南渡之后的词作中往往流露出一种沉痛的哀愁，这在南宋末年引起词人们的共鸣。

到了明代，张綖在《诗馀图谱》中以婉约和豪放为标准分判词作。词坛逐渐崇尚婉约风格，以婉约为词风正宗，而易安体的主要特点即为婉约，所以明人常将李清照尊为“词之正宗”。清代词人认同明代对李清照的赞赏，王士祯说 :“婉约以易安为宗”。沈谦在《填词杂说》中说 :“男中李后主，女中李易安，极是当行本色。”

易安体的特色在于婉约。但婉约并非柔媚，李清照的婉约是“寄劲于婉”（刘熙载语），所以在她的词中往往能感受到清俊疏朗的雅境，而非柔靡的缠绵，这正是易安体能“风神气格冠绝一时”的原因所在。

思考讨论

1. 李清照在《金石录后序》中说 :“有有必有无，有聚必有散，乃理之常。”你认同这一观点吗？

2. 你读过李清照的哪些词？与朋友交流一下。

居室记

陆　游[1]

陆子治室于所居堂之北，其南北二十有八尺，东西十有七尺。东西北皆为窗，窗皆设帘障，视晦明寒燠为舒卷启闭之节[2]。南为大门，西南为小门。冬则析堂与室为二，而通其小门以为奥室[3]，夏则合为一，而辟大门以受凉风。岁暮必易腐瓦，补罅隙[4]，以避霜露之气。

注释

[1] 陆游：字务观，号放翁，越州山阴（今浙江绍兴）人。南宋诗人。　[2] 燠（yù）：暖。　[3] 奥室：内室。　[4] 罅（xià）隙：漏缝。

译文

陆先生在居住的厅堂北边建立了一所房屋，南北长二十八尺，东西宽十七尺。东、西、北面都开了窗户，窗户上都挂了帘帐，根据光线的明暗、天气的冷暖来舒卷窗帘、开关窗户。居室南面是大门，西南开了小门。冬天把厅堂和居室分为两个，用一个小门连通，作为内室，夏天就把厅堂和居室合二为一，打开大门，以便凉风吹进来。到了年底必定更换坏烂的瓦片，修补漏缝，以抵御霜露寒气。

朝晡食饮[1]，丰约惟其力，少饱则止，不必尽器；休息取调节气血，不必成寐；读书取畅适性灵，不必终卷。衣加损，视气候，或一日屡变。行不过数十步，意倦则止。虽有所期处[2]，亦不复问。

注释

[1] 晡（bū）：黄昏。　　[2] 期处：预期达到的地方。

译文

平日的饮食，多少量力，稍饱就不吃了，不一定吃完；休息是为了调节气血，不一定要睡着；读书以顺畅闲适自己的性灵为目的，不一定把一本书读完。衣服的添加和减少，视气候的变化而定，有时一天变更数次。行走不过数十步，感到疲倦就停下来。即便有想到的地方，也不再去。

客至，或见或不能见。间与人论说古事[1]，或共杯酒，倦则亟舍而起[2]。四方书疏，略不复遣。有来者，或亟报，或守累日不能报，皆适逢其会，无贵贱疏戚之间[3]。足迹不至城市者率累年。少不治生事，旧食奉祠之禄以自给[4]。秩满[5]，因不复敢请，缩衣节食而已。又二年，遂请老[6]。法当得分司禄，亦置不复言。

注释

[1] 间：有时。 [2] 舍：离开。 [3] 间：差别。 [4] 奉祠之禄：宋代官员离职后，多有管理当地道教某宫观的职务，以此领取俸禄，称为祠禄。两年一任，可以连任。 [5] 秩满：任满。 [6] 请老：退休。

译文

客人来了，有时见，有时不能见。有时和人谈古论今，偶尔喝点酒，疲倦了，就马上起来离开。四方书信，很少连续通信两次。有来信，有的能及时回信，有的很久也不能回信，都是碰巧赶上，没有贵贱亲疏的差别。大概好些年都没有去过城里和集市了。年轻的时候不管如何生存的事，老了以奉祠的俸禄维持生活。任满，由于不再申请，只好节衣缩食罢了。又过了两年，就退休了。按礼制应当分到退休金，也按下不提。

舍后及旁，皆有隙地，莳花百余本[1]。当敷荣时[2]，或至其下，方羊坐起[3]，亦或零落已尽，终不一往。有疾，亦不汲汲近药石[4]，久多自平。家世无年，自曾大父以降[5]，三世皆不越一甲子[6]，今独幸及七十有六，耳目手足未废，可谓过其分矣。然自记平昔于方外养生之说，初无所闻，意者日用亦或默与养生者合，故悉自书之，将质于山林有道之士云[7]。庆元六年八月一日[8]，山阴陆某务观记。

注释

[1]莳（shì）：栽培。　[2]敷荣：开花。　[3]方羊：游荡徘徊。　[4]汲汲：急切的样子。　药石：药物。石，砭石，古代一种石针。　[5]曾大父：曾祖父。　[6]甲子：六十岁。　[7]质：求证。　[8]庆元六年：公元1200年。庆元是宋宁宗赵扩的年号。

译文

房舍的后面和旁边，都有空地，种了百余种花。当花开叶茂的时候，有时到花丛里，坐卧徘徊，有时到了花凋零落尽的时节，一次都没去。生病时，也不急于用药物治疗，时间长了很多病自己好了。家里世代没有长寿的人，自曾祖父以来，三代都没有人超过六十岁，现在只有我已七十六岁，耳目手脚没有毛病，可以说超过前人很多了。然而想想自己平时对于方外养生之法，都没有接触，可能是日常生活与养生之道相暗合，因此我全部写出来，有机会向隐居山林的懂养生之道的人求证。庆元六年八月一日，山阴陆某务观记。

文史链接

天干地支

天干地支是我国传统的历法，据隋朝萧吉《五行大义》记载，大挠“采五行之情，占斗机所建，始作甲乙以名日，谓之干；作子丑以名月，谓之支，有事于天则用日，有事于地则用月，阴阳之别，故有支干名也。”《史记·律书》和《说文解字》中对天干地支都有详细的解释。

天干，即甲、乙、丙、丁、戊、己、庚、辛、壬、癸。天干与太阳有关，万物在太阳的循环往复中，经历萌发、成长、壮年、衰老、死亡和再生的过程。据东汉刘熙载解释，“甲”为“孚”，指万物萌生；“乙”为“轧”，指万物生长；“丙”为“炳”，指万物生长明显；“丁”为“壮”，指达到壮年；“戊”为“茂”，指万物繁茂；“己”为“纪”，指万物生长到定形；“庚”为“更”，指万物机体坚实；“辛”为“新”，指万物长成；“壬”为“妊”，指万物开始结果，有收成；“癸”为“揆”，指估量万物再次萌芽。

地支，即子、丑、寅、卯、辰、巳、午、未、申、酉、戌、亥。十二地支的顺序和天干一样，也是说明事物的发展变化。“子”为“孳”，指阳气上升，万物开始有生意；“丑”为“纽”，指寒气消退；“寅”就是“演”，指万物开始生长的意思；“卯”为“冒”，指万物冒土而出；“辰”为“伸”，指万物伸长；“巳”为“巳”，指阳气极盛；“午”为“仵”，指阴气从下萌生，与阳气相冲；“未”就是“昧”，指太阳过午，天很快就偏暗了；“申”为“身”，指万物长成；“酉”为“秀”，指万物成熟；“戌”就是“恤”，指万物收敛；“亥”为“核”，指万物收藏，有坚核。

天干与地支依次组合，于是有甲子、乙丑、丙寅等六十个名称，称为“六十甲子”。六十甲子是对天文和地文相应变化的描述，我国古代便以这六十甲子的周而复始来记录年月时辰。

思考讨论

1. 从《居室记》里所描绘的陆游的生活状态来看，你认为陆游是一位什么样的人？

2. 按干支计算，你知道今年是什么年吗？

姚平仲小传[1]

陆　游

姚平仲，字希晏，世为西陲大将[2]。幼孤，从父古养为子[3]。年十八，与夏人战臧底河[4]，斩获甚众，贼莫能枝梧[5]。宣抚使童贯召与语[6]，平仲负气不少屈[7]，贯不悦，抑其赏，然关中豪杰皆推之[8]，号小太尉。

注释

[1]姚平仲：北宋末年爱国将领。　[2]西陲：西部边疆。　[3]从父：伯父或叔父。　[4]夏人：西夏党项族人。　[5]枝梧：抵抗。　[6]童贯：宋徽宗宠信的奸佞宦官。　[7]负气：自恃气盛，不肯屈居事人。　[8]推：推崇。

译文

姚平仲，字希晏，家中世代为驻守西部边境的大将。他从小成了孤儿，从父姚古把他作为儿子抚养。十八岁时，他和西夏军队在臧底河交战，斩杀、俘获很多敌人，敌人不能抵抗。宣抚使童贯召见他并和他谈话，平仲有骨气，不愿讨好童贯，童贯很不高兴，压低对他的赏赐，但是关中的豪杰都推崇他，称他“小太尉”。

睦州盗起[1]，徽宗遣贯讨贼。贯虽恶平仲[2]，心服其沉勇，复取以行。及贼平，平仲功冠军，乃见贯曰："平仲不愿得赏，愿一见上耳[3]。"贯愈忌之。他将王渊、刘光世皆得召见，平仲独不与[4]。

注释

[1] 睦州：在今浙江建德县。　[2] 恶（wù）：厌恶。[3] 上：皇帝。　[4] 与：参加。

译文

睦州发生叛乱，宋徽宗派童贯征讨叛乱。童贯虽然厌恶平仲，但是内心佩服他的沉稳勇猛，又调任他同行。等到起义被平定，平仲的功劳居全军之首，于是他面见童贯说："我不愿意得到赏赐，只想面见一次皇上。"童贯更加忌惮他。别的将领王渊、刘光世都得到皇上的召见，唯独姚平仲没有被召见。

钦宗在东宫知其名[1]，及即位，金人入寇，都城受围，平仲适在京师，得召对福宁殿，厚赐金帛，许以殊赏[2]。于是平仲请出死士斫营擒虏帅以献[3]。及出，连破两寨，而虏以夜徙去。

注释

[1] 东宫：太子居住的地方。这里指做太子的时候。[2] 殊赏：厚赏。　[3] 斫（zhuó）营：突袭敌营。虏：对敌人的贱称。

译文

宋钦宗做太子的时候，听说了姚平仲的名声，到即位时，金人入侵，京城被围，平仲正好在京城，得以在福宁殿被宋钦宗召见询问对策，钦宗赏赐他许多财物，许诺退敌后重赏他。于是平仲请求带领敢死队突袭敌营，捉拿敌人的将帅献给钦宗。出击后，接连攻破敌人两座营寨，但是敌帅已连夜逃跑了。

平仲功不成，遂乘青骡亡命，一昼夜驰七百五十里，抵邓州[1]，始得食。入武关[2]，至长安，欲隐华山，顾以为浅[3]，奔蜀，至青城山上清宫，人莫识也。留一日，复入大面山[4]，行二百七十余里，度采药者莫能至[5]，乃解纵所乘骡，得石穴以居。

注释

[1]邓州：今河南邓县。 [2]武关：在今陕西商南县西北。[3]顾：但。 [4]大面山：在青城山以西。 [5]度（duó）：估计。

译文

平仲没有建成大功，于是骑着青骡逃命，一昼夜跑了七百五十里，到达邓州，才敢吃饭。进入武关，到了长安，打算在华山隐居，但他认为不够隐蔽，于是奔向蜀地，到了青城山的上清宫，人们都不认识他。停留了一天，又进入大面山，走了二百七十余里，估计采药的人都到不了，才放走了所骑的骡子，找了一处石洞住下。

朝廷数下诏物色求之[1]，弗得也。乾道、淳熙之间[2]，始出，至丈人观道院，自言如此。时年八十余，紫髯郁然长数尺，面奕奕有光[3]，行不择崖堑荆棘[4]，其速若奔马。亦时为人作草书，颇奇伟。然秘不言得道之由云。

注释

[1] 物色：搜寻。　[2] 乾道、淳熙之间：公元 1165 至 1189 年。乾道、淳熙都是宋孝宗的年号。　[3] 奕奕：有神采的样子。　[4] 崖堑（qiàn）：山崖和山沟。

译文

朝廷多次下诏搜寻他，都没有找到。乾道、淳熙年间，才出山，到丈人观道院，自己说了以上经历。当时他已经八十多岁，紫红色的胡子很浓密，有几尺长，面露红光，走路不管山崖、山沟、荆棘，速度快如奔马。也偶尔给人写草书，非常奇特雄伟。但是不说出他得道的原因。

文史链接

得道的神人

陆游的《姚平仲小传》是宋代散文中的名篇，文章末尾提到姚平仲得道的故事，说他八十多岁了，脸上还奕奕生光，走路不管山崖、沟坎，速度快如奔马。明代陈继儒作《跋姚平仲小传》说：

“人不得道，生老病死四字关，谁能透过？独美人名将，老病之状，尤为可怜。夫红颜化为白发，虎头健儿化为鸡皮老翁，亦复何乐？西子入五湖，姚平仲入青城山，他年未必不死，直是不见末后一段丑境耳。故曰：神龙使人见首而不见尾。”陈继儒认为姚平仲并没有长生不死，只不过他隐居在青城山，没人见到他老死的丑态罢了。同时，他认为人不得道，是不可能悟透生老病死的。那么什么是得道呢？

《庄子·逍遥游》中有一段肩吾和连叔的对话，讲述了一个神人得道的寓言，我们或许可以从这个寓言中窥见得道的秘密。肩吾对连叔说，接舆告诉他在姑射山上住着一位得道的神人，神人“肌肤若冰雪，绰约若处子。不食五谷，吸风饮露。乘云气，御飞龙，而游乎四海之外。其神凝，使物不疵疠，而年谷熟。”肩吾认为接舆是在骗他。连叔听了神人的故事，对肩吾说：“我们无法与盲人一起欣赏华丽的纹饰，也无法和聋人一起欣赏美妙的音乐。聋盲岂止是形体上会有缺陷？在认知上也是有的。你不正像聋盲的人一样吗？接舆所说的神人，他的德量广被万物，合为一体，外物都不会伤害他，洪水滔天而他不会被溺毙，大旱使金石熔化、土山枯焦而他不会感到热。这样的人，怎么会为俗事劳心伤神呢？”

显然，神人的得道是一种超越的精神境界，而神人为什么能够有那么高的精神境界呢？陈鼓应先生认为，神人能突破自我中心的局限，心灵独立自足，不为外境所牵扰，能以开放的心灵，与宇宙万物和谐交感而冥合一体。

思考讨论

陆游在《姚平仲小传》中赞扬了姚平仲不屈于童贯的高尚节操，历史上还有类似的人和事吗？

大学章句序[1]

朱　熹[2]

大学之书，古之大学所以教人之法也。盖自天降生民，则既莫不与之以仁义礼智之性矣。然其气质之禀或不能齐[3]，是以不能皆有以知其性之所有而全之也。一有聪明睿智能尽其性者出于其间，则天必命之以为亿兆之君师[4]，使之治而教之，以复其性。此伏羲、神农、黄帝、尧、舜所以继天立极[5]，而司徒之职[6]、典乐之官所由设也[7]。

注释

[1]大学:《礼记》中的一篇文章。　[2]朱熹:字元晦,婺源(今江西婺源)人，宋代理学之集大成者。　[3]齐：一致。[4]亿兆：计数单位，这里指百姓。　[5]极：准则，法则。[6]司徒:官名。主管民事、户口、籍田、财赋等事。　[7]典乐:官名，主管朝廷庆典乐律等事务。

译文

《大学》这部书，是古代太学用来教育学生的法则。自从上天降生人类以来，就没有不赋予每一个人仁、义、礼、智的本性。然而人的禀赋气质存在差别，所以不是所有人都能够自觉保全自己的本性。一旦有聪明智慧能把最初本性发挥到极致的人在民众

中出现，那么上天一定会让他成为百姓的君主和师长，让他治理和教育人民，以恢复人民的本性。这就是伏羲、神农、黄帝、尧、舜之所以承受天命建立礼法的缘故，也是设立司徒、典乐等官职的原因。

三代之隆，其法浸备[1]，然后王宫、国都以及闾巷，莫不有学。人生八岁，则自王公以下，至于庶人之子弟，皆入小学，而教之以洒扫、应对、进退之节，礼乐、射御[2]、书数之文；及其十有五年，则自天子之元子[3]、众子，以至公、卿、大夫、元士之嫡子，与凡民之俊秀，皆入大学，而教之以穷理、正心、修己、治人之道。此又学校之教、大小之节所以分也。

注释

[1]浸备:逐渐完备。　[2]御:驾驭马车之术。　[3]元子:嫡长子。

译文

在夏、商、周三代兴隆时，学校设施及教学方法渐渐完备，因此王宫、国都和闾巷都有学校。人长到八岁，从王公以下至于平民的子弟，都进入小学学习，教他们洒水扫地、应答对话、待人接物的礼节，以及礼制、舞乐、射箭、驾车、书写和算术等文化知识；等到十五岁时，从天子的嫡长子和庶子，到王公、卿相、大臣、官员的嫡长子，还有平民中的优秀子弟，都进入太学，教他们探究真理、端正心态、修养自身、管理民众的道理。这是学校的教育内容的不同，太学、小学不同的原因。

夫以学校之设，其广如此，教之之术，其次第节目之详又如此，而其所以为教，则又皆本之人君躬行心得之余，不待求之民生日用彝伦之外，是以当世之人无不学。其学焉者，无不有以知其性分之所固有，职分之所当为，而各俛焉以尽其力[1]。此古昔盛时所以治隆于上，俗美于下，而非后世之所能及也！

注释

[1] 俛（miǎn）：通“勉”，勤勉。

译文

学校设立的科目如此的广泛，教学的次序和内容又是如此详细分明，而所教育的内容，都是以人君身体力行的经验和心得为本，不在民众日常生活的伦常之外寻求，所以当世之人没有不学习的。学习的人，没有不在认识自身的本性和自己的职责上，各自勉励，尽自己最大努力的。这就是古代兴盛时，政治清明，民间风俗淳美，而后世比不上的原因！

及周之衰，贤圣之君不作，学校之政不修，教化陵夷[1]，风俗颓败，时则有若孔子之圣，而不得君师之位以行其政教，于是独取先王之法，诵而传之以诏后世。若《曲礼》、《少仪》、《内则》、《弟子职》诸篇[2]，固小学之支流余裔，而此篇者，则因小学之成功，以著大学之明法，外有以极其规模之大，而内有以尽其节目之详者也。三千之徒，盖莫不闻其说，而曾氏之传独得其宗[3]，于是作为传义，以发其意。及孟子没而其传泯焉[4]，则其书虽存，而知者鲜矣！

注释

[1]陵夷:衰落。　[2]《曲礼》、《少仪》、《内则》、《弟子职》:前三篇均为《礼记》里的单篇文章。后一篇是保存在《管子》中的一篇文献。　[3]曾氏:曾参。孔子的弟子。　[4]泯:灭，亡。

译文

到周朝衰落时，贤圣之君不再出现，学校的教育不能推行，教化衰落、风俗颓废败坏，当时有孔子这样的圣人，然而不能处在君师的位置上来推行他的政治教化，于是他把先王的礼法单独抽取出来，诵读它们、传播它们，把先王之道昭显给后人。像《曲礼》、《少仪》、《内则》、《弟子职》等篇，都是流传下来的小学的分支片断，而这一篇《大学》，是在小学学成的基础上，讲明太学教学的内容和方法，既展现了内涵的博大，内容又条理分明、节次详细。孔子的三千多个学生，没有不听过此说，而只有曾子明白其中的真义，于是写成传文，以阐发它的意蕴。到孟子去世后，曾子的学说无人能传，《大学》这本书虽然存在，但理解它真义的人太少了！

自是以来，俗儒记诵词章之习，其功倍于小学而无用；异端虚无寂灭之教，其高过于大学而无实。其他权谋术数，一切以就功名之说，与夫百家众技之流，所以惑世诬民、充塞仁义者，又纷然杂出乎其间，使其君子不幸而不得闻大道之要，其小人不幸而不得蒙至治之泽，晦盲否塞[1]，反覆沉痼[2]，以及五季之衰[3]，而坏乱极矣！

注释

[1] 晦盲：昏暗。 否塞（pǐ sè）：闭塞。 [2] 沉痼（gù）：积久难治的病。比喻难改的陋习积弊。 [3] 五季：后梁、后唐、后晋、后汉、后周五代。

译文

从那以后，平庸的儒生诵记词句，所下的功夫数倍于小学但没有用；佛道异端所讲说的虚无寂灭的教义，理论高过大学而没有实际内容。其他权谋术数，一切以功名利禄为目的的说教，以及百家众技之流，蛊惑人心、欺骗民众、阻塞仁义的学说，又纷然杂出，使在位者不幸而不能了解大道的要旨，使平民百姓不幸而不得蒙受政治清明的恩泽，昏暗不明，政教不行，反复积累成陋习积弊，到五代十国衰败的时候，世道坏乱到了极点！

天运循环，无往不复。宋德隆盛，治教休明[1]。于是河南程氏两夫子出[2]，而有以接乎孟氏之传。实始尊信此篇而表章之，既又为之次其简编，发其归趣，然后古者大学教人之法、圣经贤传之指[3]，粲然复明于世。虽以熹之不敏，亦幸私淑而与有闻焉[4]。顾其为书犹颇放失，是以忘其固陋，采而辑之，间亦窃附己意，补其阙略，以俟后之君子[5]。极知僭逾[6]，无所逃罪。然于国家化民成俗之意、学者修己治人之方，则未必无小补云。淳熙己酉二月甲子[7]，新安朱熹序。

注释

[1] 休明：美好而清明。 [2] 程氏两夫子：程颢和程颐。 [3] 指：通“旨”，意图。 [4] 私淑：敬仰某人的学问而向他学习，但没有直接受教。 [5] 俟：等待。 [6] 僭（jiàn）逾：越礼行事。 [7] 淳熙：南宋孝宗赵眘的年号。

译文

天运循环，无往不复。到了宋朝，道德隆盛，治教清明。于是有河南程颢和程颐两位先生诞生，能够继承孟子的传统。开始尊信和表彰这篇《大学》，又将传文重新编次，阐发真义，然后，古代太学教育人的方法、圣贤传下的经典的宗旨，重新粲然现于当世。即使像我朱熹这样不够聪明的人，也有幸从老师那里听说了程氏两先生的学说。但是程氏两先生对全文的编订，仍有不恰当的地方，于是我不顾自己的固陋，重新加以编辑，间或将自己的见解附在其中，弥补缺略的地方，等待以后的学者补正。我深知这样做是对圣贤不敬，不能逃脱罪责。但这对于国家化民成俗的意愿、学者修己治人的方法，则未必没有小小的帮助。淳熙己酉二月甲子，新安朱熹序。

文史链接

鹅湖之会

鹅湖之会是由吕祖谦发起，和会朱熹、陆九渊学问异同的一次学术盛会，因为会议在信州铅山县的名胜鹅湖寺举行，所以史称“鹅湖之会”。

宋淳熙二年四月，吕祖谦从浙江到福建拜访朱熹，在朱熹的寒泉精舍小住。他们一起研读周敦颐、程颢、程颐和张载的著作，选取“关于大体而切于日用”的语录，编为《近思录》。在选读的过程中，他们商定约陆九渊到鹅湖寺一聚，以期大家互相切磋学问，交流心得。于是，吕祖谦向陆九渊发出邀约。

陆九渊接到邀约，便和哥哥陆九龄欣然赴会。在路上，陆九龄说：“伯恭约元晦为此集，正为学术异同，某兄弟先自不同，何以望鹅湖之同。”于是陆九渊和哥哥辩论学问，直到深夜。第二天，九龄说：“夜来思之，子静之说极是。方得一诗云：孩提知爱长知钦，古圣相传只此心。大抵有基方筑室，未闻无址忽成岑。留情

鹅湖书院

传注翻蓁塞，著意精微转陆沉。珍重友朋相切磋，须知至乐在于今。”陆九渊听了，认为诗的第二句欠佳。九龄有些诧异，就问：“还有什么不妥？”陆九龄说：“不妨一面起行，某沿途却和此诗。”

到了鹅湖，吕祖谦先问陆九龄，自上次分别后有什么心得，陆九龄便把路上作的诗吟了出来，才念到第四句，朱熹就对吕祖谦说：“子寿早已上子静船也。”等陆九龄把诗吟完，朱熹就要和他辩论，这时陆九渊说：“途中某和得家兄此诗云：墟墓兴哀宗庙钦，斯人千古不磨心。涓流滴到沧溟水，拳石崇成泰华岑。易简功夫终久大，支离事业竟浮沉。”念到这里，朱熹变了脸色，因为陆九渊所说的“支离事业”正是对朱熹为学方法的批评。陆九渊还接着说：“欲知自下升高处，真伪先须辩只今。”说完，朱熹非常不高兴。于是，与会者各自休息。接下来的几天，陆九渊又和朱熹、吕祖谦辩论数十回合。朱、吕二人都辩不过陆九渊。朱熹认为陆九渊教人太过简易，应该让人“泛观博览，而后归之约。”陆九渊当即就要问朱熹："尧舜之前有什么书可读？"陆九龄制止了他。

在这次鹅湖之会上，朱熹和陆九渊初次相见，虽然没有达成一致的学术观点，但加深了对彼此的了解，建立了往来的友谊，二人的争论也使得理学的发展进一步呈现出不同的面向。

思考讨论

你读过《大学》吗？请找来读一读，结合朱熹的《大学章句序》和朋友交流一下感想。

白鹿洞书院论语讲义 [1]

陆九渊 [2]

某虽少服父兄师友之训，不敢自弃，而顽钝疏拙，学不加进，每怀愧惕，恐卒负其初心。方将求针砭镌磨于四方师友 [3]，冀获开发以免罪戾。此来得从郡侯秘书至白鹿书堂，群贤毕集，瞻睹盛观，窃自庆幸！秘书先生、教授先生不察其愚，令登讲席，以吐所闻。顾惟庸虚，何敢当此？辞避再三，不得所请，取《论语》中一章，陈平日之所感，以应嘉命，亦幸有以教之。

白鹿洞书院规条

注释

[1] 白鹿洞书院：在今江西九江市庐山五老峰南麓。[2] 陆九渊：字子静，抚州金溪（今江西金溪县）人，南宋理学家，时称象山先生。[3] 针砭镌磨：比喻向别人刻苦求教。针砭，用石针扎刺皮肉以治病。镌，凿刻。

译文

我虽然从小就接受父兄师友的教诲，不敢自弃，但天生愚笨，学业不能有所进益，常常感到羞愧和忧虑，恐怕最终辜负了原来的心志。于是向四方的师友请教学问，希望获得启发以免去不学之罪。此次能跟从郡侯秘书来到白鹿书院，许多学者聚集在一起，看到这样的盛况，我私下里感到很庆幸！秘书先生、教授先生不觉得我愚笨，让我登台讲课，讲讲我的读书心得，但我的学问不足，怎么敢当？再三请辞，不得获许，于是选取《论语》中的一章，陈述我平日对这章的体悟，以此应答诸位的好意，也希望大家多多指教。

子曰："君子喻于义，小人喻于利。"此章以义利判君子小人，辞旨晓白，然读之者苟不切己观省[1]，亦恐未能有益也。某平日读此，不无所感：窃谓学者于此，当辨其志。人之所喻由其所习[2]，所习由其所志。志乎义，则所习者必在于义，所习在义，斯喻于义矣。志乎利，则所习者必在于利，所习在利，斯喻于利矣。故学者之志不可不辨也。

注释

[1]苟：如果。　　[2]喻：明白，知道。

译文

孔子说："君子懂得的是义，小人懂得的是利。"此章以义利作为君子和小人的区别，文辞大意明白晓畅，然而读的人如果不能切身反省自己，恐怕不能有深入的理解。我平日读到此章，有许多感想：我认为学者读到这章，应当辨明自己的志向。一个人所明白的东西是由于他的习用，习用是由于他的志向所在。志于义，那么习用必定在于义，习用符合义，便懂得了义。志于利，那么习用必定在于利，习用追逐利，便是只懂得利。所以学习的人不可以不辨明自己的志向。

科举取士久矣，名儒巨公皆由此出。今为士者固不能免此。然场屋之得失[1]，顾其技与有司好恶

如何耳，非所以为君子小人之辨也。而今世以此相尚，使汩没于此而不能自拔[2]，则终日从事者，虽曰圣贤之书，而要其志之所乡[3]，则有与圣贤背而驰者矣。推而上之，则又惟官资崇卑、禄廪厚薄是计，岂能悉心力于国事民隐[4]，以无负于任使之者哉？

注释

[1]场屋：科举考试的地方。　[2]汩没：沉没，埋没。　[3]乡：通“向”。志向。　[4]隐：忧患。

译文

长期以来，都是通过科举考试选拔人才，名儒巨公都是通过这一方式选出。如今的士子固然不能不参加科举。然而科考的胜败，和科考人的答卷技巧、考官的好恶有很大关系，并非是君子和小人的区别标准。而现在世人只崇尚在科举考试中胜出，使自己陷没到科考中而不能自拔，这样一来，终日从事的，虽然说是圣贤的教导，但观察他的志向，则和圣贤的教导背道而驰。以此推论，如果只考虑官位的高低、俸禄的多少，哪里能全心全意地考虑国家大事和百姓忧患，而不辜负给他们官位的民众啊？

从事其间，更历之多，讲习之熟，安得不有所喻？顾恐不在于义耳。诚能深思是身，不可使之为小人之归，其于利欲之习，怛焉为之痛心疾首[1]，

专志乎义而日勉焉，博学审问[2]，慎思明辨而笃行之。由是而进于场屋，其文必皆道其平日之学、胸中之蕴，而不诡于圣人[3]。由是而仕，必皆共其职，勤其事，心乎国，心乎民，而不为身计。其得不谓之君子乎？秘书先生起废以新斯堂，其意笃矣。凡至斯堂者，必不殊志。愿与诸君勉之，以毋负其志。

注释

[1] 怛：惊恐，畏惧。　[2] 审：详细。　[3] 诡：违背。

译文

在备战科考期间，看得很多，讲论复习得很熟，怎么会不有所晓悟？只怕所想所习不在于义。真正能深入反思自己，不使自己沦落到小人的地步，对于唯利是图，心中畏惧，感到痛心疾首，专心于义而每日勉励自己，广泛地学习，详细地发问，慎重地思考，明晰地判别，进而坚定地行动。经过这样的学习而去参加科考，作出的文章必定能写出平日所学、心中所想，而不违背圣人的教诲。经过这样的学习而走上仕途，必定会尽职尽责，勤勉做事，心系国家，心系百姓，而不为自己牟私利。这样不就是君子吗？秘书先生重新建造这被废弃的书院，有深远的考虑。凡是来到这里的人，必定有共同的志向。我愿与诸位相互勉励，不要辜负了我们心中的志向。

文史链接

陆九渊讲学白鹿洞书院

在鹅湖之会上，朱熹与陆九渊初次见面，虽然在学问理路上有较大歧见，但以学论友，两人建立了深厚的友谊。后来，朱熹到江西南康做地方官，他一方面积极处理政务、安顿百姓，以“厚人伦美教化为首务”；另一方面，他非常关心教育事业，着手修复了白鹿洞书院。淳熙八年，陆九渊到南康拜访朱熹，朱熹趁机请他到白鹿洞书院演讲，陆九渊应命作了一场关于如何理解“君子喻于义，小人喻于利”的报告。这场演讲很成功，有的听众听着落泪了，朱熹也“微汗挥扇”，说：“某在此不曾说到这里，负愧何言！”他还把陆九渊的讲稿刻石，为之作跋，评价这次演讲：“发明敷畅，则又恳到明白，而皆有以切中学者隐微深痼之病，盖听者莫不悚然动心焉。”

那么,陆九渊的这次演讲切中了读书人的什么“隐微深痼之病”呢？自隋唐设立科举考试制度以来，许多读书人都是为了考试而考试，为了出仕而读书，太过于计较科举的得失，从而忘记了读书的真正目的。陆九渊正是看到了这一现实,重提义利之辨的论题,以此警醒士人。冯友兰先生认为陆九渊的这次演讲对“义利之辨”讲出了新意,即“判断‘君子’、‘小人’的标准不在于他们的行为,而在于他们的‘志’。”志向不同，同样的事对于各人就有不同的意义，不同的意义又构成了各人不同的精神境界。

思考讨论

在《白鹿洞书院论语讲义》中，陆九渊提出以义利作为君子和小人的区别，对此你有什么看法？你认为义和利有什么关系？

议练民兵守淮疏

辛弃疾[1]

臣闻事不前定不可以应猝[2]，兵不预谋不可以制胜。臣谓两淮裂为三镇[3]，形格势禁[4]，足以待敌矣；然守城必以兵，养兵必以民，使万人为兵，立于城上，闭门拒守，财用之所资给，衣食之所办具，其下非有万家不能供也。

注释

[1] 辛弃疾：字幼安，号稼轩，济南（今山东济南）人，南宋词人。[2] 猝：突然，突发事件。[3] 两淮：宋时淮河以南的沿淮地区被划分为两区，称为“两淮”：淮南东路，治所在扬州；淮南西路，治所在寿州。三镇：指扬州、滁州和寿州。[4] 形格势禁：事情为形势所阻无法进行。

译文

臣听说做事如果事先不谋划就不能够应对突发事件，打仗不预先谋划就不能够取得胜利。臣认为应该把两淮分为三镇，这样可以造成阻敌的形势，足以抵御敌人；然而守城必定用兵来守，养兵必定依靠民众来养。假使征万人当兵，在城墙上站岗，关起城门坚守抵抗，那么这么多兵所需的财物供用、衣食准备，没有上万户人家是供养不起的。

往时虏人南寇，两淮之民常望风奔走，流离道路，无所归宿，饥寒困苦，不兵而死者十之四五[1]。臣以谓两淮民虽稀少，分则不足，聚则有余。若使每州为城，每城为守，则民分势寡，力有不给[2]；苟敛而聚之于三镇，则其民将不胜其多矣。

注释

[1]不兵而死：不是死于战争。 [2]给（jǐ）：足。

译文

以往敌人向南入侵，两淮地区的民众常常望风而逃，流离失散在路上，没有住宿的地方，挨饿受冻，劳苦不堪，死去的人有近乎半数不是死于兵刃。臣认为两淮地区的人口虽然稀少，分开不够御敌，但聚集起来就绰绰有余。如果以每个州为城防单位，以每个城防单位为坚守阵地，就会人口分散、势力单薄、兵力不足；如果号召起来，聚集在三镇，那么人口就会有很多了。

窃计两淮户口不减二十万，聚之使来，法当半至[1]，犹不减十万。以十万户之民供十万之兵，全力以守三镇，虏虽善攻，自非扫境而来[2]，乌能以岁月拔三镇哉[3]。况三镇之势，左提右挈[4]，横连纵出，且战且守，以制其后，臣以谓虽有兀术之智[5]，逆亮之力[6]，亦将无如之何，况其下者乎。

注释

[1]法当半至:按照规定,除了老幼来一半。 [2]自非:除非。[3]乌能:岂能。 拔:攻占。 [4]左提右挈:形容三镇相互接应。[5]兀术：完颜宗弼，金朝名将。 [6]逆亮：完颜亮，金朝的第四位君主。

译文

我估计两淮地区的人口不少于二十万，召集他们来，按照规定，除了老幼之外，能来一半，还不少于十万。以十万民众供给十万兵力，尽全力坚守三镇，敌人虽然善于进攻，但除非尽其所有来进攻，难道能短期内攻占三镇吗？何况三镇的形势，相互扶持，左右呼应，且战且守，以此牵制敌人的后续进攻，臣认为即使敌人有兀术的智谋，完颜亮的能力，也没有办法，何况战力在这两人之下的敌人呢？

故臣愿陛下分淮南为三镇，预分郡县户口以隶之。无事之时，使各居其土，营治生业，无异平日；缓急之际[1]，令三镇之将各檄所部州县[2]，管拘本土民兵户口[3]，赴本镇保守。老弱妻子，牛畜资粮，聚之城内；其丁壮则授以器甲，令于本镇附近险要去处，分据寨栅，与虏骑互相出没，彼进吾退，彼退吾进，不与之战，务在夺其心而耗其气。而大兵堂堂正正[4]，全力以伺其后，有余则战，不足则守，

虏虽劲亦不能为吾患矣。且使两淮之民，仓卒之际，不致流离奔窜，徒转徙沟壑就毙而已也[5]。

注释

[1]缓急之际:发生战事的时候。 [2]檄:通告。 [3]拘:强制命令。 [4]大兵:指南宋的正规军。 [5]转徙:来回奔走。

译文

所以臣希望陛下把淮南划分为三镇，预先划分郡县的人口分属于三镇。没有战事的时候，让民众各自生活在他们住的地方，经营谋生，和平时一样；战事发生时，命令三镇的统帅各自通告下属的州县，强制命令本地的居民，奔赴所属的镇防守。老弱妻子儿女，牲畜财物，都集中到城内；发给壮丁兵器盔甲，命令他们在本镇的附近险要地带，分别安营扎寨，与敌人灵活斗争，敌进我退，敌退我进，不与他们正面交战，主要是涣散敌人的军心和士气。而正规军准备好，集中力量在后面等候战机，有利时出击，不利时坚守，敌人即便厉害，我们也不用担忧了。而且可以使两淮的民众在战事突发的时候，不至于流亡、逃窜，在逃跑中死在山沟里。

文史链接

辛弃疾抗金

据《宋史》记载，金主完颜亮去世后，中原地区掀起抗金的起义浪潮。耿京在山东聚集义军，自任天平节度使，由辛弃疾任掌书记，他常劝耿京带领军队归附南宋。在耿京的抗金义军中，有一位叫义端的和尚，辛弃疾将他引荐给耿京。不料，一天义端偷走耿京的大印逃跑了，耿京大怒，要问罪辛弃疾，辛弃疾说："请给我三天的期限，如果我抓不住义端，再请治罪。"辛弃疾估计义端必定是投降金军去了，便一路紧追，将义端抓获。不论义端如何求情，辛弃疾还是杀了他，将他的首级带回去，交给了耿京。于是，耿京更加信任辛弃疾。

绍兴三十二年，耿京派辛弃疾奉表归宋，宋高宗接受了耿京的归顺，但辛弃疾带着宋高宗的诏书返回时，张安国、邵进已经把耿京杀了，并带领部队投向金朝。于是，辛弃疾和义军旧部取得联系，然后直捣金营。当时，张安国正和金军将领宴乐，辛弃疾一举擒获张国安，把张国安押送朝廷。高宗大悦，辛弃疾恢复官职，当时辛弃疾只有二十三岁。

之后，辛弃疾怀着极大的抗金热情，曾作《九议》、《应问》和《美芹十论》等，向皇帝陈述抗金策略，但一直没有被采用。南宋内部也不断出现起义的浪潮，辛弃疾成为皇帝四处灭火的利器，辛弃疾的抗金理想只能化为悲壮激烈的诗词了。

思考讨论

1. 你读过辛弃疾的哪些词作？

2. 结合南宋末年的历史情况，你认为辛弃疾提出的"练民兵守淮"切实可行吗？

中兴遗传序[1]

陈　亮[2]

初，龙可伯康游京师[3]，辈饮市肆，方叫呼大噱[4]，赵九龄次张旁行过之[5]，雅与伯康不相识[6]，俄追止次张，牵其臂，迫与共饮。次张之父时守官河东，方以疾闻。次张以实告，伯康曰："毋苦！乃翁疾行瘳矣[7]。子可人意者，为我姑少留。"次张不得已从之。箕踞笑歌[8]，恢谐纵谑，旁若无人，次张固已心异。

注释

[1] 中兴：衰而复兴。这里指金兵南侵，宋高宗赵构逃到南方建立小朝廷后的这段时期。　[2] 陈亮：字同甫，婺州永康（今浙江永康）人，南宋理学"永康学派"的创始人。　[3] 龙可伯康：姓龙，名可，字伯康。　[4] 大噱：大笑。　[5] 赵九龄次张：姓赵，名九龄，字次张。　[6] 雅：平素。　[7] 行：马上。瘳（chōu）：病愈。　[8] 箕踞：坐时两腿前伸，形如簸箕，是一种无礼的表现。

译文

当初，龙可伯康在京师游玩，和朋友们聚饮于酒肆，正叫嚷大笑的时候，赵九龄次张从他们身旁经过，次张平素与伯康并不相识，等了一会儿伯康追上他，抓住他的胳膊，强要他一起喝酒。当时次张的父亲在河东做官，他刚听说父亲生病。次张把这件事告诉伯康，伯康说："不必着急！你父亲的病就要痊愈了。你是很讨人喜欢的人，为我姑且稍坐一会儿。"次张不得已而听从了伯康。他们蹲踞笑歌，诙谐纵谑，旁若无人，这时次张心里已经对他感到惊异。

一日行城外，过麻村，观大阅之所[1]，伯康勃然曰[2]："子亦喜射乎？"次张曰："颇亦好之，而不能精也。"伯康曰："姑试之。"次张从旁取弓挟矢以兴[3]，十发而贴中者六七。次张心颇自喜。伯康拾矢而射，一发中的[4]，矢矢相属[5]，十发无一差者。次张惊曰："子射至此乎！"伯康曰："此亦何足道。千军万马，头目转动不常[6]，意之所指，犹望必中，况此定的，又何怪乎！"次张吐其舌不能收。

注释

[1]大阅之所：阅兵场。 [2]勃然：兴起的样子。 [3]兴：作。 [4]的（dì）：箭靶红心。 [5]相属：相连。 [6]头目：头和眼睛。

译文

一天到城外，路过麻村，看到阅兵场，伯康兴起，说："你喜欢射箭吗？”次张说：“非常喜欢，但是不能精通。”伯康说：“姑且试试。”次张从旁边取弓搭箭，开始射箭，十发中了六七发，次张心里很高兴。伯康拿起箭来射出，一发中的，箭箭中的，十发没有一箭不中。次张惊讶地说：“你射箭达到如此程度啊！”伯康说：“这又有什么称道的。千军万马中，头目转动不停，想要射中什么目标，只要望见必定射中，何况这固定的箭靶，又有什么惊奇的呢！”次张惊讶地吐着舌头，久久不能收回。

俄指其地而谓次张曰：“后三年，此间皆胡人，子姑识之[1]。火龙骑日[2]，飞雪满天，此京城破日之兆。”因嘻吁长叹[3]，不能自禁。后三年，京城失守，其言皆验。中原流离，伯康自是不复见矣。岂丧乱之际，或死于兵，抑有所奋而不能成也[4]！次张每念其人，言则叹惜。

注释

[1]识：记住。　[2]火龙骑日：一种奇特的自然现象，日赤如火，无光。　[3]嘻吁：叹息。　[4]抑：或是。

译文

过了一会儿，伯康指着地，对次张说：“三年后，这里都是胡人，你姑且记住这话。火龙骑日，飞雪漫天，这是京城被攻破的先兆。”为此唏嘘长叹，不能自已。三年后，京城失守，他的话都应验了。中原的民众流离失所，从此次张再也没有见过伯康。难道在战争期间，死于兵戈，或是有所行动而没有成功吧！次张每次念及伯康，便叹惜不已。

绍兴初[1]，韩世忠拒虏于淮西[2]，力颇不敌。次张献言："乞决淮西之水以灌虏营。"朝廷易其言而不之信[3]。已而虏师俄退，世忠力请留战。虏酋使谓曰："闻南朝欲决水以灌我营，我岂能落人计中！"次张言虽不用，犹足以攻敌人之心者类如此。

注释

[1]绍兴：宋高宗赵构的年号。　[2]韩世忠：南宋著名爱国将领。　[3]易：轻视。

译文

绍兴初年，韩世忠在淮西抵御金兵，力量不能与敌兵对抗。次张献计说："请求决堤放水，以淮水灌虏营。"朝廷轻视次张的献言，不相信他的计谋。不久，敌兵撤退，韩世忠力请朝廷坚持作战。敌军首领派使者来说："听说南朝想要决堤以淮水灌我营，我们岂能落入你们的计谋中？"次张献计虽然不被采用，但足以扰乱敌兵的军心，次张谋略大致如此。

次张尝为李丞相所辟[1]，得承务郎。督府罢[2]，次张亦径归。大驾南渡[3]，次张侨居阳羡[4]。故将岳飞尝隶丞相军中，次张识其人于行伍，言之丞相，

给帖补军校[5]。后为统制，遇大驾巡永嘉[6]，与诸将彷徨江上，莫知攸适[7]；又乏粮，将谋抄掠[8]，次张闻而竟往，说飞移军阳羡[9]，州给之食，飞得无他[10]，而州境赖焉。

注释

[1]李丞相：李纲，字伯纪。　辟：征召，荐举。　[2]督府：指李纲。　罢：罢职。　[3]大驾：指皇帝。　[4]阳羡：在今江苏宜兴南。　[5]军校：下级军官。　[6]永嘉：今浙江温州。　[7]攸适：所往。　[8]抄掠：掠夺。　[9]说（shuì）：劝说。　[10]无他：不发生意外。

译文

次张曾被李丞相召用，得到闲散的承务郎职位。李丞相被免职后，次张也径自回到故里。皇帝南渡时，次张侨居阳羡。南宋大将岳飞曾在隶属于李纲的军中任职，次张在士兵中看出岳飞的不凡，便告诉李纲，李纲便任命岳飞为编制以外的军校。后来岳飞为统制军官的时候，适逢皇上巡视永嘉，岳飞和他统率的诸位将领在江上徘徊，不知所往，又缺少粮食给养，谋划将要掠夺，次张听到这个消息竟前往岳军，劝说岳飞移军到阳羡，由州府供给物资，岳飞才没有发生意外，阳羡也赖以保存下来。

人有言次张生平于赵丞相者[1]，丞相喜，欲用之，复有谮者曰[2]：“此人心志不可保，使其得志，

必为曹操。”丞相疑沮而止。次张度时不用[3]，屏居不出[4]，竟死。

注释

[1] 赵丞相：赵鼎，字元镇。 [2] 谮（zèn）：诬陷。 [3] 度（duó）：估计。 [4] 屏（bǐng）居：隐居。

译文

有人把次张推荐给赵丞相，赵丞相很高兴，想要任用他，又有人诬陷次张说：“这个人的心志不可确保，假使他得了志，必定成为曹操那样的人。”赵丞相疑虑重重而没有起用他。次张揣度不会得到任用，便隐居不出，直到去世。

昔参政周公葵屡为余言其人[1]，且曰：“我尝荐之朝廷，诸公皆诘我[2]：‘子端人正士，胡为喜言此等狂生？’我因告之曰：‘吾侪平居谈王道[3]，说《诗》《书》。一日得用，从容庙朝，执持纪纲可也；至于排难解纷，仓卒万变，此等殆不可少[4]。吾侪既不能辨，而恶他人之能辨[5]，是诬天下以无士，而期国事之必不成也[6]。是乌可哉[7]！’”

注释

[1] 参政周公葵：周葵，字立义，宋孝宗时任参知政事。

[2] 诘：责难。　[3] 侪（chái）：辈，类。　[4] 殆：恐怕。
[5] 恶（wù）：厌恶。　[6] 期：希望。　[7] 乌：同“何”。

译文

以前参政周公葵多次向我谈到次张，并且说：“我曾经向朝廷推荐他，诸位官员都责难我：‘你是个规规矩矩的人，为什么乐意推荐这样的狂生？’于是我告诉他们说：‘我们这些人平常谈论王道，讲说《诗》、《书》。一旦得到任用，悠游于朝廷，可以持守纲纪；至于排忧解难，仓猝之间应付各种突发事件，这时恐怕要用到次张这样的人。我们如果不能辨，就厌恶他人能辨，这是以没有士人来欺骗天下人，而希望国事一定不能成功。这怎么可以呢？’”

余尝大周公之言[1]，异二生之为人而惜其屈，尝欲传其事而不能详，因叹曰：“世之豪伟倜傥之士[2]，沉没于困穷，不能自奋以为世用，欲用而卒沮于疑忌，如二生者宁有限哉！然自古乱离战争之际，往往奇才辈出，崭然自赴功名之会[3]，如建炎绍兴之间[4]，诚亦不少，虽或屈而不用，用不大，大或不终，未四十年，已有不能道其姓字者。记事之文，可少乎哉！”

注释

[1] 大：钦佩。　[2] 倜傥（tì tǎng）：洒脱超逸。　[3] 崭然：

突出的样子。 [4]建炎、绍兴：指南宋初年。建炎和绍兴都是宋高宗赵构的年号。

译文

我很佩服周公的这番话，以为龙伯康和次张为人与众不同，而痛惜他们被屈才，曾想传述他们的事迹而不知道详情，于是感叹道："世上豪伟超逸的士人，埋没在穷困中，自己不能施展抱负而被上层任用，在位者想要任用而最终由于顾虑和猜忌不能任用，像龙伯康和次张这样的遭遇，难道还少吗？然而自古于乱世，常常有奇才辈出，自己能登上权位施展抱负，好比建炎、绍兴年间，确实也有不少奇才，有的被屈才而不被任用，有的被任用而不能全力施为，有的能全力施为而不能到最后，不到四十年，已经有不能说出他们名字的情况了。如此，传记的文章还能缺少吗？"

自是始欲纂集异闻[1]，为《中兴遗传》。然犹恨闻见单寡，欲从先生故老详求其事。故先为之纂例[2]，而以渐足之。其一曰大臣，若李纲、宗泽、吕颐浩、赵鼎。其二曰大将，若种师道、岳飞、韩世忠、吴玠。其三曰死节，若李若水、刘韐、孙傅。其四曰死事，若种师中、王禀、徐徽言。其五曰能臣，若陈则、程昌禹、郑刚中。其六曰能将，若曲端、姚端、王胜、刘锐。其七曰直士，若陈东、欧阳澈、吴若。其八曰侠士，若王友、张所、刘位。其九曰辩士，

若邵公序、祝子权、汪若海。其十曰义勇，若孙韩、葛进、石竧。其十一曰群盗，若李胜、杨进、丁进。其十二曰贼臣，若徐秉哲、王时雍、范琼。合十二门而分传之，总目曰《中兴遗传》。聊以发其行事，而致吾之意[3]。然其端则起于惜二生之失其传，故序首及之。

注释

[1]纂:编写。　[2]纂例:拟定编写体例。　[3]致:表达。

译文

从此我开始准备编集异士的事迹，名为《中兴遗传》。但是遗憾自己孤陋寡闻，想要从故旧老臣那里求得详细的事迹。所以先为这本著作拟定编写体例，而逐渐补全它。其一是大臣，如李纲、宗泽、吕颐浩、赵鼎。其二是大将，如种师道、岳飞、韩世忠、吴玠。其三是死节，如李若水、刘韐、孙傅。其四是死事，如种师中、王禀、徐徽言。其五是能臣，如陈则、程昌禹、郑刚中。其六是能将，如曲端、姚端、王胜、刘锐。其七是直士，如陈东、欧阳澈、吴若。其八是侠士，如王友、张所、刘位。其九是辩士，如邵公序、祝子权、汪若海。其十是义勇，如孙韩、葛进、石竧。其十一是群盗，如李胜、杨进、丁进。其十二是贼臣，如徐秉哲、王时雍、范琼。一共十二类而分别为他们作传，总的名称为《中兴遗传》。姑且显扬他们的行为事迹而表达我的敬意。这件事的开端缘起于惋惜龙伯康和次张两人没有传记，所以在序文的开头讲述一番。

昔司马子长周游四方[1]，纂集旧闻，为《史记》一百三十篇。其文驰骋万变，使观者壮心骇目。顾余何人[2]，岂能使人喜观吾文如子长哉！方将旁求广集，以备史氏之缺遗云耳[3]。

注释

[1]司马子长：司马迁，字子长。　[2]顾：但。　[3]史氏：历史家。

译文

以前司马子长到处游历，编集古代历史，著成《史记》，有一百三十篇文章。他的文辞驰骋万变，让读者感到激动惊骇。但我是什么人，哪里能让人喜欢读我的文章如同喜欢读子长的呢？只是到处广泛搜集，以补正史的缺漏罢了。

文史链接

义利双行，王霸并用

“义利双行，王霸并用”是朱熹对陈亮学说的概括，也是朱熹和陈亮切磋学问时争论的焦点。朱熹和陈亮对于义利、王霸的争论，始于宋孝宗淳熙十一年。当时，陈亮被牵连进一起讼案而下狱。出狱后，接到朱熹写给他的三封信。信中，朱熹认为陈亮“自处于法度之外，不乐闻儒生礼法之论”。这是陈亮获罪的真正根由，所以陈亮应该立即“绌去义利双行、王霸并用之说，而从事于惩忿窒欲、迁善改过之事，粹然以醇儒之道自律。”陈亮看信后，在

同年秋天，给朱熹回复了一封长信，进行争辩。自此两人书信往来，对义利、王霸等问题展开了激烈的辩论。

朱熹主张尊王贱霸，他认为夏商周三代天理流行，是王道行于天下，三代以后只是以智谋把持天下，社会上利欲横行，呈现出霸道衰世的景象。因此，朱熹认为陈亮推尊汉唐，贬抑三代，就是主张“王霸并用，义利双行之说”。陈亮不同意朱熹的看法，他说：“诸儒自处者曰义、曰王，汉唐做得成者曰利、曰霸，一头自如此说，一头自如彼做，说得虽甚好，做得也不恶，如此却是‘义利双行、王霸并用’，如亮之说，却是直上直下，只有一个头颅做得成耳！”陈亮认为道德和事功是统一的，如果把道德与事功割裂开来，才是“义利双行，王霸并用”。

对于这场论辩，同时代的陈傅良将两人的观点概括为：朱熹主张“功有适成，何必有德；事到偶济，何必有理”，而陈亮主张“功到成处，便是有德；事到济处，便是有理”。两人的争辩虽然没有结果，但极大地丰富了理学的内容，也使问题更为明晰地呈现出来。

思考讨论

你知道宋学中的浙东事功学派吗？这一学派的主要理论主张是什么？

告先太师墓文[1]

文天祥[2]

维己卯五月朔越二十有六日[3]，孝子某自岭被执[4]，至南安军[5]，谨具香币[6]，遣人驰告于先太师革斋先生墓下：呜呼！人谁不为臣？而我欲尽忠不得为忠；人谁不为子，而我欲尽孝不得为孝。天乎！使我至此极耶！

注释

[1]先太师：文天祥的父亲文仪，字士表，号革斋。[2]文天祥：字履善，又字宋瑞，自号文山，吉水（今江西吉安）人，南宋爱国将领，民族英雄。 [3]己卯：干支顺序中的第16个名称。这里指元至元十六年（1279）。 [4]岭：五岭坡。 [5]南安军：在今江西大余。 [6]香币：烛香和冥币。

译文

己卯年五月二十六日，孝子文天祥在五坡岭被敌人俘虏，押送到南安军，恭谨地备办香烛冥币，派人快速奔告于先太师革斋先生墓下：唉！哪个人不做臣子？我想尽忠而不能尽忠；哪个人不为人子？我想尽孝而不能尽孝。天啊！把我逼到这样的绝境啊！

始我起兵，赴难勤王。仲弟将家[1]，遁于南荒。

宗庙不守[2]，迁我异疆。大臣之谊[3]，国亡家亡。灵武师兴[4]，解后归国[5]。再相出督，身荷忧责[6]。江南之役，义声四克[7]。为亲拜墓，以翦荆棘。大勋垂集[8]，一跌崎岖。妻妾子女，六人为俘。收拾散亡，息于海隅。庶几奋厉，以为后图。

注释

[1]仲弟：二弟，这里指文璧。　[2]宗庙：祖庙，指国家。[3]谊：合理的行为。　[4]灵武：地名，今属宁夏。[5]解后归国：文天祥被元军押送北上途中，在镇江逃脱，回到南方。[6]荷：肩负。　[7]义声：义军。　克：战胜。　[8]垂集：即将成功。

译文

当年我率领军队，奔赴国难，保卫君王。二弟带着全家老小，逃到边远的南方。国家不能保全，敌人把我驱往异地边疆。身为大臣义不容辞，国土沦丧家庭破亡。灵武兴起抗敌的大军，我在被押送的途中逃脱，回到朝廷。再度任职丞相，出任都督，肩负救国的责任。在江南作战，军队接连打了胜仗。抽空为亡父扫墓，把坟上荆棘修剪干净。大功即将建成，一场惨败使形势变得艰难。妻子儿女，六人都被俘虏。聚集流散逃亡的部属，在海边休整。希望有朝一日奋发蹈厉，用这支部队收复国土。

恶运推迁，天所废弃。有母之丧[1]，寻失嫡子[2]。

哭泣未干，兵临其垒。仓皇之间，二女夭逝。剪为囚虏[3]，形影独存。仰药不瘠[4]，竟北其辕。系颈絷足[5]，过我里门。望墓相从，恨不九原[6]。爰指松楸，有言若誓。继令支子[7]，实典祀事。有侄曰陞，我身是嗣。兴言及此，血泪如雨！

注释

[1]有母之丧：文天祥的母亲在祥兴元年（1278）病逝。[2]寻失嫡子：文天祥的长子也死于祥兴元年。[3]剪：同"翦"，捕捉。[4]瘠（jì）：通"济"，成功。[5]絷（zhí）：拴住。[6]九原：坟墓。这里指死去。[7]支子：嫡长子之外的儿子。

译文

恶运降临，苍天把我们抛弃。母亲去世，长子夭折。哭泣的眼泪还没有干，敌军已逼近营垒。慌乱之中，两个女儿又夭折了。我被捕成了俘虏，只身独存。服药自杀没有死掉，只得被押着北上。脖子上戴着枷锁，脚上拴着镣铐，经过我的故乡。远望着坟墓，想追随父亲而去，恨不能死去。于是指着墓上的松木楸树发誓。我走后，让其他兄弟掌管祭祀。有个侄儿名字叫陞，过继他为我的子嗣。话说到这里，痛哭如雨！

呜呼！自古危乱之世，忠臣义士，孝子慈孙，其事之不能两全也久矣。我生不辰[1]，罹此百凶[2]。求仁得仁，抑又何怨？幽明死生，一理也；父子祖孙，一气也。冥漠有知[3]，尚哀鉴之！

注释

[1]不辰：不是时候。　　[2]罹：遭受。　　[3]冥漠：昏暗不见。这里指阴间。

译文

唉！自古在危乱的时代，要做忠臣义士对国家尽忠和要做孝子慈孙对祖宗尽孝，总是不能两全。我生的不是时候，遭遇到这许多的不幸。求仁得仁，又有什么可抱怨？生死是一个道理，父子祖孙同一条血脉，父亲泉下有知，请忍住哀伤原谅我！

文史链接

西山饿夫

西山饿夫是指伯夷、叔齐饿死在首阳山的故事。据《史记·伯夷列传》记载，伯夷、叔齐是孤竹君的两个儿子，孤竹君想让叔齐继承王位。孤竹君去世后，叔齐让伯夷即位，伯夷说："你即位是父亲的命令，我怎么能违背呢？"于是离开了国都。叔齐见伯夷离开了，也不肯即位，便追随伯夷离开。离开国都后，伯夷、叔齐听闻西伯昌非常尊敬老人，就前往他的领地，打算归顺他。等到他们走到时，西伯昌已经去世了，即位的武王载着西伯昌的牌位，去讨伐纣王。伯夷、叔齐连忙拽住武王的马缰绳，向武王劝谏说："父亲去世了，不好好安葬，却急着发动战争，这能说是孝吗？你作为臣子，却要讨伐君主，这能说是仁吗？"武王的侍从要杀了他们，太公姜尚说：“他们是有道义的人。”命人把他们扶到旁边。

后来，武王伐纣成功，天下的诸侯都尊奉周朝为宗主国。而伯夷、叔齐认为武王伐纣不符合道义，为此感到羞耻，于是他们决定坚守自己的节操，不吃周朝的粮食，隐居在首阳山，只以野菜为食。等到饿得快要不行了的时候，他们作了一首歌，歌词说：“登彼西山兮，采其薇矣。以暴易暴兮，不知其非矣。神农、虞、夏忽焉没兮，我安适归矣？于嗟徂兮，命之衰矣！”最终，兄弟二人饿死在首阳山。

司马迁对于伯夷、叔齐饿死在首阳山，感到非常困惑。伯夷、叔齐既然是善人，为什么他们的最终结局是饿死呢？孔子说他们无怨，从他们的歌词看，他们到底有怨没有呢？无论如何，伯夷、叔齐虽然有贤德，但也是在得到孔子的称誉后，才名声显扬。

思考讨论

1. 你知道文天祥的《正气歌》吗？请找来读一读。

2. 伯夷、叔齐饿死首阳山，文天祥矢志不渝，你如何理解他们的选择？

登西台恸哭记[1]

谢 翱[2]

始，故人唐宰相信公开府南服[3]，予以布衣从戎。

明年，别公漳水湄[4]。后明年，公以事过张睢阳庙及颜杲卿所尝往来处[5]，悲歌慷慨，卒不负其言而从之游，今其诗具在，可考也。

注释

[1] 西台：在今浙江桐庐县附近，是东汉隐士严子陵的钓鱼台，也称“子陵之台”。恸哭，大哭。 [2] 谢翱：福州长溪（今福建霞浦）人，宋末爱国志士。 [3] 唐宰相信公：指文天祥。唐宰相，是假托前朝。信公，文天祥的封号。 [4] 湄：水边。 [5] 以事：指文天祥被俘北上。 张睢阳庙：张巡庙。张巡是唐玄宗时睢阳的守将，安禄山叛乱中，他被俘殉难。 颜杲（gǎo）卿：安禄山叛乱中他被俘，割舌后仍怒骂不止，后被杀害。

译文

当初，我的老朋友唐宰相信公，在南方建立府署，我以平民百姓的身份投身在他军中。第二年，在漳水边与他分别。第三年，他因事经过张睢阳庙和颜杲卿曾经驻守的地方，慷慨悲歌，终于没有违背他自己的话而追随张巡、颜杲卿壮烈殉国，现在他当时作的诗都还在，可以为证。

予恨死无以藉手见公[1]，而独记别时语，每一动念，即于梦中寻之。或山水池榭，云岚草木，与所别之处及其时，适相类[2]，则徘徊顾盼，悲不敢泣。又后三年，过姑苏[3]。姑苏，公初开府旧治也，望夫差之台而始哭公焉[4]。又后四年，而哭之于越台[5]。又后五年及今而哭于子陵之台。

注释

[1]藉手：凭借。　[2]适：正好。　[3]姑苏：今江苏苏州市。　[4]夫差之台：姑苏台。夫差，春秋时吴国君主。[5]越台：在今浙江绍兴。

译文

我恨在他死前没有机会见到他，而只记得与他分别时说的话，每当想到这些，就到梦中去寻找他。有时在山上水边、亭池台阁、云雾山岗、花草树木等，遇到与他分别时相似的地方和时间，我便徘徊留恋，反复观看，悲痛而不敢哭出来。之后第三年，经过姑苏。姑苏是他早先开设府署时的治所，（我）看见姑苏台而第一次在他死后哭祭他。之后第四年，在绍兴的越台哭祭他。之后第五年，到了现在，（我）在严子陵的钓鱼台哭祭他。

先是一日，与友人甲、乙若丙约[1]，越宿而集[2]，午雨未止，买榜江涘[3]。登岸谒子陵祠，憩祠旁僧舍。毁垣枯甃[4]，如入墟墓。还，与榜人治祭具[5]。须臾雨止，登西台，设主于荒亭隅[6]，再拜跪伏，祝毕，号而恸者三，复再拜，起。

注释

[1] 甲、乙若丙：指谢翱的朋友吴思齐、严侣、冯桂芳。在元朝统治下，谢翱有所忌讳，常以甲乙丙代称人名。若，和。

[2] 越宿：过了一夜。　[3] 买榜：雇舟。　[4] 甃（zhòu）：井。

[5] 榜人：船夫。　[6] 主：牌位。

译文

在这一天之前，我与友人甲、乙和丙约定第二天会面，中午雨还没有停，到江边租了船只。上岸拜谒了严子陵的祠庙，在庙旁边的僧舍里休息。只见毁坏的墙壁、干枯的井，好像来到坟墓前。回到船上，和船夫一起准备祭奠用品。不一会儿雨停了，登上西台，在荒亭角上安放牌位，拜了两次后下跪伏地，祝祷完毕，号哭了很久，又拜了两次，才起身。

又念予弱冠时[1]，往来必谒拜祠下。其始至也，侍先君焉[2]。今予且老，江山人物，眷焉若失[3]。复东望，泣拜不已。有云从西南来，渰浥浡郁[4]，气薄林木[5]，若相助以悲者。乃以竹如意击石，作楚歌，招之曰[6]："魂朝往兮何极？暮归来兮关塞黑[7]，化为朱鸟兮有咮焉食[8]？"歌阕，竹石俱碎，于是相向感唶[9]。

注释

[1]弱冠：二十岁。　[2]先君：已经去世的父亲。指谢钥。[3]眷：回顾。　[4]渰（yǎn）浥浡郁：形容云气蓄积。[5]薄：迫近。　[6]招：招魂。　[7]关塞：关口。　[8]朱鸟：朱雀。南方七个星宿的总称，形状像鸟。　[9]噆：叹气。

译文

又想起我二十岁时，经过这里一定到这祠庙里拜谒。起初来这里时，是陪同我的父亲。现在我也快年老了，江山沦丧、人事已非，感怀伤感若有所失。再遥望东面，哭拜不止。有云气从西南方飘来，蒸腾郁结，笼罩了树林，更增添了悲哀的气氛。我用竹制的如意敲击着山石，吟唱楚地的歌谣，招引他的魂魄："魂魄早晨出去啊到了什么地方？晚上归来啊关塞一片黑暗，化作南方的朱雀啊又能吃到什么食物？"唱完，竹如意和山石都碎了，于是我们互相望着感叹不已。

复登东台，抚苍石，还憩于榜中。榜人始惊予哭，云："适有逻舟之过也[1]，盍移诸[2]？"遂移榜中流，举酒相属[3]，各为诗以寄所思。薄暮，雪作风凛，不可留，登岸宿乙家，夜复赋诗怀古。明日，益风雪，别甲于江。余与丙独归。行三十里，又越宿乃至。

注释

[1]逻舟：巡逻的船。　[2]盍：何不。　[3]相属：互敬。

译文

又登上东台，抚摩着青苍的山石，然后返回船中休息。船夫开始对我痛哭感到惊异，说："刚才有巡查的船经过，何不把船移到别处呢？"于是将船移到河中，我们举杯互相敬酒，各自作诗以寄托哀思。黄昏时，下起雪来，寒风凛冽，不能在此停留，登岸住在乙家中，夜里又写诗怀古。第二天，风雪更大了，在江边与甲相别。我和丙一同回去。走了三十里，又过了一夜才到家。

其后，甲以书及别时诗来，言是日风帆怒驶，逾久而后济，既济，疑有神阴相以著兹游之伟[1]。予曰：呜呼！阮步兵死[2]，空山无哭声且千年矣，若神之助，固不可知；然兹游亦良伟，其为文词，因以达意，亦诚可悲已。

注释

[1] 著：表明。　　[2] 阮步兵：阮籍，魏晋诗人，曾任职步兵校尉。他有时驾车外出任意奔驰，到无路可走时，放声大哭，然后返回。

译文

这以后，甲寄来信和分别时写的诗，说那天费力行船，耽搁了很久才渡过河，过河后，怀疑有神灵在暗中相助，用以表明我们这次出游很了不起。我说：唉！阮步兵死了以后，空山中已将近千年没有哭声了，是否有神灵相助，固然不能确知；然而我们这次出游确实了不起，而写诗文，借以表达我们的哀思，也确实很可悲。

予尝欲仿太史公[1]，著《季汉月表》，如《秦楚之际》[2]。今人不有知予心，后之人必有知予者。于此宜得书，故纪之，以附《季汉》事后。时，先君登台后二十六年也。先君讳某，字某。登台之岁在乙丑云。

注释

[1]太史公：司马迁，西汉史学家。 [2]《秦楚之际》：《史记》中的《秦楚之际月表》。

译文

我曾想仿效太史公司马迁，编写《季汉月表》，如同《秦楚之际月表》那样。现在没有人了解我的用心，而后世一定有了解我的人。这次哭祭我应该写下来，因此记下这些，以附在《季汉月表》之后。这时，是我父亲登西台后的二十六年。父亲讳名某，字某。登台那年是乙丑年。

文史链接

阮籍哭穷途

阮籍是魏晋时期的名士，狂放不羁，行为怪诞，他的饮酒、弹琴，

甚至长啸、哭都成为一种名士风度，吸引着一代又一代人。特别是对他的穷途之哭，士人吟诵不衰，唐杜甫言："君见途穷哭，宜忧阮步兵。"白居易言："贾谊哭时事，阮籍哭路歧。"罗邺言："正哭阮途归来得，更闻江笔赴嘉招。"宋邓肃言："未学宣尼歌凤德，姑从阮籍哭途穷。" 明陈子龙言："阮籍哭时途路尽，梁鸿归去姓名非。"清冷士嵋言："艰难阮籍穷途哭，憔悴江淹去国愁。"

据《晋书·阮籍传》记载，阮籍"时率意独驾，不由径路，车迹所穷，辄恸哭而反"。魏晋是"天下多故，名士少有全者"的时代，名士朝不保夕，动辄就可能有杀身灭门之祸。处于这样的社会历史环境中，阮籍的"车迹所穷"不仅指车子走到了没有路的地方，也指个人在生活中时常遭遇前无进路、后无退路的困窘之境。阮籍的至情至性、愤世嫉俗在穷途之哭中表露无遗，因此有学者认为，阮籍的哭"乃是一种极度孤独后的悲泣，哭出了文人的痛苦与无奈，哭出了历史的困惑和时代的悲凉"。他想哭就哭，"心之所欲，行之所到，在能保全自身的情况下，不失为一个发泄情感的方式，同时，也是对当政者一种无言的控诉"。

思考讨论

你怎么理解阮籍的性格与内心世界？

后　记

有一次，偶然看到某市小学一年级的语文课本中有贺知章的《回乡偶书》一诗："少小离家老大回，乡音无改鬓毛衰。儿童相见不相识，笑问客从何处来。""衰"字加了注音 shuāi。

衰，在此处应该读 cuī，在古义中有"等级次第的差别或依次递减"的意思，如《左传 · 桓公二年》："故天子建国，诸侯立家，卿置侧室，大夫有贰宗，士有隶子弟，庶人工商各有分亲，皆有等衰。"引申为减少、稀疏。结合贺知章的《回乡偶书》，这里"衰"的意思当指鬓毛减少、疏落，而不是衰老的意思。再从整首绝句的韵脚来看，"衰"字与首句"少小离家老大回"中的"回"和末句"笑问客从何处来"中的"来"，这三字在"诗韵"即"平水韵"中同属灰韵。

这些属于古代文化常识性的内容，过去龆龀蒙童均能脱口成韵，如今在专业教育出版社的小学语文教材中出现这样的差错，管窥一斑，不由得让人担忧。

读错一个字音尚是小事，倘若几代人不读"四书"、"五经"、唐诗、宋词……那中华民族真的就没有了灵魂。民族没有了精神内核，没有了灵魂，如何奢谈中华民族的伟大复兴？

我们承认现代教育将中国教育的视野引向更为广阔的国际空间，带来了许多新理念，给中国教育带来了活力。但是，如何在引入国际现代教育理念和现代教育方式的同时，坚守中国具有传承价值的优秀传统文化？如何在全面实施素质教育的同时，弘扬

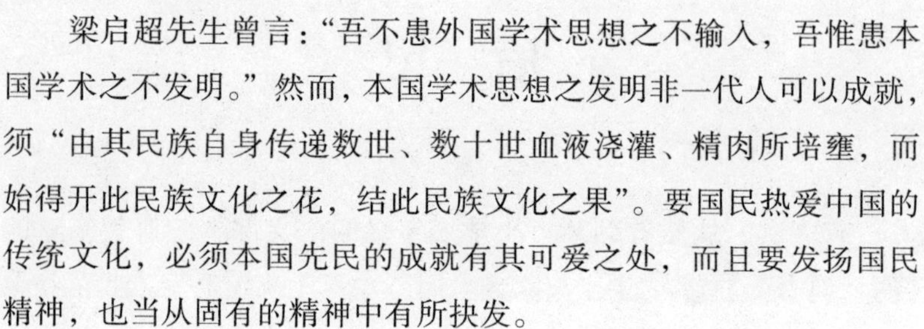

中国文化特色以保持中国文化特有的气质？这是当前中国教育值得深入研究的问题之一。

梁启超先生曾言：“吾不患外国学术思想之不输入，吾惟患本国学术之不发明。”然而，本国学术思想之发明非一代人可以成就，须“由其民族自身传递数世、数十世血液浇灌、精肉所培壅，而始得开此民族文化之花，结此民族文化之果”。要国民热爱中国的传统文化，必须本国先民的成就有其可爱之处，而且要发扬国民精神，也当从固有的精神中有所抉发。

秋霞圃书院自2010年开始筹划编撰一套适合大众普及尤其是中小学生使用的“国学基本教材”，自小学至高中每学期能有一册在手，通过以长期渐进、系统地熏陶、滋养，使中小学生在潜移默化中亲近中国的历史与文化，并使中华传统文化在当下的社会生活中“活化”。当然这种“活化”不是简单的复古，而是在当代的语境中重新梳理中华文明的脉络，从中汲取适应时代需要、社会需要，乃至适应工业文明与后工业文明需要的养料，提炼出中华传统文化的核心价值，以此来滋养一代又一代学子，为中华民族的伟大复兴奠定基础。当然，这些愿景断非一己之力能及，而是需要几代人的不懈努力，我们所起的作用仅仅是抛砖而已。国内儒学研究领军学者之一、武汉大学国学院院长郭齐勇教授听闻我们有此愿望后鼎力支持，欣然担任本套教材的总顾问，协调资源，并为之作序；武汉大学国学院院长助理孙劲松先生、向珂博士在筹组编者队伍时提供了真诚无私的帮助。此后又蒙秋霞圃书院院长、历史学家沈渭滨，语言学家李佐丰，古典文献学者骆玉明、汪涌豪、傅杰、徐志啸等教授在谋篇布局上的悉心指点，形成了本套“国学基本教材”的框架。确定框架之后，我们邀请了武汉大学、复旦大学、华东师范大学、南开大学、中国传媒大学、中山大学、内蒙古师范大学、陕西师范大学、南通大学等高校人文学科中青年学人和江浙沪地区几位优秀的中小学语文教师参与编写。

全书成稿后，沈渭滨、王家范、骆玉明、傅杰、汪涌豪、杨国强、张觉、张新科、徐志啸、鲍鹏山等教授审读了书稿，并提出了宝贵的修改意见；86岁高龄的书法名家章汝奭先生为“国学基本教材”题写书名；《儒藏》总编撰、德高望重的北京大学教授汤一介先生为我们赠书“圣贤之道”；丰子恺先生后人为我们提供了精美而颇有意蕴的24幅漫画用作丛书封面；朱青生教授为我们提供了汉画文献用于插图；画家李永源先生逾古稀之年，为这套丛书手绘了上百幅插画；浙江古籍出版社社长杨林海先生是我故交乡党，听闻我有意筹划一套面向中小学生的“国学基本教材”丛书之后，青睐有加，多方努力协调资源，亲自落实该套教材出版的相关事宜……所有殊胜因缘，都在襄助秋霞圃书院矢志传播中华传统文化的大愿，唯有在此深揖致谢。

由于主持者与编者的学识有限，尽管悉心编校，但不足之处难免，敬请方家、读者指正，以便来年修订时，相应校正。

意见和建议可致电：021-66366439，13816808263。通信地址：上海市嘉定区南大街嘉定孔庙秋霞圃书院，邮政编码：201800，电子邮件 :qiuxiapu@163.com。

李耐儒

癸巳春于嘉定孔庙